艾雯全集 8

小說卷三

一家春
與君同在
森林裡的祕密

目次 Contents

森林裡的祕密

艾雯全集8

小說卷三

一家春

一家春：台北市，正中書局，一九六〇年一月台初版。三十二開，一八三頁。

◎正中書局版原目：

一家春、負心、賭徒、魔劫、雲消霧散、糖渣、吾妻、分水嶺、太太的信仰、永保青春、淘金夢、犧牲者、乾親家、級長、群魔宴。

◎說明：

本集據正中書局台初版編入。

一家春

可敬的芳鄰先生：

很冒昧地給您寫這一封信，首先讓我介紹我自己：我們是昨天才搬來您右隔壁的；所以很榮幸的做了你們的鄰居。雖然短促的時間還不允許我們做禮貌上的拜訪，但我相信住在這幢幽靜可愛的屋子裡的主人，一定是一個高尚文雅，溫暖和藹的家庭，關於這一點，我非常高興今後將有很長的時間可以趨教。現在我執筆先寫這封信的動機，除了向我們可敬的，尚未謀面的芳鄰竭誠致候，另外還附上一個小小的請求，就是貴院有一株十分茂盛的桂圓樹，有一部分已越過圍牆，展伸在敝園上空。能夠沾到府上的餘蔭，原是值得感謝的，只是那片濃蔭正好遮蔽了寢室窗前的陽光。您當然了解空氣和陽光對一個人的健康是如何重要，因此請允許我們除掉那越過圍牆的一部分樹枝。以這般瑣屑之事打攪您寶貴的時間，實在抱歉，不情之處，容日後面謝。並祝

福！

可敬的新鄰居先生：

來信的確帶給我無限驚奇，就像住在一個星球裡的人忽然接到另一個星球拍發來的電波一樣；因為在這幽靜冷僻的高級住宅區內，「芳鄰」這稱呼實在是很生疏的。我們從來就不清楚左右隔壁住的是何許人，自然，別人也不會知道我們。大家既不願有不識相的拜訪破壞家的情氛，無意義的應酬蹧蹋珍貴的時間，彼此間幾乎一直傳習下來堅守著「老死不相往來」的不成文的約法。但是，無論如何，在禮貌上我應該向您們說聲歡迎，同時謝謝您的誇獎和致意。您們能捨棄繁華多采的城市而遷來這冷僻地帶，相信您們一定也是很高雅的家庭。希望你們不久就能習慣這裡的風氣。

信中所提敝院的那株桂圓樹，因為是先祖的手澤，不忍斫伐，所請礙難遵命，還祈原諒。至於越牆部分所結之果實，只要在不損傷枝幹的原則下，卻不妨隨意摘食。謹覆並候好！

您的新鄰居

鄰居先生：

多可怕喲！您的一封短信幾乎推翻了我的人生觀，我一直深信有陽光照耀的地方，便有可愛的生命，有人類聚居的地方，便有溫暖的人情。人與人之間如果正像您所描繪的那樣冷

您們的鄰居

漠，自私，彼此憎嫌，那還不如讓生命毀滅！讓太陽沉落！讓世界恢復開天闢地以前的混沌吧！但是，就當我此刻執筆作書時，眺望窗外，院裡分明照耀著一片眩目的陽光——除了那株厚密的桂圓樹投下的陰影，一切都是融融曳曳，生氣蓬勃。至少在我們這小小的院子裡，世界所表現的還不失可愛。倒是多謝您的關注，我想我們會習慣這裡如同習慣我們一曾到過的地方。至於您所說的風氣雖然使人感到遺憾，但幸好那並不是傳染性的疫症，而又加上巍然的圍牆，我相信我們還不至於會傳染上。

我無法想像一個人缺少了陽光怎樣能生存，就像魚兒失去了水一樣。我的心靈永遠渴慕著光和熱，如同生命永遠嚮往著自由和真理，我不能忍受任何一種陰影，遮掩在我心靈上或是生活中。而應該是朝曦初上，光輝美麗的清晨，睜開眼睛所看見的卻是一片陰暗，儘管是爽朗明淨，萬里無雲的晴天，視線所接觸的仍是一片陰暗，試設身處地想一想，我猜想您一定也未必能忍受。是的，你對令祖先的那份崇尊，確使人肅然起敬。但是，我所要求砍除的僅僅只是出牆的部分枝葉，保證絕對不損傷樹身，我相信令祖在天之靈如有知的話，也一定可以原諒的。請恕喋喋不休，因為我是這樣迫切地期待著。

您的新鄰居

新鄰居先生：

抱歉得很，儘管您送來一筐一筐的什麼光和熱、生命和人情。儘管您載來一車廂的理由，我的答覆永遠只有簡單的一句：就是桂圓樹不能砍。哪怕只是一根樹枝，一叢枝葉。此後來信如再提有關樹事，恕不奉覆。

您們的鄰居

隔壁的鄰居：

你那措詞優雅的短箋，不禁深深地引起了我的遺憾和悲哀，我覺得抱憾的是我認為有高尚家庭的人一定也有良好的教養，但我的觀感卻完全錯了。我悲哀的是中國一直是禮義之邦，而淪至今日，卻有人連最粗淺的禮貌都沒有。傲慢的人：別自以為別人真的有求於你，那只是將成為鄰居的對你的一種尊敬。說實話，我們既然買下這屋子，這地便成為我們的「領土」，我們自然亦有權處理「領空」的任何事物。寫這封信給你，並不要你作覆，只是告訴你，用不著你的同意，我們已決定行動。

鄰宅

新搬來的人家：

我懷疑你們是否才從什麼窯洞裡搬出來的，這樣的專橫不講道理。我自幼所受高尚的教養原來不允許我動粗，但俗語說得好：對野蠻人講理不能用文字，只有用斧子。我再聲明一句，樹根生在我家園裡，一切主權屬於我們，如果你們擅自有所行動，我們也不惜採取任何行動奉陪，可別到那時後悔莫及了。

隔壁人家：

原來，足下所云高尚教養，便是那種威脅和恐嚇手段麼？這等於教我上了人生的新的一課：認識了所謂「紳士」的風度。不過，任何你提出的恐嚇或威脅，只有促使我們更快速的行動，決心要消除黑暗，便不應該容許鬼蜮有更多活動的時間。

鄰邸

新搬來的人家：

敵人既然拔劍張弩，對方亦唯有嚴陣以待。大家等著瞧吧！

鄰宅

衛先生：

為了協助我們砍樹而使你摔傷了腿，內心感到萬分歉疚和不安。昨天你那勇敢的表現可真教人驚佩，當我們僱來的工人正對著樹巔上那枝斜竄在空中的高枝束手無策時，出人意料的你卻從大樹幹上敏捷地攀越而上。要不是脆細的樹枝忽然折斷，你那漂亮的身手真可以上銀幕。家父還說像這樣熱心的青年真是世上少有。他囑我寫信慰問你，並向你致謝，但願你的腿傷無甚大礙。早日痊好！

鄰邸

費小姐：

多謝費老先生和妳的關懷，我的腿原來只是皮傷和扭了筋，無甚大礙，而接讀妳的華箋，有如一劑止痛消炎劑，此刻已腫疼全消。請別再提什麼歉疚和致謝，能夠和你結為芳鄰，已是三生有幸。如有機會能為妳服務效勞，不僅引以為榮，更是萬死不辭。

費曼麗

我完全同意妳的看法，生命中不能缺少光和熱，如同，噢，如同心靈渴慕著自由和愛情。關於敝園的桂圓樹曾遮蔽妳窗前的陽光一事，我永遠不能饒恕自己的愚蠢。如今，陰蔭已撤除，燦爛的陽光將每天帶著健康與快樂輕扣妳的窗扉。為了使妳一睜開妳那明媚的眼睛，所接觸的便是美，便是可愛的生命，願把我親自栽植的幾株名貴的玫瑰，移植在妳窗下，如果您已寬恕我已往的愚蠢，那就請接納我這一份微小的奉獻罷！翹待著妳的吩咐，謹為妳祝福。

衛漢倫

衛先生：

玫瑰原是我最喜愛的花，我十分高興接受你的贈予。一想到當那嬌貴的花朵盛開在窗畔，春天便將在小院裡駐留，我從心底深深地感謝你。只是要你割愛，不免有點過意不去。

時間之河是無涯岸，過去並不能停泊。人只是跟隨著它向前奔流，又何必回轉頭去譴責自己！請寬心，我不會芥蒂那些過去的小事。

費曼麗

曼麗小姐：

人的改變，有時往往連自己都感到驚奇。過去，我從來不關心天氣的陰晴冷暖，我的書房便是我的世界，我習慣於孤獨、寂寞，像一隻地鼠習慣於牠深暗的洞穴。但是，只是最近這幾天來，我卻覺得軀體內彷彿裝滿了氫氣，想飛越這狹窄的牆垣。我自幼便失去了溫暖和愛撫的心靈，充滿了新生的渴慕，我更時刻關念著天氣，入睡前，我祈求晚上灑一陣微雨，醒來前，我又盼望這天有輝朗的陽光，因為，唯有陽光的照拂，雨露的潤澤，栽在妳窗下的玫瑰才會盛開，而盛開的花朵，正代表我向妳致敬，向妳請安。

由於玫瑰，我記起了一個美麗的童話，說是有一個少女願望一朵玫瑰佩在胸前去赴宴，但那不是玫瑰的季節。而她窗前僅有的一朵又是那樣地蒼白，她的渴慕又是那樣地執拗。於是，她的愛人——又說是一隻通靈的夜鶯——將自己年輕的胸脯緊緊地，緊緊地貼在花枝上，尖利的刺深深地戳入他心裡，鮮紅的血液沿著花枝滴下來，那朵蒼白的玫瑰，立刻變成了嬌豔的紅花，佩在少女胸前——做那隻夜鶯是多麼榮幸，我曾經夢想著成為一隻這樣幸運的鳥……。

曼麗小姐，認識妳，才使我懂得了生命的可愛，發現了世界的美麗，我誠懇地希望多從妳那裡得到些啟發，不知妳肯不肯賜予我這樣的機會？

漢倫

衛先生：

收到你的信，有很多地方使我不解。我自己從來沒有改變過，因此我不懂人怎麼會改變？我愛玫瑰，因為我是女人，女人很少不愛花的。你很會說故事，將來可以做安徒生第二。

我並不覺得自己像枚鑰匙，你說要從我得到什麼啟發的話怕是弄錯了，再說：我每天除了進修的幾樣課業，學針線，弄園藝，還要替父親做小管家。因此抱歉得很，我實在抽不出時間給你那所說那個機會了。

費曼麗

漢倫先生：

真是失敬得很，原來你是一位這樣超特的音樂家，每晚上，當那如訴如泣的小提琴旋律從桂圓樹下升起，感動得月姐減去了清輝，星子不安地顫抖，玫瑰也珠淚盈盈。我十分欽佩你音樂上高深的造詣，我更感謝你每晚上讓我有耳福聆聽如此美妙的音樂，從黃昏一直到深夜。只是，請先原諒我的失禮，我要說的是為我父親，他整日處理公務，精力消耗很多。回家來就亟需要安靜和休息。而他可憐的神經多少有點過敏。一點兒聲響就使他不能安眠。因此，你徹夜不息的琴聲，給了他很大的影響，由於晚上不能安眠，以致白天裡精神不寧，由於精神不寧，更引起情緒惡劣，照這樣下去，對他的健康關係太大了。我請你能否暫停每晚的演奏，或者換一個離我們稍遠的地點，好嗎？再說一句，對你音樂的造詣，我是十分欽佩的。順便告訴你，玫瑰花開得很絢爛。

曼麗

曼麗：

請讓我這樣稱呼妳罷！自從那天在樹上第一次看見妳，已不知千百次在心裡溫柔地喚著這聖潔的名字，這名字曾給予我新的信念、希望、鼓舞，以及青春活力，就像黎明新生的曙光通過一個陰暗困瘁的心靈，而產生了新的熱和力。但是，當我虔敬地想向那聖潔的光輝接近一步，承受那照耀與引領時，卻又驀地被一隻無形的巨掌遮蔽了，阻隔了。

希望和失望，欣喜和悵惘，無告的祈求，無助的籲請……這些，都在我心裡糾纏、膨脹、擴升，我再也無法抑制，於是，我借助於小小的提琴，從黃昏到深夜，反覆拉奏著代表我心聲的小夜曲，噢！請聽聽一段罷：

我的歌聲，婉轉輕盈，冒夜求求妳……

妳可聽見夜鶯的歌聲，代我向妳懇請：

牠了解我心的痛苦，愛的深情……

牠用牠那銀鈴的聲音感動一切心，也應感動妳的芳心……

我的琴聲竟打攪了老伯的清夢，實在是罪咎深重，但是，曼麗，我不能抑制自己；就像火上的水不能使它停止沸騰，除非是妳能允許我自己替代那替代我的夜鶯，向妳祈求……

玫瑰開得絢爛，不知她可知道她的故主正日漸憔悴。

漢倫

漢倫先生：

你似乎很懂得運用要挾、脅迫這些高尚的手腕，你知道我為了減除父親的神經被搓揉，會不得不答應做些違心之事。如果你堅持鄰居間為表示友善，應該有友誼上的拜訪。那麼，每天下午在夕陽將墜未墜之間，是我在園中整理花圃的時候，你可以順便來探探你的玫瑰。

再者，隨函奉還一筐一筐的光和熱，一籮一籮的希望和信念，舍下並不開店。

曼麗

摯愛的曼麗：

與妳相聚的時間——那美妙而甜蜜的瞬間，覺得太短促了，剛剛離開妳，又覺得還有許多話要告訴妳，恨不得馬上又回到妳身邊去。但是，分明隔得那麼近，卻又離得那麼遠，恨只恨中間那道可惡的圍牆。此刻我徘徊牆畔，月色迷濛，樹影婆娑，在我心裡浮起了羅密歐對朱麗葉說的那句美麗的話：

我借著愛情的輕翼，飛過圍牆。

曼麗，我雖然亦擁有這樣的輕翼，只是，也許我裝滿幸福的身軀太笨重了，以致飛過圍牆，飛到妳身畔的卻只是我的一顆赤忱之心——但就在這時，一個絕妙的念頭閃電般掠過我腦際，為什麼我們不就在這桂圓樹下，這巍然高牆中間開一道門呢？親愛的，我一想到這便那樣地急不容待。我來不及等到明天見面時再親口告訴妳那個主意，而願意那時從妳嘴裡獲得了你們同意的答覆。

如此靜寂甜美的深夜，我的愛人想來已安息了。闔上那深水般深湛，星星般明盈的眸子，唇畔浮漾著幸福的微笑，聖潔的靈魂在天使雙翼下恬靜地入夢。一千遍晚安，一千遍祝福。我願在妳夢裡做個守護神，一直守護到黎明來臨！

妳忠實的漢倫

倫！我親愛的人兒：

相愛是多麼美妙，生命是多麼豐富，世界又多麼可愛！幸福的時間總會嫌太短促的，但是，只是剎那也便是永恆，因為縱使是在離開的時光，無時無刻不充滿了思念和回憶。

你聽我告訴你怎麼充滿了思念：早晨，我同父親共進早餐，我一面讀你的信，一面啜牛奶，忽然聽見父親噗嗤一笑，我困惑地移開信紙，這才發現自己面前放著一杯牛奶，手裡又端了一杯——原來我放著自己的不吃，卻不知怎麼錯拿了父親的！你說可笑不可笑！

我靦腆地把你的主張向父親徵詢意見，父親初不作答，只是深意地諦視著我，然後，笑著點著頭緩緩地說：「嗯，這是兩家併作一家春。」我體會到這句話的含意，不禁羞紅了臉，半天抬不起頭。

倫——聰明的你當然一定懂得這句話所含的默許和贊同，只是我還是願意等上帝的代言人證實了我們的愛情，再併作「一家春」，不是嗎！月有缺才顯出圓滿的美。一點距離，一點期待，將更使愛情充滿神妙甜美。現在可別急著想飛了，還記不記得你第一次看見我時，從桂圓樹上那樣「飛」下來的情形？那真是驚險鏡頭！如今想起來仍使我心悸不已哩。但是，我們不還得感激那株桂圓樹麼！

等著你！

你的曼麗

編註：本文原刊於《自由青年》第十七卷第三期，一九五七年二月一日，頁十七～十九。

負心

一

林揚不安地在涼亭裡坐下又站起，在那小小的，不到一丈見方的面積踱過來又踱過去。濃黑的眉毛在鼻樑中間鎖成一個川字，閃爍不停地眼光迷亂而又惶惑，雙手只在胸前緊握著。若非這涼亭是四面敞著的，他的神情就像一隻被囚禁著的困獸，掙扎著，徘徊著，想突圍而出。

有時，無形的網比有形的籠更堅韌，那是感情的網。雖然，這堅韌的網已經驟然被撕破了，破裂了。那不是自甘在網裡的林揚所破壞的，而是毀於一隻無形的巨掌，來得那樣突兀，那樣猝然，就像迅雷一擊，因此，儘管網明明破裂了，那些錯綜複雜的繩索卻反而糾結著，纏繞著，使他一時解脫不開。

他轉了兩個圈子，停下來，又下意識地看一看手錶，望望掩映在綠蔭中的小徑。一陣微風穿過樹隙，捲著三兩片落葉飄進了亭子，晚秋的勁風很透著些涼意，但只穿著一件單衣的林揚卻覺得風吹在臉上熱烘烘的，心裡彷彿有一窩螞蟻在騷擾，啃齧，抓不到又摸不著。不勝痛苦煩躁。

只相隔了短短的幾天，心情上卻有了那樣大的變化，那樣大的距離。以前，他已不知多少次，在這涼亭裡等待著，那時的心情一直是充滿喜悅、興奮，和些微的沉醉；而這一刻，焦灼不安中，更摻著惶惑、懼怕，他畏懼那必須面臨的現實，過去一切美好的，旖旎的，就像多采的水泡，一碰上醜惡可怕的，現實的礁石，便整個地幻滅了，林揚所苦惱的不僅是自己忍受幻滅的創痛，還得考慮著怎樣把這幻滅的耗音，告訴同他一起製造水泡的人，究竟應該告訴她，還是隱瞞她？

他又一次從袋裡掏出那封摺皺了的小箋，雖然他早就知道了信裡寫的什麼。

揚：自那天黯然分手，有好些日子沒見到你也沒接到你來信，一直惦念著不知你回去可好！偏是這幾天媽舊疾大發，我又寸步不能離開，真是急死了我。昨晚上媽又對我說南部水土不服，她決定馬上就遷居北部跟我舅舅在一起。聽她這麼一說：我更憂心如焚，這一來豈不是我倆連見面的機會都難了。揚！親愛的揚！我不會忘記我們的誓願，將來要生活在一起，不管媽怎麼不同意，我不能失去你。我一定得跟你商量個主意，明天請在亭裡等我，放學後我就來，千萬、千萬別過於悲哀，除了你，我絕不會屬於別人，我相信誠之所至，金石為開。上帝鑑於我倆真誠的愛情，會賜福我們：媽總有回心轉意的一天！祝福：所有的祝福都為我們！
筠

誓願，祝福。真誠的愛情……如今看來只是一種對他最大的諷刺，最刻毒的嘲笑——就像那些字炙燙了他的手似的，他苦笑著很快地重新把信塞進口袋。

「教我究竟怎樣告訴她，該怎麼說？」他望著樹巔的夕陽，不禁握緊拳頭，惶急地自問自責，這問題一直縈繞在他腦中，使他苦惱。他勉強想了點頭緒，又覺得不妥當。撒開了重想，更想不出，而等他再想拾起那不妥當的頭緒，卻任憑他苦苦思索反連一點印象都沒有了。他極力欲使自己平靜，但這努力只是白費，腦子越來越紊亂，就像收音機的電波受了干擾，嘈雜、紛亂的音波劇烈地震撼著他，搓揉著他……突然，他覺得自己整個神經馬上都將崩潰了，忍不住重重地呻吟了一聲，頹然跌坐在石凳上，把那蒼白憔悴的臉深深埋入掌心裡。

二

那是去年的夏天，他被分派到糖業公司服務的第二年，那天他去台南參加了一個同學會，返程時，同伴在中途下了火車，剩下他一個人便又打開隨身攜帶的參考書，靠著車窗孜孜地研讀著。他就是這樣隨時隨地利用閒暇來讀書，逢上休假，當年輕單身的同事都趕去找女朋友玩樂時，他亦多半總是留在家裡啃書本子。公司裡也有好幾位被大家追逐的漂亮小姐，但他對她們的態度就如對壁上的名畫，只不過是遠遠地欣賞兩眼，毫無野心。因為那時他正為達到他第一個志願，全心全意只作出國深造考試的準備。因此，就是那一刻在火車上，面對兩位盛裝豔服，談笑風生的女士，他也只靜靜看他的書。直到擴音機裡報告了到達的站名，他才匆匆地捲書離座，當他走出車廂時，剛巧前面那節車廂裡出來一位少女，比他先一步到了車門口，也許由於提箱的重量，她身子微微一晃，腳步顯得有點遲疑，顛頓。

「妳先下去，箱子讓我遞給你好了。」出於助人為快樂之本，林揚在她背後說著，一伸手便提過箱子來。那少女下了車，馬上又轉過身子，一面道謝，一面伸手來接。

站上並無紅帽子。林揚望望占著她兩手的盒子、袋子，又掂了掂分量不輕的箱子，禮貌地笑了笑說：

「我看還是索性由我替妳送過天橋去罷。」

「只是太麻煩你了。」她也就縮回了伸出的手，大方而矜持地向他笑笑。

林揚讓她走在前面，自己落後一個肩頭提著那只箱子在後面走，他覺得她說話的聲音很甜潤動聽，這時便有意無意打量她兩眼，一襲細白麻紗鑲嵌著淺藍滾邊的衣裙，極合體地裹著她那勻稱苗條的身材，腳上是白色鏤空皮鞋，秀髮鬆鬆地披垂在頸際，烘襯出一張清秀白皙的臉龐，側影裡只見一排鬱密的睫毛，玲瓏的鼻尖，和微微上翹的嘴角，嫻靜端莊中透著一抹青春的氣息。上那高高的階梯時，步態輕盈，白裙飄曳，很有臨風玉立，飄然若仙的丰姿。

林揚在心裡暗暗讚美著，卻又彷彿覺得這美，這神韻丰姿似乎有一點熟悉。不知是被那韻采所吸引，抑是想探求那點熟悉，他一直沒有收回視線，在他凝視下，他看見她那鬱密的睫毛似黑蝶的雙翅般閃眨著，顯然因為發覺了他的注視而感到不安。他這才意識到自己的不禮貌，將被人看作浮薄青年，連忙收回視線，想出話來搭訕著：

「是住在屏東嗎？」

「嗯。」微翹的嘴角更翹得深了些，「趁暑假上台北玩兒了幾天。」也許為著找話打破沉悶，她很自然地報告了自己的行蹤。

「台北偶然去玩玩還不錯，住久了可就教人煩膩。」林揚也說出了自己的感覺。

「可不是！」她近於天真地附和著，好像因為有人符合她的觀感而感到高興。「我在台北只見那些人成天忙忙碌碌好像生活得很緊張。不像南部那樣悠閒、樸素，而且富有人情味。火車一到南部，我算是透過一口氣來。」

林揚聽她說得那麼娓娓動聽，笑了。

「妳把南部說得那麼好，明天北部的人全部往南部跑，可就不得清靜了。」

說著，他們已走下天橋，走出月台，到了車站外面，便有三輪車過來兜生意。她猶豫著放慢了腳步。

「妳住在哪裡！要不我順路送你回去。」林揚這次可是存心獻殷勤。

「噢，那太遠了。休說你提不起，我還走不動哩。」她招呼了一輛三輪車，歉意地對他一笑，便坐了上去。他只得把提箱遞給她放在車上。「謝謝你，再見！」

「再見！」

車子踩動了，她還轉過身子來，笑著向他揮手。他也揮著手回答她，眼看車子走遠了。他彷彿有點悵然若失，佇立在路上。忽然感到臉上癢索索的，一摸，濕漉漉的一手汗水，原來自己一直在大太陽底下烤炙，不禁啞然失笑。便去存車處領回了腳踏車，在回家的路上，他不知不覺吹起口哨來，吹著那支他在學校時最喜歡的，聽，聽，聽雲雀的歌曲，他恍惚感染到雲雀飛在雲端上的心情。

三

本著助人為快樂之本的意旨，偶然為一位女士服務一次，似乎是一件極其平凡的事，平凡得就像一片小小的浮雲掠過廣闊的天空，不會留下半點痕跡。但是，那一次車站護送，這浮雲卻無意中在林揚心上留下了一點影子。並不太深，但隱隱約約，不時縈繞腦際，當他停卷凝神時，那白色輕盈的身影就像綠蔭中搖曳的日光一閃，當他騎車過街時，瞥見穿白衣裙的背影，便情不自禁快馳前去，頻頻回顧，有時他覺得自己太可笑，暗暗責備自己荒唐，有時又後悔自己笨得連人家姓名都不請教一下，更不知住在什麼地方。但逢上這樣的思潮起伏時，他總是用念書來壓抑下去，也只有書本能把他引入另一個境界，那個如此豐富廣袤的境界。

他時時警惕自己，不許心靈和思想潛越這境界。

時光彷彿已沖淡了那點影子。

一個星期日，炎熱的天氣使蟄伏在屋裡的林揚感到有點昏悶，他推車出去，乘便到市立圖書館去查找一本參考書，剛走過那間坐滿了人的閱覽室，他迎頭遇見了她——那個淡去的影子，正從借書處出來，空著兩手，有著一點失望的神情。她第一眼就認出了他，立刻站住了。

「噫！」

「咦！」

兩人似乎都為這意外的相逢感到驚喜，一時卻想不出恰當的言語招呼。楞了一下，還是林揚吶吶地說：

「好久不見，妳是來借書麼？」

「嗯，一本書借了幾次都沒有借到。」她轉動著手裡的借書證，清朗的眉宇間微有怨懊。

「是什麼書這樣難借？」

「《中國文學史》。」

「我們公司裡的圖書館倒有這麼一本，如果你要，我可以替你借出來。」

「那太好了。」她高興地說，但馬上又略略矜持地猶疑起來：「不麻煩吧？」

「麻煩倒有一點。」林揚故意皺著眉頭慢吞吞地說：「就是不知道書借出來了怎樣交給妳？」

「哦！那個，」她領悟地一笑，「你可以送交中正國民學校呂筠收。可是，」她莊矜地望著他也學他剛才的腔調說：「不知道我看完了又怎麼樣奉還？」

「糖業公司，林揚。」他嚴肅地報著名。

兩人突然忍俊不住，都為這奇特的通姓報名式笑起來，這一笑，把那陌生拘謹的感覺沖淡了，林揚發覺有好幾個在閱讀書報的人都向他們瞪視著，便抑住笑低低地說：

「我怕我們影響了別人，不反對去公園裡走走吧！」

呂筠不置可否，腳步卻跟著林揚走出圖書館，踅進了旁邊的公園。

他們揀那幽靜的草徑慢慢走著，呂筠這天穿的是一身淡至欲無的淺藍衫裙，用一色的帶子繫住了鬆軟的頭髮，透過樹隙的斑斕陽光灑落在她髮上，臉上，她一路上披花拂柳，神態悠悠舒飄逸，使走在一旁的林揚望著她想起了一部看過不久的電影，叫——

「我猜你也許是一位詩人，或者是一位哲學家。」她手裡揮著一枝樹枝，悠悠地，略帶諷刺地說。

「哦！從哪一點上猜測？」林揚有點訕訕地問，他知道，她是暗暗指他的凝視。

「我看你很喜歡沉思。」

「我是在想——我總覺得妳似乎有一點面熟。」

「我好像也有同感。」

「真的嗎？」林揚興奮地立停下來。

「不是嗎？我們曾經在車站上見過。」呂筠俏皮地回答。

「不是說這個，我是說……」林揚感到微窘，卻又說不出所以然。這時他們走進一座涼亭，亭靠近小河，圍著扶桑，牽著紫藤，靜寂中，只聞風聲微微，鳥語細碎，他摸出手帕揮了揮石凳讓呂筠坐下。

「我知道妳一定會喜歡這裡。」

她回眸望著他微微一笑，又轉過臉去眺望著河水。林揚也靠近她坐下來，靜靜地欣賞著：風從水面，從樹隙吹來，挾著他們零落的語聲：

「我喜歡看這奔流不停的水。」

「我喜歡聽這淙淙的水聲。」

「我愛坐在綠沉沉的樹蔭下，看一本心愛的書，倦了，閉上眼睛聽聽樹林裡的音樂。」

「我最愛躺在軟軟的草地上，仰望白雲浮過藍天，闔上眼睛，覺得自己好像在風平浪靜的大海上。」

「我想……」

「我希望……」

言語，是開心的鑰匙。年輕而不虛矯的心，更容易摒除人與人之間的隔閡。他們的談話由滯澀而趨融洽，之後就像水流般涓涓不絕，他們發覺彼此有很多愛好是相似的，很多觀念也一樣，當他們愉快地告別時，就像已經不算生疏的朋友了。

那一天回去，林揚原以為沖淡了的影子，以更清晰的姿態浮現在他腦中。這一次，他沒有加以壓抑。躺在牀上，他約略記起了過去讀過的一些美麗動人的故事，一部文學名著中一些雋永的句子……我有一個朋友了……找到一所溫柔而安全的託身之地，這是何等甘美的滋味……他彷彿真的已品嚐了甘美的滋味，帶著甜蜜的微笑酣然入夢。

四

第二天林揚一上班就去借了那本《中國文學史》，寫一張短箋，派人送去學校，呂筠馬上回了一個條箋，一筆鋼筆字寫得十分清秀流利，雖然只有短短數十個字，林揚卻看了一遍又一遍，最後才小心地把它摺好夾在筆記本裡，放入有鎖的抽屜。

隔了幾天，林揚忍不住又寫了封辭意十分誠懇謙虛的信，邀請呂筠在星期日晚上看一場電影〈天長地久不了情〉。信發出去了，卻沒有如期得到回音。他又懊悔自己太冒昧了，剛認識不久，不應該就寫信約小姐看電影，也許，那會被認為浮薄青年，到那天晚上，他遲疑不決了半天，才惴惴地去買了票，卻又故意站在比較暗僻的一角，面對著櫥窗裡的電影廣告，只是不時側轉臉去窺視湧來的觀眾。忽然，背後一聲甜潤的：

「你早來了嗎？」

他倏地轉過身來，盈盈亭立在他後面的正是呂筠，他不禁喜出望外。

「呂小姐，妳真的來了！」

「不是真的，難道說你是虛邀的嗎？」她微嗔地詰問他。

「哪裡，我是深怕我沒有這份榮幸。」他連忙惶恐地分辯。

她這才嫣然一笑，垂下眼簾捲弄著手裡的手帕，緩緩地說：

「平常我除了和學校裡的女同事一起，就很少同別人看過電影。」

林揚聽懂說這話的弦外之音，心裡十分激動，幾乎想抓住她的手熱烈的搖撼一陣。但他只深意地望著她，悄悄地說了聲：

「謝謝你！」

不知為什麼，被他這一謝，卻謝得呂筠臉上微微一紅，一閃身，便先朝戲院入口處走去。

這一場電影是林揚看電影以來覺得最愉快的一次，也是對電影裡的故事人物印象最模糊的一次。散場，她讓他送到家門口。

「希望不久再能見到妳。」林揚依依地望著她說。

「如果有時間……」她含蓄地回答。

互相愉快地道了晚安，林揚目送她的背影翩然隱沒在竹籬門裡，才懷著喜悅的心情回家。

由於這一次正式的交往，他們慢慢地有了更多見面的機會，有時相偕出遊，有時便在亭子裡見面，說著些年輕人的理想、美夢，在不相見的日子，便用書信串綴起來，在互訴身世中，他知道呂筠是個獨生女，她的父親來台時在太平輪遇難，由母親做事供給她念完高中，但由於她母親身體一年比一年虛弱，她只得放棄升學的志願，暫充一名小學教員。林揚也告訴她自己的父親也去世了，家裡還有母親和一個妹妹，他自己正準備參加公費留學考試。

這以後呂筠有時便拿一些書本上的問題來請教他，或是要他講解。更不忘記問問他自己的準備工作進展如何，在彼此勉勵督促中，他們的友誼也很自然地進展、昇華，在這段交往期間，林揚覺得生活變得更有意義，人生變得更富色彩，工作也更勤奮了。

人的感情原是最微妙不過的，有時自以為深鎖嚴錮不輕易開放，但是，只要掀著了那最弱的一個彈簧便豁然地啟開，再也關攔不住。林揚那感情的彈簧，便由於認識呂筠，無意中被掀開了，一直被禁錮著的熱情，就像一支出谷的山溪般，不可遏止地潺湲奔流。

五

通過了留學考試，彷彿結束了一個艱辛的長途旅程，回到家裡，林揚睡了極其舒暢的一覺，第二天起來神清氣爽；正在盥洗時，妹妹林芷悄悄地走到他背後，把手裡一封信向他一揚，又神祕地藏在背後，說：

「用什麼條件交換？」

林揚料想是呂筠的信，自己這幾天不在公司裡，才轉到家裡來的，便慌忙說：

「隨便你開好了。」

林芷果然一連串就開出了好幾個條件，林揚都毫不考慮地一一答允了，一面伸出手來索取，但林芷卻沒有馬上把信交給他，笑著回頭向正在走過來的林太太說：

「媽，妳看哥哥今天多慷慨，什麼條件都肯答允，不是女朋友的情書是什麼！」

「有了女朋友怎麼也不請她到家裡玩玩呢？」林太太挪著微胖的身軀走近來慈藹地望著林揚，望得林揚有點羞赧，訕訕地說：

「人家只是普通朋友——」

「是麼！做母親的對自己兒子的行動，卻一向都是最關切的哩。」林太太深意地笑了笑又緩緩地說：「你的朋友媽總是十分歡迎的，哪一天請她來吃頓餃子好吧！」

「等我先問問她看，」林揚一向就很尊重她母親的意見，他本來也想讓她看看呂筠，總覺得時候還不到。

「她！她是誰呀？」林芷不肯放鬆一個可以調侃的機會，卻被林太太笑著呵責。

「還不快把信給你哥哥，回頭急得他同妳打架，媽可不勸解的。」

林芷扮個鬼臉，把信向林揚一擲，一溜煙跑了。

林揚拾起來，果然是呂筠寫來的。

信裡說的是預祝他成功，並且想早點知道他考試的情形，希望很快能見到她。

那天他們又在亭子裡見了面，短短一星期的分別，林揚就像離開了很久似的，見到呂筠，覺得她更美，更可愛，他脈脈地凝視著她說：

「在每一場考試完了以後，妳猜我想的是什麼？」

「下一場的考試題目。」

他笑著搖了搖頭。

「是妳。」

呂筠瞅了他一眼，羞赧地低下頭去。

「為什麼不說些正經的，人家關心你咧。」

林揚把考試的經過和試題大致講了一遍，呂筠用心地聽著，那份關切和專注，不自覺地從那盈盈的眼波中溢流出來。浸沐在那眼流中，林揚感到幸福如同一道曙光，通過他的心靈。忽然他記起了母親的囑咐，唯恐呂筠不願意，囁嚅地告訴了她，呂筠明眸一轉，淺笑著說：

「按理我應該先向她老人家去請安，請我可不敢當！」

聽她的口氣是答應去了，林揚心裡一高興，也笑著說：

「我妹妹林芷比妳小不了多少，媽疼她就勝過我，明兒再見了妳這樣的可人兒，怕不連兒子都不要了。」

「你媽不要你，那就送給我媽好了，我就少那麼一個大哥。」說著，兩人都樂開了，林揚想起了一件事，忙莊重地說：

「說真的，我也該去問候問候妳母親，妳要是不反對，我送妳回去時去一趟吧！」呂筠當然不反對，倒是他那若有其事的神氣引她發笑。

呂筠的母親實際年齡比林揚的母親還小，但看起來卻憔悴，似乎在生活上和感情上都經歷過太多憂患。身體很瘦弱，不多說話，只從她那一個眼神，一句細語間，不難發覺她對女兒的愛是怎樣地細緻縝密。她接待林揚十分客氣。

星期日那天，林太太果然興致勃勃，親自動手，包起她的拿手餃子來，林揚奉命去接呂筠。

呂筠接來了，林揚卻不知為什麼懷著點惴惴不安的心情，一面幫著招待，一面窺視著，顯然地，由於呂筠的大方、伶俐，母親的親切和藹和妹妹的天真俏皮，空氣很快就變得十分融洩，只是他覺得母親問得太多了，從她的家世、籍貫、年齡一直問下去，關於她雙親的情形似乎問得最多。他很擔心呂筠會感到窘迫和不耐，但看她卻一直從容地應對著，這一餐飯和半天的盤桓都處理得很愉快，臨走，林太太還慈祥地在門口一再叮嚀，要呂筠有空時常來玩。

「你有一個多麼親切融洩的家庭！」在伴送她回去的路，呂筠讚美地稱道著，林揚聽了心裡很舒服。但他還急著回家，想聽聽母親對她的印象。

他覺得自己像一個初學游泳的人，一直只敢在淺水裡浸潤，如今，他渴望著游進深水裡，卻有一點心怯，不是怕沒頂，而是怯於超越那界限，也許，母親的一句指點，會增加他的勇氣，他就是僅僅差那麼一點兒勇氣。

他走進大門，卻見他母親兀自一個人坐在客廳裡，眼睛凝望著空中，臉上的肌肉被一種不愉快的表情所僵化，顯得很嚴厲。他很少看見母親有這樣過，滿懷熱望的心情不禁蒙上一層陰影，低低地喊了聲：

「媽！」

林太太微微一驚，彷彿從很遠的地方收回了沉思。立刻，那方方的臉上又堆滿了慈藹的笑意。

「噢，把呂小姐送回去了。」

「嗯，媽今天累了吧！」林揚小心翼翼地試探著。

「不累。」她搖搖頭，笑眼望著林揚，「呂小姐穩重、大方，很討人喜歡。看不出你平常不聲不響，選擇女朋友的眼光倒不錯嘛！」

聽到母親的讚美，林揚心裡懸著的一塊石頭總算墜下了地。他同時還聽出了母親的讚美中嵌藏著的暗示。連那一份顧慮也成為多餘的了。

新的力量在他心裡滋長著，他自問已有了去嘗試做超越那界限的勇氣。他將莊嚴地，抱著奉獻自己的信心，投身在那潺湲的深水裡載浮載沉，永浴其中。

林揚預備獻身獻心的深流，正是那萬千青年人浮沉其中的愛河。

六

在快樂中，等待也彷彿沒有那麼令人覺得悠長難耐，留學考試發榜了。很幸運地，林揚的名字在榜上。

不僅是林揚高興，他母親，妹妹，還有呂筠，都為他歡喜。

但是，這第一個心願的如願以償，林揚似乎並未感到預期的滿足；不知何時起，他有了一種新的觀念，覺得學業和事業就像一個相框，輝煌的相框若沒有名畫相配，也只落個空虛，那名畫，便是愛情生活。

為了慶祝他金榜題名，那天，呂筠提議去郊外遠足，他們兩個人兩輛自行車，並肩聯袂，在平坦的公路上馳騁著，說笑一會，又哼一會歌曲，綠色的稻田，蜿蜒的小溪，那路樹形成的深邃的拱洞——一路被遠遠地撒在車後，林揚唯願這般並肩馳騁去，永不停留。

到了山腳下，兩人棄車登山，在大自然的懷抱裡，在明朗清新的空氣中，人不由得都會卸除了城市的外衣，返真還樸，拾回失去的童心，他們在山徑上互相追逐著，大聲地唱，大聲地歡笑。彷彿忘記了世界，忘記了煩慮。但是，有一件事他們不能忘記而在設法忘記；當他們一停止說話，停止歡笑，便感到有一片淡淡的陰影，有如一片雲翳遮了麗日，輕蒙上心頭。使愉悅的心情頓轉沉重，那陰影，便是由於不久即將來臨的分別所引起的離情。

他們信步走進山腰裡的一座庵廟，在靜穆的殿堂裡，只見一個信徒正虔誠地在禱告求籤，看得有趣，林揚笑著提議。

「我們也求一支如何！」說著，伸手便去籤筒裡拔，呂筠在一旁說：

「要求，就要誠心。」說著，她自己肅然立正了，低眉俯首，默禱片刻，才鄭重地抽出了一支竹籤，林揚見她若有其事的樣子，覺得很好玩。

「可以告訴我妳問的是什麼事嗎？」

「先說你的。」呂筠狡黠地向他眨了眨眼睛。

「學業，事業。」林揚隨口回答。

「我也是。」她一低頭卻掩飾不住頰上的紅雲。

林揚亂七八糟去對了半天籤條，對著了，正要拿給呂筠看，卻見她一團不豫之色，把一張籤條捏成一團，走出廟門就擲得遠遠的，悻悻地說：

「簡直是滿紙荒唐。」

「本來嘛，誰又叫妳當作金玉良言！」林揚解嘲地一笑，也就不看一眼，把籤條給擲了。

呂筠半天不語，逕從廟後的小徑爬上山頂。在一處平坦的山崖上站著，向那雲天深處默默眺望，林揚落後數步，只見她亭亭玉立，迎著粗獷的山風，秀髮飛揚，裙角飄舞，彷彿真會被疾風捲去，他不禁走過去輕輕攬住她的纖腰，她微微一驚，他可以感到她輕微的一陣顫抖。

「我是怕妳會羽化仙去。」他湊在她耳畔低聲說。

「做神仙還不好嗎？」她一手撩著吹落到臉上的頭髮，聲音裡帶點挑釁，「無憂無慮，無牽無罣，愛去哪裡是哪裡。」

「也許因為我生就一身俗骨，我是寧羨鴛鴦不羨仙的。」

「神仙不也有神仙的眷屬！」呂筠脫口而出，立刻又覺得這句話不妥，忙岔開去指著一朵浮雲說：「看那朵雲走得多快，像隻揚著白帆的小船。」

「筠，」林揚輕喚著她的名字，她那句不妥的話，給了他心中一堆不知如何表達的感情一點靈感，「坐下來，我要告訴妳一個祕密。」

「唔。」呂筠只微微答應，少女對某種事情彷彿有著特別的敏感。

「過去我曾為自己立下約言，在學業和事業上沒有達到預期的成就以前，不交女朋友，不談戀愛。」林揚沉緩有力地開始著。

「很有抱負嘛。」

「可是，這個約言早在半年多以前，一次南下的火車給碾碎了。筠，我一生都忘不了那次車站邂逅了妳。」

呂筠低下頭去，沒有作聲。

「我告訴妳這個，只是要讓妳曉得我不是那種先自己培養了愛情，再去找對象的人，而完全由於認識了妳，愛情的種籽才在心裡萌芽、生根、成長。如今，它堅韌的根已與我的生命糾結在一起，它的枝幹花葉溶入我的心靈。我可以毫無愧色地奉獻給我最敬愛的人。」林揚那充滿感情的聲音由於激動，微微顫抖著，呂筠只是感動地睨視了他一眼，又默默地低著頭，用一根樹枝在地下亂畫。

「筠，我們認識時間已不算太短了，剛認識不久，我就覺得我們彼此性情相投，很合得來，幾天不在一起，就若有所失。妳是不是有這個同感？」

他看見呂筠點點頭，又接著說：

「這次出國深造，說不準哪天通知起程就得動身，我不能想像這三年多沒有妳的日子怎樣得過。筠，請妳答應我，讓我做妳的神仙眷屬！」

呂筠已是羞紅了臉，聽到這個請求又羞澀地一笑，低垂了眼簾，悄然說：

「就是答應你也不能伴你出國去嘛。」

「那就完全不同了，我做什麼都有了新的目標，我的一切努力都為了我們三年以後的共同生活，而且儘管雲海相隔，靈犀一點通，我會感到妳就在我身邊，勉勵我，安慰我，我就安心了。筠，答應我。」林揚深情地凝視著她，雙手握著她的一隻手輕輕地撫拍著！像要把勇氣和熱心傳過給她，她終於抬起眼睛，迎著他熠熱的視線閃避了一下，才敢正視著他說：

「可是我總得先徵求母親的同意——」

「那當然。還用說！」林揚知道呂筠已完全答應。心花怒放，握起她的手蓋滿了熱吻，「我可用不著去問母親，也曉得她老人家早就看中妳做她的媳婦了。」

他們挽著手並肩從山上下來，林揚覺得那是一條通向幸福的路，這一刻，他從頭至腳都被幸福浸透了！

林揚送呂筠回到家裡，還在門口千叮萬囑；

「明天老辰光在亭子裡等妳的佳音，越早越好。」

他抬頭望著天空的月亮，心裡多麼願意它就是明天的太陽！

七

這一天，林揚感覺到世界特別美麗，太陽特別明亮，連路旁的一草一木，室內的一字一畫，都顯得生氣盎然，特別可愛。他一反平時工作時的嚴謹沉默，不時輕鬆地低低吹著口哨，他那愉快的心情使旁邊的同事也打趣他說：

「林揚，你今天的樣子使我想起了一句詩句。」

「是什麼？」

「我的心呀！繫上了愛情的雙翼……」

林揚只是笑著，他抬頭望著辦公室窗外那一角蔚藍的天，那一朵悠悠的白雲，他心裡真有一種充滿了氧氣的感覺，彷彿第一次覺得自己是那樣年輕，那樣洋溢著青春活力，只是，他怨恨時間過得太慢了，唯願他真能乘著愛情的雙翼，輕輕一振翅就跨越過去。

等他趕到了亭子裡，又覺得來得太早了，只得想一些未來的美景來消磨時間，當然呂筠的母親那樣疼愛她的女兒，絕對不致阻擋她的幸福的，請示她只是一種對她敬重的表示。他們可以先訂婚，等他美國回來再建立美麗的家，這以後……他終於聽見了小徑上細碎的腳聲，那熟悉的腳聲如此甜蜜地印在他心坎上。

「筠！」他熱情地伸開兩手迎上去，要不是在公園，他早就把她擁入懷裡。但是，驀然地，呂筠那異常的神情使她吃了一驚。

「怎麼了？筠！」他焦急不安地問，預感到有什麼不幸。

呂筠神色黯淡，雙眼微腫，悽楚地望著他，只顫抖的叫了聲，「揚……」便眼睛一紅，顯得一肚子的委屈地迸出了眼淚。

「筠，是不是你母親不答應？」林揚過去按住她的肩頭，覺得一顆心快躍出喉嚨。

呂筠緩緩地點了點頭，林揚猛烈地一陣震顫，覺得自己像是驟然從雲端沉入冰窖裡，連血液都凍凝了，噤默了一下，才怨憤地問。

「她覺得我配不上妳？」

「她並沒有說這個。」呂筠愛憐地望著他，把他冰冷的手握在自己手裡。

「那是為什麼？」

「我到現在還是不清楚。」呂筠微茫地搖搖頭，「她只是沒有理由的堅決地反對。」

「快告訴我經過情形。」他要求著。

「你知道每晚臨睡前，我們母女倆總是要做一番談話。昨晚上，我就談到了我們的事。」呂筠不住絞著手指，好像這複述又引起了她的傷痛，「起初，我媽沒有反應。只是一連串地打聽你的學業，家世……我也一一回答，忽然間她一聲呵責，阻止我說：『夠了！不用再說下去，這件事絕對的不可能。』我原是低著頭說話，聽她聲音變了，抬起頭來，看見她臉色也變了，變得從來沒有的難看。手裡的一杯茶也連杯子打翻在地上。不曉得她為什麼生這麼大的氣，我嚇呆了，過了一會，我還想慢慢地解釋，但是她一句話也不肯聽，斬釘截鐵地說：『筠兒，妳再提也是白費，我疼妳，這輩子什麼事都可以順妳，就是這件婚事，無論如何辦不到。』說過，她就氣呼呼地回房睡覺去了。一直沒理我。從小到大，媽從來沒有昨晚那樣嚴厲地對待過我——」呂筠眼睛裡已溢滿了淚水。

林揚一會兒握著拳頭，一會兒搥著胸脯，不住地轉著圈子，就像一頭受傷的野獸般跟內心的痛苦掙扎。忽然，他立停在呂筠面前，用堅決的口氣問：

「筠，妳是真心愛我嗎？」

「當然是真心。」呂筠抬起頭筆直地望入他眼中回答。

「那麼，萬一妳母親堅持不允，妳能不能同我一起出國去，我們可以悄悄地先辦好結婚手續……」

「請原諒我不能這樣做。」呂筠苦惱地攔住他說：「我不能撇下相依為命的，病弱的母親，沒有我她會活不下去。」

「要不，妳就去做孝女，放棄我！」林揚怨恨地盯著她說。

「哦，不，我不能沒有你，揚，你不要逼我……」呂筠悽苦地懇求他，「至少，我們還有時間……」

「還有時間！那時我遠遠地在國外，也許妳母親就隨便要妳跟另外的一個人去結婚。」急、恨，使林揚失去了理性，他憤激地嚷著，眼睛裡閃射著絕望，悲苦的兇焰。

「林揚，為什麼說這樣的話！」呂筠也氣急了，陡地站了起來，用手帕拭去眼淚，「媽還在生氣，我要回家了。」她說著，見林揚把頭抵住柱子，不動也不作聲，又忍不住柔和地補充了一句：「快下雨了，你也回去吧。」

「讓我再待一會。」林揚沒有抬頭，近於呻吟地回答。

呂筠走了兩步忍不住又踅回林揚身畔，輕輕地在他耳畔安慰他：

「記著這句：我愛你的心是永不會變的。」

一陣感情上紊亂的風暴稍為平息，林揚才感到周圍死一般的沉寂。

「筠！」他張惶四顧，回答他的卻只有風聲掠過樹隙，亭外景色黯慘，雨已經在下了。他感到一種被世界遺棄的，四傍無依的恐懼和空虛，彷彿獨自飄泊海上，四邊是無盡的黑暗和波濤，他茫然跨出亭子，驟雨立刻襲擊著他，但他同他的神經像是痳木了，昏昏然在雨裡躑躅了半天回到家裡時，渾身上下沒有一寸地方沒被雨水浸透。

「怎麼會淋成這個樣子！要生病了！」林太太看見兒子的狼狽樣子，又疼，又急，一會兒端熱水，一會兒泡薑茶，林揚卻一句話也不願多講，換下濕衣，便把自己擲在牀上，連頭帶臉全蒙在被子裡。就像死了似的。

八

猶如在一場緊張混亂的戰爭中受了槍傷的人，要等休息下來，才感到創傷的疼痛。瘋狂的激情和紊亂的思想略告平靜，林揚才覺得自己的心碎了，痛定思痛，有如刀剁。

他從不輕易放縱感情，而一旦放縱，他不僅獻出的是完整的愛情，還有整個的心靈，他的愛情的根苗原與生命糾結在一起，又豈能經得起斲傷。

他覺得世界到了末日，再沒有光明、幸福、歡樂，他覺得自己是個木乃伊，再沒有感情、希望、抱負。

「我不能失去呂筠！」他在黑暗裡瞪大了眼睛說：「我不能失去呂筠！」他閉上眼睛在心裡說，他不知道自己是醒著還是睡著，也不知道是在做夢還是現實，恍惚他跟呂筠正並坐在那亭子裡，突然空中伸下一隻巨掌，用兩個手指輕輕地把呂筠挾走，他去搶救時，卻被一指彈倒地下。又恍惚他同呂筠散步在一個美麗的花園裡，驀地天昏地黑，風沙走石，怪風過去，卻失了呂筠所在，花園也變成荒漠——。

意識錯亂中，雞啼了一遍又一遍，林揚只在牀上輾轉翻覆，初睡時他感到很冷，彷彿一身浸透在冷水裡，過了半夜又變得燥熱起來，熱得唇乾舌枯，喉頭冒火，渾身毛孔裡都像有針在戳。而頭痛欲裂，起伏的思潮卻無法平息。最後，終於筋疲力盡心神交竭，陷入昏迷的狀態中。

迷糊中，林揚覺得有人替他牽好踢掉了的被子，接著，有一隻溫暖的手輕輕按在他發燙的額上，他微微睜開痠澀的眼睛，只見母親憂愁的臉正俯視著他。

「你在發燒。」她關心地告訴他：「我已叫芷兒替你請了假。」

林揚舐舐乾裂的嘴唇，沒有作聲。

「是不是找醫生去看看，好得快些。」

了。

林揚不耐地搖搖頭，又閉上了眼睛。他聽見一聲輕微的歎息，母親悄然從牀畔站起來走了。

他感到一陣歉疚，覺得自己對母親太冷淡了，漠視了她的關切。但是他還不願開口，他只沉默地讓痛苦啃齧著自己。那肉體和心靈上的雙重痛苦。使他變得冷酷、陰鬱，仇視一切。

但林太太卻似乎不以兒子的冷漠為忤，隔一會又來噓寒問熱，遞湯遞水。到了第二天，林揚仍像昨天一般躺著不聲不響，燒也還沒有退，林太太看看他那驟然憔悴下去的臉容，再也忍不住在他牀沿上坐下來，柔聲地問：

「揚兒，你一直對我是很坦白的，我知道你一定有什麼事隱瞞著我。」

林揚望著她，不應承也不加分辯。

「你淋雨的那個晚上，是去看了呂小姐回來？」她試探地問，他黯然點了點頭。

「是不是你向呂小姐求婚了，她沒有答應？」林太太極力把話說得婉轉，不刺痛兒子的心。

「是她母親。」林揚屈辱地說：「她母親不答應。」

「噢！楊美霞她……」林太太突然收住了話，彷彿自己說漏了什麼？

「楊美霞！」林揚錯愕地重複了一遍，這名字他聽呂筠說過。「妳認識呂筠的母親？」

「不，不認識。就是上次聽呂小姐說的，因為名字跟我從前的一個同事很像，所以好記。」林太太淡然地解釋：「她曉得呂筠也愛你嗎？」

「呂筠告訴了她，可是她不要聽，她沒有理由的堅決反對，還申斥了呂筠一頓，不許她再提。」說出這些話來，林揚覺得在受辱，很痛苦。

「嚇，你哪一點配不上她女兒！她不願意就算了。」林太太也像受了屈辱般，憤然地說：「你有你自己的前程，將來留學回來，還怕找不到更好的女朋友？犯不著為這個弄壞了自己的身子……」

「媽，話不是這樣說。」林揚痛苦地抓住他母親的一隻手搖撼著：「妳知道我不是那種濫施愛情的人，我愛呂筠，沒有她，世上一切都對我失去了光彩，失去了意義。」他把母親的手貼在臉上，悲哀地說，陷下的眼睛裡閃著淚光，林太太憐惜地看著他，彷彿又恢復了那伏在她膝上撒嬌的孩子，她的心軟了。沉吟了片刻，才緩緩地勸慰他說：

「你別先煩心，把病養好，也許，事情會有個轉機。」

「事情會有轉機！」母親走出了好一會，林揚還不住在心裡咀嚼著這句話，苦笑著，卻忽然觸動了一點靈機。

「我為什麼不自己找她母親去問一問，問她為什麼這樣憎嫌我，就是判死罪，也要定一個罪名，才死得明白，死得甘心。」

意念一動，林揚就迫不及待要付之行動，也不管自己燒還沒有退，起來一陣陣頭暈，心跳，兩腳痠軟無力，他還是勉強穿好衣服，撐持著走出臥室，預備向母親撒個謊，說是去醫院看病，但屋裡沒有人，下女告訴他太太出去了。

他叫了一輛三輪車，便直赴呂府。

九

林揚推開虛掩著的竹籬門，走進靜寂的小院。突然一陣暈眩，他不由得扶著牆角，靠在台階上等恢復過來。放下窗簾的屋子裡傳出喃喃的說話聲，他知道呂筠這時在上課，不會回來，他凝神一聽，卻不禁愕然。

一點都不錯，有一個正是他母親的聲音。

「想不到隔了二十多年，我們的遭遇都一樣。」他母親的聲音，無限感慨的說。

「可不是」，是呂太太冷淡的聲音，「可是妳比我強些，有一雙兒女。」

「想那時多虧妳臨崖勒馬，沒有造成悲劇。」

「事情早已過去，人也不在了，還提他做甚？」呂太太悻悻地說，似乎有所隱諱。

「妳是不是還在恨我？」

沉默了片刻，他聽見呂太太憤然的聲音：

「我不恨妳，我恨林秉俊。」林揚聽呂太太提到他父親的名字，心裡怵然一驚。屏息聽她又談下去「可恨他一面對妳不忠實，一面欺騙我，告訴我沒有結婚，拚命地追求我。」

「我那時正帶著揚兒，在老家裡侍候翁姑，聽到風聲，連忙趕到上海，本來想跟你拚了，後來才知道妳也是受了矇騙。」

「我當時聽你那麼一說，一氣之下毫不考慮地馬上就跟另外一個姓呂的同事結了婚，可是那時……噢，我真恨他！」

不經意地聽到褻瀆他所尊敬的父親的話，林揚心裡說不出是一種什麼感覺。他又聽見母親溫和地說：「妳自己說的過去的一筆勾銷，還有什麼可氣可恨的，現在我們應該關心的，是下一代的幸福。」

「下一代的幸福！是的，這一生我所剩下的，就是希望能夠幫助阿筠獲得幸福。」呂太太的聲音轉變為無限的慈祥充滿了摯愛。

「但妳分明一手在摧毀。」他母親的聲音帶有責備的意味，立刻引起了呂太太憤然地抗辯：

「妳在瞎說！」

「那麼，我問妳：妳見過我的兒子覺得他怎樣？」聽得說到自己，林揚陡然緊張起來，他抑住了心跳傾聽呂太太答覆：

「還不錯，一個很好的青年。」他出於意外的心裡一喜，又聽見母親在替他請求：

「他與你們呂小姐正熱戀著，妳就成全了他們吧！」

「成全他們！」呂太太像被蜂子螫了一口似的，聲音突然尖昂起來，「那怎麼可以！無論如何辦不到。」林揚心一沉，幾乎跌坐在地下。

「妳不應該由於自己過去的不愉快事件，影響年輕的一代。」

「怎麼說那也是不行？」呂太太執拗堅決的聲音就像一支錐子，錐著林揚的心。

「就不為他們著想？兩個都是初戀，愛得那麼真誠……」

「他們根本就不應該戀愛！」呂太太武斷地打斷了他母親的話，氣得她聲音失常，抖抖的譴責著。

「妳自私、狹窄、專制，實在不配做一個愛女兒的母親。」

「林太太妳不要迫人太甚，如果妳知道……」呂太太喘著氣，彷彿在同內心的痛苦掙扎，聲音顫抖地。「這件事我從來不曾告訴過第二個人，妳聽了請妳也務必保守祕密。」

屋子裡有片刻的沉默，接著呂太太冷峻的聲音，沉緩地問：

「妳總見過筠兒，是不是覺得她像一個人？」

林太太充滿驚懼妒恨的聲音一下子像炸彈般爆發開來：

「難道說她是？……」

林揚正像受到炸彈的一擊，頭裡轟然一震，金星四濺，搖搖欲墜，他憑著僅有的一點意識，把自己拖出院子，上了門口的三輪車，也不知怎麼回到家裡，倒在牀上——

大地真的在他面前崩陷了。

他做過許許多多噩夢，都不及這個噩夢可怕、醜惡，殘酷而且真實。

十

——林揚從掌心裡抬起蒼白的臉來，夕陽將墜，秋風更勁，自己確確實實地坐在亭子裡。這當然不是夢。

上帝的撥弄，沒有比這個最惡作劇的了！他該恨誰？恨上帝，還是恨那已去世了的，一直為他崇敬的父親！

他站起來看著這亭子，自己即將離此遠渡海洋，也許三年五載，也許永遠不再蒞此，但感情上的創傷又何時得平復、忘懷！

惶惑不安又占領他紊亂的心，究竟該對她說些什麼？他從來不會撒謊，他也沒有勇氣對自己曾經崇愛的人揭露醜惡。

呂筠的母親不會把這個祕密告訴呂筠，他母親也不知道他已經偷聽了這個祕密。他又怎能把它告訴呂筠，在她那聖潔的心靈上沾上污垢？

他終於聽見了那熟悉的，曾經那樣甜蜜地叩在他心坎上的腳音，他也瞥見了閃動在綠叢中的一角淺藍色衣裙，他的一顆心慌得堵上了喉嚨頭。

「怎麼說！怎麼說！我怎麼能對她說？」他慌亂無措地問著自己，迫切間，腳步卻溜下了對面的台階。

「讓她罵我負心，咒我一輩子，恨我一輩子吧！」林揚終於沒有見呂筠的勇氣，便帶著那顆破碎的心，藉著樹叢的隱蔽，悽惶地離開了亭子，離開了公園，離開了這他初次奉獻心奠的戀愛聖壇。

編註：本文原刊於張漱菡主編《海燕集續集》，台北：文光圖書公司，一九五八年一月初版，頁二十～四十一。

賭徒

梁煒沮喪地離開賭台，只感到頭痛欲裂，兩腿痠軟，整個地面彷彿都在腳下坍陷下去。他踉蹌地走了幾步，便跌坐在角落裡一張沙發上，那邊賭桌上還在呼盧喝雉地繼續下去，他縮在這角隅裡似乎已馬上被那些贏過他錢的人遺忘了。

他兩肘撐著膝，頭深深地埋在掌中。精神上的緊張已像發條般鬆弛了，此刻充滿在心頭的是無限懊惱和悔恨，輸掉的錢是公款，當他從銀行裡提出來時，耽擱了一下，已下班了。

前幾天他被一個朋友帶來這祕密賭窟，正嘗到了賭的滋味。身上帶了這麼一筆現款，心裡不禁癢癢難熬，忍不住想去試試運氣。俗諺「財跟財走」，就借公家的賭本去贏他一筆！起初他的確是贏了。但賭錢的人永遠是贏了不滿足，輸了不服氣。他不能適可而止，最後便輸得一文不名。只是一時抵不住賭的誘惑，名譽、職業、生活全將摧毀在數擲之間，明天他又有什麼面孔見人……

「請不必為已失去的過於懊恨：至少，眼前有一個與你同病相憐的人。」一個柔和的聲音輕悄悄地飄進梁煒耳中。

梁煒愕然抬起頭來，見站在他面前說話的是一個衣著華麗的女人，似怨似喜的兩道視線睨視著他——他記得她跟他在一張桌子上賭過，他苦笑了一下：

「我們的運氣都不好。」

「真正的運氣並不在於拿到賭桌上最好的牌，而是知道什麼時候應該離座回家。」她含蓄地說，在他旁邊坐下來，一面打開皮包，拿出粉撲從容地敷鼻子。

「這倒是至理名言。可是對一個賭桌上的賭徒來說，除非是用鐵錘敲進腦子裡去的東西，才能使他覺悟。」

「你現在是不是覺悟了呢？」

「現在是悔之晚矣！」梁煒沉痛地歎了口氣，預備把頭再埋入掌中，眼角上卻瞥見她伸出的手裡托著兩顆玲瓏的骰子。晶瑩光澤，襯著那嫩紅的掌心，更是挑逗誘人。他疑惑地看了她一眼，她也正微笑睇視，那脈脈的眼睛和骰子一樣充滿誘惑。

「賭一盤如何？」

梁煒嘲笑地聳聳肩膀：

「除了這一副臭皮囊，已一無所有。」

「彼此都一樣。但這何嘗又不可以做為賭注。一賠一，大家不吃虧。」她說得十分輕鬆。

「一賠一？妳是說……」梁煒惶惑地望著她。

「就是說誰輸了，誰就屬於誰。」她半真半假地說，把兩顆骰子在手心裡微微搖動，像有吸力似地吸住了梁煒的視線。

「好吧，一賠一，我賭妳。」梁煒暫時忘記了憂悔，開玩笑地應承著。覺得這女人很風趣，也很迷人。

「一言為定。」她將骰子握在手裡搖了幾搖，便一放手撒在小茶几上，骰子轉出來一個是六，一個是五。

「嚇，我大概要被妳贏去了。」梁煒撿起骰子來就馬上一撒，一顆穩住了，是六，還有一顆正不停地轉著。他大聲喝了聲「六！」骰子停下來果然又是六。

「嘿，沒想到還是我贏了妳！」梁煒高興地炫耀著自己的勝利，「怎麼說？」

「我是屬於你的了！」她垂下眼簾，用很低的聲音說：「走吧。」

「走？」梁煒又勾起曾遺忘片刻的懊惱和悔恨，茫然自語：「往哪裡走？」

「我反正已經輸給你了，你去哪裡我就跟到哪裡。」她扶著沙發扶手，懶洋洋地站起來。

「什麼？妳把這當真？」梁煒吃驚地望著她，這才看見她臉色蒼白，粉頸低垂，像一朵盛放的鮮花瞬即經了嚴霜。

「本來就是真的嘛。」她淡淡地說，語氣卻是肯定的。

「那，那怎麼成？」梁煒可真急了。「我們素昧平生，而我又是有家室的人，能帶妳上哪裡去？」

她近於憐憫地對他笑了笑。

「先離開這裡再研究這些罷。」說著，她已轉身向外走，梁煒只得無可奈何地跟在後面。走到門口時，她推著那扇活動的旋轉門走出去，他略一躊躇，門已轉過去一扇，等他推著第三扇出去時，外面哪裡再有她的影子！

這時是深夜，靜悄悄的馬路兩旁一目瞭然，沒有一樣東西能夠飛越過去，梁煒又推門進裡面張望了一會，也不見蹤跡，他不禁滿腹狐疑驚懼，也不敢再找，便跌跌闖闖回到家裡，躡手躡腳進了屋子，在黑地裡摸著一張藤椅子就躺了下來，輸掉錢的煩惱，那神祕的女人的魅影……混亂地在他腦中起伏交錯，他覺得頭在膨脹，昏悶欲裂……忽然眼前一亮，剛才失蹤的女人正站在他面前，他大吃一驚，一身血液都凝結起來。吶吶地盯著她問：

「啊！妳，剛才妳怎麼不見了？」

「我一直都同你在一起，只是你自己看不見罷了。」她似笑非笑地說：神情忽然顯得十分嚴肅。盈盈的眼波變成銳利的目光，直視著梁煒，「你不用追問我是怎樣的人。我與任何人賭向來是只贏不輸的，我有權隨意支配那些做為賭注輸了的靈魂，為所欲為——但沒料到卻會輸給你！」

在她怨恨的逈視下，梁煒垂下頭連眼皮都不敢抬一抬。

「既然輸定了，我也就不能不向你有所貢獻，告訴你：當你賭博時，如果拿到了紅桃皇后，你只要用手指在牌上輕輕彈三下，心裡暗暗地唸著『三月桃花五月開，花開春常在』，那這副牌你準能贏。不過你必須記著兩件事：第一，一場賭博中這樣頂多只能來三次，如果你超過三次，只有禍沒有福。第二，賭本必須是自己的，借貸或用別的方式弄來就不靈了。」

梁煒半信半疑地聽她說完了，正想發問時，室內驟然又落入黑暗中。他屏息靜聽，只聽見內室傳來妻兒輕勻的鼾聲，窗外風吹蕉葉簌簌作響，這時窗上微微透入曙光，可以看見室內除了他自己，沒有第二個人。

梁煒疑懼參半，本能地伸手去褲袋摸手帕擦一頭冷汗，手指卻觸到硬硬的，不知什麼時候竟還遺留在那裡的二張拾元鈔，他略為躊躇，索性趁著妻兒還沒有醒又溜了出去，這天他一天沒露面，也沒有上班，熬到晚上，又懷著僅有的二十元錢，和一種僥倖心，進了賭場。

梁煒心裡惴惴地，起初幾副，下注下得很謹慎，沒有什麼輸贏，幾轉牌下來，紅桃Q終於到了他手裡。他禁不住捺住心跳，默默唸誦著那兩句話，把面前僅有的錢作為孤注一擲。

這一副牌他果然博得了全勝。這一來他疑慮全消，膽子也就更壯了，於是聚精會神，再耐心等著紅桃皇后二次降臨——

天快亮時，梁煒才離開牌桌，形容憔悴，衣冠不整，精神已困乏不堪，但心情卻愉快得像長了翅膀。那女人沒有騙他，三次紅桃皇后使他口袋裡塞滿了鈔票，他牢記著她的囑咐，在第三次全勝之後便歇手了。他困倦得連一步路也不想走動，便在休息室找一個位子坐下來點數鈔票。可是，巧得很，當他把前夜輸掉的公款數出來疊好後，不多不少，恰恰又只剩下了兩張拾元大鈔。

「晚上再來！」他只有自己安慰自己說：迷迷糊糊打了一會盹，眼看著天已大亮，就硬睜著一雙布滿紅絲的眼睛，首先把公款如數繳庫，捏著一把汗惴惴地趕去上班。

「嚇，我們還以為你捲款潛逃了！」一個同事看見他就揶揄地嚷起來。

「上面還預備登報通緝哩！」另一個附和著說。

「你無故曠職一天，是什麼意思？」上司鐵青著臉嚴厲申斥著。梁煒在眾矢之下，只有漲紅了臉，故意裝得行動不便的樣子，吶吶地揑了個謊：

「只為那天去提款時，不小心從車上摔下來，扭傷了腿，沒有人給請假。」

這一天，心不在焉地把工作應付下班後，梁煒實在感到疲倦萬分，渴望著平放一下身子，但一想到這是周末，無形中那「皇后」的誘惑就更熾烈而無法抗拒，晚飯一吃完，他向太太撒了個謊，又溜進了賭場，褲袋裡還是那二十元鈔賭本。一晚賭下來，他居然又贏了。在滿載而歸的回家途中，他想出了一個很有意義的支配錢的計畫，他知道只有錢才能給一個家沐漆上幸福的色彩，給愛情宣染上美麗的光輝，他的家一直陷在灰暗中，就是因為缺少了錢。他決定先添置些用的東西，還有孩子，妻子和自己的服裝，皮鞋……一想起，他內心感到十分歉疚，她一直跟他過著艱辛的日子，整天操勞，從來沒有休息或娛樂。他這次一定要送她一件貴重的禮物。至少，這天下午，大家可以先一起出去盡情地吃一吃，玩一玩，樂一樂，他興高采烈回到家裡，迎著他的是妻鐵青的臉。

「哼！幾晚上都不回來，像個孤魂野鬼似的，這個家你究竟還要不要？」

「怎麼不要？當然要。」梁煒嘻皮笑臉地，首先把正在吃早飯的二個兒子，一一抱起來吻了一下，然後走到太太面前，從袋裡摸出一包東西放在她懷裡，「拆開來看看是什麼？」

梁太太擱下正在餵老二吃的粥飯，一臉疑惑地扯開紙包，突然驚喜地喊了一聲，但馬上又懷疑地責問梁煒：

「哪裡弄來這許多錢？」

「贏來的。」

「噢！贏來的那是過路財香。」太太有點失望地把它放在桌上。

「馬上拿去買了東西不就定規了。」梁煒連忙把自己的計畫說出來，太太一面聽著，笑意像被春風吹起的漣漪一樣，在臉上漾溢開來……忽然頓著腳岔斷了梁煒的話：

「螞蟻跑上腳來了！該死的大螞蟻真討厭，快點個火燒死它們！」

梁煒一低頭，只見成群結隊黃色的大螞蟻，圍著石灰地上孩子撒下的飯粒殘菜蠕動著，使人肉麻。他在廚裡拿了盒火柴，順手把那些包鈔票的牛皮紙燃著往下地一丟。「回頭得記住還要買DDT。」

螞蟻遇著火慌張地撒下食物四散逃竄，兩個孩子全撒下碗蹲下來觀看。

「那我這就給你去裝碗稀飯，吃了你好先休息。」梁太太變得十分體貼地說著就進廚房去。

「我還不曾盥洗哩。」梁煒也隨著跟了進去，兩人還在廚房裡討論了一會下午總動員的細節。梁太太端了碗稀飯先出來，梁煒只聽見一聲震撼心靈的尖喊，剃刀在頰上割了一下，他也顧不得痛，連忙奔跑出來，他太太張大了嘴，眼珠像要從眼窩裡跳出來似的，呆立在門口。客廳裡兩個孩子還蹲在飯桌旁。四歲的一個劃著洋火，兩歲的一個握著最後的幾張鈔票在火上燃著了擲在地下，直到火燒痛了老二的手指而驚叫，才驚醒了嚇呆在門口的父母，兩夫婦像發瘋似的衝過去，一個奪下鈔票，一個搶走火柴，梁煒寧一寧神再審視手裡的劫後餘燼，只剩下了兩張半拾元大鈔。

這是第三次梁煒又贏了錢走出賭場，他拖著倦乏的身子，騎上腳踏車。預備先回家休息一下再去上班，一路上他睜著半睡的眼睛，自己覺得騎在車上像在濃霧裡行走一樣，有點恍恍惚惚。時間還早，街上沒有什麼車輛和行人，也就這麼悠悠忽忽地佝僂著身子，半伏在車擋上，蹬著腳鐙。心裡還在想，這次贏的錢決計不再做別的打算，留在下一次作賭本，大大地贏他一筆，以後又把贏的去賭，賭了再贏……這樣循環下去，他有把握在十天半月中成為富翁，他想到得意時，眼前彷彿又閃耀著紅桃皇后富麗的手采……突然間車子好像撞上了峭壁似地猛然一震，整個身體彈離了座位。接著便連車帶人跌倒在地上，幸好身上沒有什麼傷痛，他糊裡糊塗爬了起來，這才看見面前地上躺著一大灘黃色白色的流質，像鑿了一條小河，一輛腳踏車便橫倒在那黃白色的流質中，車底下扎扎實實壓住一個穿汗衫的人——原來這輛載著兩大籮雞蛋的車子正打從橫街上經過時，梁煒的車子就像一支流矢一樣，對準它迅疾地射去。這股盲目的衝力使對方毫無閃讓的餘地，轉瞬間便把車子撞倒，雞蛋打破，人還在車底下呻吟。梁煒驚惶失措地望著自己闖下的禍，他那浸在霧裡似的頭腦這才被嚇清醒了。

賠償了雞蛋、修理費、醫藥費，梁煒像一隻打敗了的公雞似的，垂頭喪氣從派出所走出來，剛才隆得高高的褲袋又癟了下去，僅剩下的兩張薄薄的拾元鈔，沉在袋底裡薄得簡直沒有分量。

二次贏來的錢，二次都碰上意外支出，世上竟有這樣巧合的事？梁煒滿腹懊惱，手裡雖然在撥著算盤，一筆數目卻算了三四遍還算不清。最糟糕的眼皮像鉛塊樣地沉重，一股勁的直往下垂。他恨不得用兩支篾片把它撐住——二〇三七五，四三五六……嘿，怎麼又是紅桃十……他一驚睜開眼睛——原來眼皮又闔上了，是對面坐的老陳正湊過來輕輕喚他，一面還用腳在桌子底下踢他：

「老梁，怎麼又打盹了，這幾日你晚上在搞什麼鬼？」

「沒有什麼。」梁煒訕訕地掩飾著自己的醜態。

「最好注意一點，你沒有察覺頂頭上司這幾天對你印象不好。」

對同事的關照，梁煒只回答一個感激的微笑。他喝下幾口冷茶，振作一下，預備把帳再做下去，但一核對不禁罵了自己一聲該死！帳全都記錯了，完全得重新做過。

梁煒懷著一肚子懊惱回到家裡，一進門，兩個孩子不但不像平時那樣，一擁而上地過來抱腿扯腳，爸爸、爸爸，嗅個不住，一看見他反停下遊戲，一個個到後面去了。一會，太太端著碗筷開出飯來，兩個孩子躲閃在媽媽背後，不時用畏怯的眼光偷窺他。

「看你這幾天瘦多了，眼睛都紅的，今晚上別去賭了！」太太關心地勸阻他說。

「唔！」梁煒漫應著，顯得毫無胃口地扒著飯。

「從沒聽說靠賭博贏錢可以發財的，你看你，前天害孩子們挨了一頓好打，現在看到你的影子都怕，倒又闖了禍，真是得不償失嘛！」

「得不償失」，當真是得不償失！贏了這幾天，結果是一文不剩。想到實在不甘心。不甘心，一百個不甘心！梁煒猝然把筷子一擱，倏地站起來。一抬卻見太太和孩子六隻眼睛正瞪著自己，於是擦擦嘴，做為掩飾地燃上支香煙，順手撈起張報紙心不在焉地看著，——那些黑色的密密的鉛字，逐漸模糊下去有似一群螞蟻在紙上蠕動著，而套上紅色的部分卻幻變成一張張紅桃皇后，向他誘惑著。那魅力是他無法抗拒的，引得他心裡癢癢難熬：「雖然沒有什麼獲得，但究竟也沒有什麼損失。」他自己替自己解釋著，「意外總是偶然的，不會是經常的。我不能把它當作理由放棄利益，至少，再試一次運氣，只是一次……」

——梁煒仍舊在三副牌上贏了不少錢。但是，在該歇手的時候，更多贏一點的貪欲使他對那女人遵守的諾言動搖了。三與四又有多少差別？有把握為什麼不多贏一點，倘若意外是被安排的，贏三次只夠應付意外，那四次不就有多了？這一次他不作孤注一擲，只是淺試，果然還是贏的。於是他更壯膽了，再接再厲，紅桃皇后都沒有使他失望，鈔票在他面前堆積起來，抑制不住的高興和快樂也像大水在河裡氾濫般，從心頭氾濫四溢——

走出賭場，梁煒覺得這天的太陽特別燦爛，耀得他睜不開眼睛，他決定先去公司告個假，回家好好休息一天，走進辦公室，他跟平常一樣同大家打著招呼，卻發覺大家對他都很冷淡，連對面的老陳也只尷尬地似笑非笑看他一眼，在他桌上放了一個公文套，面上寫著他的名字，他抽出來一看，原來是一紙免職令。

他氣憤地把免職令當場撕得粉碎，一個人也不理，便衝出了辦公室，悶著頭一口氣向家裡衝，可是，當他衝到自己住的那條衖裡時，卻突然被眼前的景象怔住了。那原來是家的地方看不見熟悉的門牆，只有一堆焦黑的斷牆殘瓦，還在冒著白色的餘煙。一大群圍著看熱鬧的人發現了他，大家都自動地，哀默地為他讓開一條路，他恐懼地走過去，這才看見在斷牆殘瓦旁邊，用布遮蓋著一堆什麼，他盯視著它，心驟然收縮起來。

「梁先生，昨天晚上你上哪裡去了，這把火燒得真慘，可憐他母子三個……」

梁煒聽不見鄰居在說些什麼，他一低頭猛然撕開了蓋著的布，露出來三具面目枯焦，慘不忍睹的屍體，他猝然昏暈了過去。

梁煒覺得自己就像多了一口氣的木乃伊，那幾天由人擺布著，也不曉得怎樣辦完了葬事，造好了墳墓。他一個人留在墳地上，別人勸他回去勸不聽，送吃的給他也不吃，他沒有流淚，沒有悲傷，也沒有懊悔，他覺得自己活著的只是個空的軀殼，他靠在那還沒有乾透的墓旁，半天半天的凝視著那一大兩小的三塊石碑，他下意識地把手放進褲袋裡，伸出來時覺得手裡多了點什麼，那是兩張鈔票——

「再見了，同志，多謝你這麼快就還了我自由。」

梁煒瞪著面前不知從哪裡走來的女人，一時想不起是誰。那妖嬈的女人又狡黠地眨眨那魅人的眼睛望著他說：

「人輸給我往往總是一世抵押，可是我輸給人卻總是很快就自由了。這應該歸功於人的貪欲，因為人如果永遠能遵守我的兩條約法就能夠永遠役使我，但只要受貪欲一蠱惑，就沒有人能守得住的。」她說到這裡頓了一頓，誘惑地向他一笑：「如今，好運噩運都已成為過去，怎麼樣，還有沒有勇氣同我賭一盤？」

梁煒這才猛然記起她就是那引誘他賭骰子的女人，由於這一記起，更勾起了他無限傷痛、悲憤，他猛地跳起來，向她撲去……

——有人在搖撼他、喊他，他驀地睜開眼睛，眼前站著的還是那女人，披一身眩目的金黃色睡衣，嘴裡含著長長的象牙煙嘴，傲然俯視著他。

「妳，妳這個騙人的妖精……」梁煒忍不住站起來咬著牙舉拳向她揮去，卻不防肩上被人重重一按，又跌坐下去。

「你這人，怎麼沒有一點禮貌，這是我們經理。」一個粗暴的聲音在他耳畔叱責著。

梁煒張眼四顧，這才發覺自己原來依舊坐在賭場一角，這時賭客都已散盡，燈光零落黯淡，顯得空曠的場子更神祕而又陰森。室內除了自己和那女人，還有就是監守在他旁邊那個濃眉大眼，身材魁梧，保鏢似的壯漢。他困惑地揉著眼睛，難道自己輸昏了頭，竟坐在這裡做了個荒唐的夢嗎？

但眼前那女人又分明是夢中的女人。

那女人一手撐在腰裡，一手拔出煙嘴，悠悠地向空噴了口煙，然後向那壯漢微微一翹下巴，冷冷地命令著：

「送這位先生出去——按例，奉送車費雙十。」說完便一轉身曳著金紅的高跟拖鞋，挺著腰肢走進去，轉瞬間閃進那深紅的絲絨帷幕後面消失了。

梁煒身不由主地隨著那壯漢半扶半挾地領著走過幾條甬道，把他推送出一扇低矮的後門，門立刻在他身後砰然關上。

他茫然站在那條陌生而僻靜的小巷裡，兩手無措地插入褲袋，就在右邊的那只空空的袋子裡他的手指觸到了什麼，拿出來一看，是兩張拾元鈔票——他記起出來時那壯漢曾用手在他袋裡一塞。那大概便是那女人所指的車費。

彷彿剛從一個可怕的夢魘中醒來，梁煒恐懼地凝視著那兩張鈔票，懊惱、悔恨、絕望又回到他心裡，頃刻間一種冰涼的感覺從指尖一直冰到心裡，他就像根冰柱似的僵立在陰暗的小巷裡，沒有勇氣走出巷外那充滿陽光的大街。

編註：本文原刊於《海風》第一卷第十期，一九五六年十月一日，頁二十五～二十八。

魔劫

北上最後一班夜快車在K鎮開出時已經是十一點零三分了。凌承祖匆匆上車，找到那一節頭等臥鋪，便把車票交給隨車服務生，將帷幕一拉，寬下外衣，困倦地躺在臥鋪上，對鋪是空的，等於成了他一個人的包廂。他打開帶來的雜誌看了不到二頁，便迷糊睡去，矇矓間覺得車停了，人聲嘈雜，大概到了一站。接著又是有規律地搖晃和節奏，不一會又在一個坡度上慢了下來，覺得彷彿在打盹。凌承祖突然在這時驚醒過來，一睜眼，卻見一個灰白色的人影正敏捷地翻進車窗，轉瞬間已站在他牀鋪前，向他揚著手裡的刺刀，輕輕地吆喝：

「不許響！」接著燈熄了，車廂裡一片黑，只有白刃的閃光迫在凌承祖眼前。

這事情發生在驟然之間，凌承祖被嚇得連喊一聲都來不及，便驚懼地懾伏在刀光下，一動都不敢動。這時一秒鐘彷彿有一個世紀那麼悠久，歇了一歇，見沒有動靜，他才極力鎮定著，壯著膽低低地說：

「朋友，你若是缺少點什麼，我或許可以幫點小忙，不過，你知道，出門人身上是不會有太多油水的。」他這麼說時，巧妙地挪一挪枕頭，蓋住了底下露出來的一角皮包。

「你放心，就是桌上放了金磚我也不會動你的。」那個人在鼻裡哼了一聲，陰沉地說：「我只是要搭這節車。」

原來是黃魚！凌承祖暗想，稍微減少了點恐懼。

「既然同是乘客，旅途相逢，不為無緣，又何必白刃相見呢！」

「你要識相，我不會傷你一根汗毛，你若要聲張，可就對不起了。」那人掄了掄手裡的刺刀，退後一步坐在對面牀鋪上。刀尖仍舊指著凌承祖，一面警覺地向外諦聽。

「那是鐵路局的事，與我無關。」凌承祖故意輕鬆地說，想緩衝緊張的空氣，「倒是我有心臟病，差點讓你嚇壞了。」

那人不作聲，就在黑暗中，也可以覺察他好像臨敵的刺蝟般防禦著。

凌承祖的睡意完全被嚇退了，他想來者不善，而沒有呼喚，車僮是不會進車廂來了。要與這樣一個來歷不明的惡徒廝守一晚，可不是件樂事。他不覺習慣地欠伸著身子伸出手去——

「不許動！」那人像彈簧裝的一樣立刻站了起來，手裡的白刃指著他。

「別緊張，我只是想抽支煙。」他從茶几上的煙盒裡取了一支香煙含在嘴上，故意慢條斯理的捩開打火機，藉著那一點亮光，他偷偷地從底下看起，先看見一身污穢的灰色短衣褲，一個毛毿毿叢生著鬍子的下巴，上面是半截慘白的臉，深陷的眼睛，光頭……火驟然被吹熄了。

一個逃犯，越獄的逃犯。恐懼更甚的包圍著凌承祖，誰知是殺人越貨的大盜，抑是作姦犯科的歹徒？平時在報刊上看過的那些恐怖的黑色新聞，此刻閃電般掠過他的腦際，軟軟的牀鋪頓時變成了針氈。

「我可以抽一支煙麼？」那人似乎忍不住向他索取。

「可以，請，請！」凌承祖趕緊摸著煙盒遞過去，但那人卻拔了他手上那支燃著的。

「勞駕你再給自己點一支吧。」

凌承祖再燃著打火機時，那人側過臉避向照不見的角度，只見那點紅光一閃一閃的，顯然正被貪婪地連續不停地狂吸著。「真過癮！」那人喃喃自語，冷峻的聲音比較緩和，「多少年沒有這樣抽過煙了。」

「你是從哪裡來？」凌承祖小心地探詢看。

「牢獄裡，我想你大概早就看出來我是個囚犯。」他揶揄地回答，凌承祖微微有點窘。

「你犯了罪！什麼罪？」

「你是記者不是？」那人卻反問他。

「不是，你問這幹嘛？」

「因為你發問的口氣很像，過去我早就被這樣問得煩透了。一個人做錯了事，受法律的制裁，受良心的審判，已經懲罰得夠了，偏偏他們還在人家瘡口裡挖一番，再製造社會的指摘，美其名曰輿論。一個人若犯了一次過失，就是其罪可赦，經過他們如此這般地一番渲染，這輩子就別再想好好做人了。」

「但記者的立場是公正的，他們……」

「別為他們辯護，」那人在牀上移動一下位置，不耐地打斷他，「其實我倒不在乎，因為我已經再沒有『這輩子』了。」

「你的罪名是？」

「盜竊，謀殺。」

「啊！」凌承祖不禁驚歎一聲，但馬上抑制自己冷靜下來，「判了罪？」

「無期徒刑，終身監禁。」

「但你這樣跑得了嗎？」

「我並沒有逃跑的企圖，只是要找一個人，了結這樁公案。」列車慢了下來，停在一個車站上，燈光從外面投射進來，他機警地拉下了紗窗。

「你的案子看來很複雜？」

「複雜！是的，也可以這樣說，但歸根結柢只有二個字的起因，愛與恨。」他把那二個字說得低沉有力，像用錘子敲進凌承祖耳朵裡。一時似有所感觸，兩人沉默了片刻，只聽見列車單調而沉悶的節奏，還是那逃犯又用他那種嘲弄的口吻打破了沉寂。

「有這樣一位旅伴，我猜你今晚大概只好放棄睡眠了。你有興趣，我願意把我犯罪的故事滿足你的好奇心，裡面有一部分就是三番四次鞫審我的法官也不知道，但告訴你無妨。這其間並無離奇曲折的情節，無非是男女間的事——只是我有六七小時滴水未進，你這杯茶先給了我吧。」他不客氣地端起了茶杯，凌承祖忙又掏出一個紙袋遞給他：

「我這裡還有麵包，你可以吃飽了慢慢地講。」

「我從小就是個孤兒。」那人吞下最後一口麵包緩緩地說，低沉有力的聲音扣住了凌承祖的心弦，而使他暫時忘記了恐懼，凝神傾聽——

我一生未曾愛過，也未曾被愛過。直到那年認識了她——一個嬌媚的小女人，我才知道了愛，才知道生命是什麼。我愛她遠勝於愛我自己，我像一個虔誠的教徒，向她奉獻出我的一切，只要是她高興的，她喜歡的，我總是想盡方法去做。她實在是迷人的小東西，她最大的嗜好就是收集各種各樣美麗的飾物，像耳環、別針、項圈，她不在乎飾物的價值或真假，只要合她意的，就千方百計想得到手，得不到手時，便魂思夢縈，吃也吃不下，睡也睡不安。其實，這實在並不能說她是過分愛好虛榮，人總有一份嗜好的，何況愛美原是女人的天性，這只能怪我太沒有能力，不能夠使她滿足。那時我在一家公司裡當出納，雖然被同事看作「過路財神」，實際上只是一個不大不小的薪水階級。跟她生活在一起後，我盡力刻苦自己，衣服舊了沒有添過一尺布，皮鞋破了，再縫上補綻，我戒掉了香煙，上下班連公共汽車都省掉，甚至早晨連早餐也常常免了；這樣做，我倒並不覺得苦，因為那是我心甘情願的，只要看到她高興，便是我最大的快樂。可是，這份快樂卻並不是常常能夠保持的，就像她的欲望不能常常滿足一樣。

有一天，我下班回家。一個男人認為最幸福的時光，就是換上寬舒的睡衣和拖鞋，在柔和的燈光下，陪伴著自己的心上人。那天，她卻不讓我享受這份幸福。

「成天在家裡待得發慌，」她嬌憨地攔住我換上衣服，「吃過飯陪我上街逛逛去。」

「遵命奉陪。」我一口應承，心裡卻不由得惴惴不安，根據過去的經驗，她忽然這麼興趣勃勃地要我陪她上街，一定又看中了什麼飾物。可是，我囊中空空如也，薪水早就透支，還借了我們那位光棍股長一筆錢，久未能還。

不出我所料，她緊挽著我走了兩條街，腳步便在一家珠寶店門前停下來。

「啊，看這串珊瑚珠多美！」她彷彿突然發現似的，指著放在錦盒裡的一串項圈發出驚歎：「我從來沒有見過這樣晶瑩、鮮豔的珊瑚，叫他們拿出來看看好嗎？」

「好吧。」望著她比珠子還光亮的眼神，我只有遲疑地附和著。

她像一個貴夫人一樣，進去吩咐店夥取出項圈，拿在手裡仔細玩賞，又繞著頸子對鏡顧盼，全不注意那繫在項圈上有五個數字的標價。

「看我戴著還合適麼？」她問我。

「很合適，很好看！可是……」我吶吶地不知該怎麼說。但她卻並不理會我的尷尬，自己端詳了半天，這才愛不忍釋地交還給店夥，告訴他今天不買。

走出店門，她低下頭默默地走著，煥發的容光黯淡了。

「我真慚愧，買不起那串珠子送妳……」

「我只是喜歡看看而已，並不想買。」她笑笑安慰我，卻掩飾不住眼睛裡那份渴慕的神色。

以後幾天，她便常常顯得神思恍惚，若有所失的神情，儘管她強顏歡笑，從不再提起珊瑚珠子的事，她那明亮的眸子卻漸漸變得黯淡，她那豐腴的雙頰漸漸變得清癯。那些日子，她視所有的飾物如同敝帚。看到她抑鬱不歡，我內心的不安和愧疚日益加深，不知該如何安排。一旦缺少了她的歡樂，就像世上失去了陽光，生命在我就沒有光輝了。因此，我在工作時也顯得心神不寧，點收一筆款子時數來數去總是數不清，這就引起了那位對我特別友善的股長的關切，問我是不是有困難需要他幫忙解決的地方，我告訴他不是他幫忙得了的。

「只要有這麼一堆，也許就可以解決許多人生問題了。」他忽然用手比著桌上的一堆鈔票，開玩笑地說，我心裡卻怦然一動，可不是，只要那麼一札，不到十分之一，就馬上可以使她快樂起來。一切煩惱都將煙消雲散。可是立刻我又譴責自己不該胡思亂想，這是犯法的事，一旦暴露，就要身敗名裂，為人所不齒，我怎能以身試法！我把鈔票捧進保險櫃裡，緊緊地鎖上了，但邪念一旦萌生，便再也鎖不進心裡的保險櫃。根據過去四年多的經驗，我知道庫存大概要隔半年才點驗一次，那時點驗還不到三個月。我並不是想盜用只是挪用，可以另行設法歸還，必要時還可以變換一些她已經厭了的飾物，只是掉一掉頭，不算犯法，事情也未必那麼湊巧。一個人如果找不出許多理由來為自己做的蠢事壯膽，世上也許就沒有那麼多犯法的人了。

那一晚，該是我一生中最後一個生活在世上的夜晚，也是最難忘的一晚。我還清楚地記得當我把那串珊瑚項圈獻給她時，她那狂喜的神情，以及她給我的熱吻、溫存。如果那晚就像蠟燭在烈日下融化掉一樣，我也願在幸福中融化掉算了。但第二天仍得硬著頭皮去上班，心裡懷著疙瘩，總不免忐忑不安。那一天上午平靜無事地過去了，下午也過了一半，林股長手裡拿了件公文走到我面前。

「希望你的困難已解決了。」他望著我笑嘻嘻地說，我不禁驟然一驚，手裡蘸滿了墨水的鋼筆跌在桌上。

「嗯，已經解決了……噢，不，本來沒有什麼？」我結結巴巴地不知所云。

「那就好了，我怕你心不在焉的樣子……你準備一下，回頭會計主任就要來點驗庫存……」

我沒有聽清他再說些什麼，我像遭受了雷擊一般僵著，雙眼瞪住他，冷汗從額上直冒。天下就有這樣巧的事！

事實就是鐵證，瀆職、侵吞公款、監守自盜……我自始至終未曾為自己辯解一句，只是俯首就擒，鋃鐺入獄。

當她獲知這件事後，急得暈過去了好幾次。她站在牢獄外，隔了一層鐵柵，熱淚滿臉地向我發誓，一定要盡她的力量使我很快的開釋，第一步她馬上就去籌款，不惜變賣一切來償還那筆公款，然後再向當局營救。

但事情並不如她所想的那樣簡單。我們家裡最值錢的東西就是那珊瑚珠子，那僅僅屬於她一個晚上的項圈，當她把它送去原鋪子想請他們打個折扣收回的時候，卻被拒絕了，原因是原來那是別人寄售的，他們店裡不願意保留這些冷門貨，問了幾家珠寶店都不收買，最後還是講面子仍由原鋪子予以寄售。款子籌不到，開釋的事自然一時談不到，我在牢裡真是坐困愁城，度日如年。她每隔兩三天就來探望我一次，我發覺她逐漸在變，她洗盡鉛華，不戴一點飾物，她變得更清癯而有點憔悴，就像美麗的花得不到雨露潤澤似的。我對著她只有無限心痛和慚愧，甚至不敢問她怎樣生活。牢獄裡的生活是苦不堪言的，但比起我那時精神上的痛苦，心靈上的負疚來，卻算不了什麼。我一天到晚發癡似地想著她，我毫不反悔我犯罪的行為和坐牢。為她，我願不惜死一百次，一千次，我只恨自己太無用，太無能。愛一個人愛得太厲害，也是一樁痛苦。

想想那時的日子，在她沒有來以前，我一刻不安地巴望著，巴望得發狂。她走了以後，又把我整個心都帶走了，空虛得發慌。就是在晤談的片刻，彼此面對著面，但中間隔了一層鐵柵，卻像隔了千山萬水似的。

珊瑚項圈仍在珠寶店擱著，進行營救的事毫無頭緒。就這樣，我在牢獄裡一拖就拖了二個多月。

那天，她來看我時，告訴我項圈已有人買去了，公款繳回，可以設法保釋。

「總算又可以重見天日了！多虧妳為我奔走。」我聽了這消息十分高興，忍不住俯下頭去在她握著鐵柵的手上吻了一下。可是她的反應沒有我那樣熱烈，望著我顯得有點勉強地笑笑，旋即低下頭去。在那瞬息間，我已瞥見了她噙在眼角的淚光，我的心立即沉下去了。

「不過，出獄後又怎樣呢？家裡一貧如洗，社會又摒棄了我，我已成為一個廢物……」

「不要這樣說，你只是為我走錯了一步，以後的路還長哩。」她大概猜到是自己的不快引起我的傷感，連忙安慰我：「這個城市不好，我們可以換一個地方，再從頭做起，我一定要克勤克儉做你的好妻子。」她的聲音誠懇而又溫和，我不禁感動地握住她的手，望著她的眼睛，看守在旁邊催促，她對我嫣然一笑，「別傻想了，有確定的消息我明天再來告訴你。」

但第二天，我盼望了一天，她沒有來。第三天，第四天又過了半天，仍舊沒有消息，到下午忽然傳我出庭，法官告訴我可以開釋了。

這是我等待了許久的事，我並沒有喜出望外的感覺，使我詫異的是她為什麼不先告訴我，也不來接我。

我出了獄，便去理了一次髮，洗了一個澡，這才走回家去。睽別了二個多月的家，對我特別親切而且有一股吸力，我只想趕快回去，我要擁抱一切，自然，主要的是她，一想到她我就熱血沸騰。我敲了半天門，出來開門的卻是阿玉，我們僱用的一個小下女，我奇怪她在這樣的經濟狀況下怎麼一直沒有把她辭掉！她不在家，我從客廳走到內室，屋子裡所有的陳設布置以及她妝台上琳瑯的化妝品一切如舊，絲毫不變。我由佩服轉成懷疑，手指在口袋裡觸到那串在牢獄裡一直帶著的鑰匙，我下意識地打開衣櫥，在一個抽屜裡拿到了她那視同生命的首飾盒。一撳暗鎖，蓋子猝然彈開，五光十色裝著大半盒首飾，而赫然映入我眼中的一件，竟是那串晶瑩鮮豔的珊瑚項圈，一點都不錯，正是那串我把它帶回家一夜便鋃鐺入獄的項圈，我把它握在手裡，頓時疑竇叢生。她不是親口告訴我拿去賣了嗎？當然賣得了款子才能贖我出獄，可是如今它又分明完好如初的在我手裡。難道她一直在欺騙我？……我馬上喚了阿玉來。

「妳一直在這裡沒有離開嗎？」我問她。

「沒有。」

「那我不在家的時候，你可曉得有些什麼人來走動？」

阿玉雙眼望著地下，默不作聲。

「妳跟我說不要緊，我不會告訴太太。」我從手飾盒裡挑出一只紅寶石戒指向她誘惑，「只要你說實話，我就把這個送妳。」

「沒有別人，就是林先生來得勤些。」

「是不是那個戴眼鏡的林先生？」

「正是，先生在家時也來玩過的！」

不用再問，這已經證明了我所懷疑的一點不錯。我強自抑制著內心的妒火，把戒指交給阿玉，並叮囑她不要告訴太太說我回來過。阿玉答應著走出去。

姓林的，不用說是林炳南林股長了。我恍然記起他在我犯案前為什麼對我特別親切，那天他又說了那樣一句話引起我犯罪的動機，而第二天馬上點驗庫存……這分是是陰謀，但最可恨的還是她，我披肝瀝膽地愛她，不惜為她犧牲名譽，為她入獄，她卻在我受難時叛變我，轉移感情。我頓時間怒火中燒，只是想放火，想殺人，想毀滅這個世界。我將那串項鍊納入袋中，其他一切都照舊擺好，我又打開一扇壁櫥，拿到了那把純鋼的水果刀藏在褲袋中，然後退出屋子，進入大門口一個地面防空洞，這個防空洞像一隻兩頭通的石棺，一頭正跟巷口平行，那時已近傍晚，藏身在洞裡一時不致被人發現。我向自己發誓，絕不放鬆他們一個，我們三個人可以同時毀滅，卻絕不能同時存在。那時天已完全黑了，我耐著性子屏息諦聽著，等候著，終於一輛三輪車拐進了巷子，我清楚地聽見了她的聲音，還有那個姓林的聲音。我的血沸騰著，幾乎使血管炸裂，我忍無可忍，同時又怕被他們看見，當車子在門口停下時，便溜出洞口。繞道前面的一條巷子，再轉到屋子後面；屋子後面的圍牆很矮，只要兩手一撐，便可以越過牆，我便躲在矮牆旁的垃圾箱畔。等到屋子裡燈全黑了，我翻過牆去打開了大門上的鎖，推門進去。這天沒有月亮，屋子裡很黑，好在我都是熟路，不費事的摸進了寢室，在牀前，我稍微定一定神，便一手撩開帳子，一手拿準刀子，咬著牙使勁向牀上戳去，只聽見好像被窒息著似地哼了一聲，便寂然不動了，我拔出刀子預備向裡面再戳下第二刀，這時我的眼睛已習慣於黑暗，在黑暗的光線中，忽然發現牀上原來只睡著一個人。我微微一怔，連忙捩亮電燈，可不是只有她一個人睡在牀上，眼睛緊閉著，慘白的臉倒在枕頭底下，傷口在左胸靠近肩頭處，鮮血從白紡綢睡衣上滲透出來，染紅了白色的牀單，在炯亮的燈光下更是怵目驚心！

我從來沒有見過這許多血，還在不斷地流出來。一下子握著刀的手索索發抖，再沒有力氣往下戳。這時，她低低呻吟了一聲，又悠悠地清醒過來，一隻手本能地向傷口摸去。忽然，她睜開眼睛，恐懼的視線從沾著血的手上移到我臉上、身上，以及手裡的刀上，她痛苦的眼神表示了她知道這是怎麼一回事。

「是你，你到底回家了。」她軟弱地對我說，沒有一點憤恨，只有無限幽怨。「我以為你明天才能出來，所以沒有去接你……就因為這點，你就這樣對待我嗎？」

我還不知怎麼回答，她又斷斷續續地說下去：

「不過你總算趕回來了……我只怕來不及看見你；我生胃癌，醫生說我怕挨不多久了……」

「什麼？妳為什麼不告訴我？」我驚惶地感到意外。

「我不願意再增加你的煩惱……唷……」她痛苦地閉上眼睛掙扎著，更多的血從創口裡流出來。我忙丟下刀，撕了一塊牀單，按在她胸口。她冒出一頭冷汗，又微微睜開眼睛。

「別理它！我知道傷在心上……很深……沒有救的。不過我很高興，能夠在你懷裡死去……摟著我……」

我爬上牀去，輕輕把她的頭扶在我腿上，她安靜地閉上了眼睛，我實在無法形容我那時紛亂的心情是悔恨，是痛苦，是悲慟。我扶著她頭的手不經意觸到了褲袋裡的珊瑚項圈，仍舊堅決地要弄個明白。

「一件事妳必須向我解釋一下。」我拿出珊瑚項圈，俯在她耳畔輕輕喚她，心裡充滿了矛盾，困惱地不知怎樣措詞：「就是關於，關於林炳南……還有這串珊瑚項圈？」

她艱澀地半睜開眼睛看看項圈，又看看我，又閉上眼，顯得很吃力地說：

「我還沒有告訴你，這次你的事，幸虧林先生一個人在出力奔走，他為你盡了最大的力量……這項圈，是贗品，不值錢！是我在地攤上買的……因為，它太像你送我的那串……現在，正好留著給你做個紀……念。」她喃喃地努力說完這幾句，握住我的手哆嗦地貼在她臉上，便不動不響，那原是甜蜜蜜的可愛的生命離開了那個受創的軀體，到另一個世界去了。

如今最使我懊悔的是我做了那麼一件不可恕的蠢事，我所有的希望、愛情已隨之消逝。那時，我原可以輕易地追隨在她後面，只要那麼一刀，可是我當時彷彿著了魔，不哭也不響，只是摟著她在身上，一動不動地望著她呆坐著。等到我清醒時，周圍已站滿了警察局的人員。

也不知他們是怎麼使我和她分開把我送去法院的，我只承認是我殺死了她，沒有理由，也沒有答辯。我原以為他們一定會判我死刑，我也盼望這樣的判決，誰知結果卻判了我一個無期徒刑！

僅僅恢復了一天「自由」——這一天的自由造成了我終身的悔恨——我又再度入獄。第二次入獄和第一次入獄時的心情完全不同，第一次只有愧疚，但對人生還有希望，對人世還有留戀；第二次卻只剩一個痲木的臭皮囊。我只是設法折磨自己，做著比監獄裡規定的苦工還要苦的工作，使身體疲乏欲死。我時時記起她臨死時的慘狀，使心靈得不到片刻的安寧。那串珊瑚圈我一直帶在身邊，不時把玩，紀念著她，想著她的好處，哪怕只是極微細的好處，那些好處一件件串在一起，使她昇華了，光輝了，她在我心目中成了崇高、聖潔的神，而我只是匍匐在她腳下的一個卑微的靈魂，像某種邪教一樣，以肉體所受的痛苦作為供奉。因為不願意任何人褻瀆我心中的神殿，我讓自己孤立起來，不與任何牢友兜搭，默默地忍受屈辱。我在牢友們眼中是一個乖僻的怪人，在獄卒眼中是一個最安分服從的囚犯，但沒有人知道我心裡想的什麼。

在牢獄裡，我從來不計算歲月，也不知道是過了幾年，還是幾個月。那天，大概是個把月以前，我足足打了十小時的石子回獄，搖搖欲倒地靠在最幽黯的一個角落，照例又取出那串項圈攤在顫抖乏力的手裡。

「朋友，可不可以讓我看看你的珊瑚圈！」一個低低的聲音在我耳畔說著，那是一個新來二三天的囚犯。

我沒有作聲，只是默默地把項圈放在他攤開的手裡，他略一端詳，就近於誇張地嚷起來：

「嘿，誰能想到關在牢獄裡吞砂礫飯、睡水門汀的人，隨身還帶著這樣值錢的寶貝。」

「你看錯了，這在它所代表的紀念上，果然具有最高的價值，但從商業價值來說，那只是一件不值錢的贗品。」我冷冷地糾正他。

「贗品？你騙不了我，這是百分之百的真貨。」他固執而自信地同我爭辯。「我甚至可以用人格擔保，因為這還是從我手裡售出的。」

「你？」我吃了一驚，疑惑地仔細打量著他，果然覺得有點面熟。

「你不信可以驗驗看，左邊第五顆珠子上我還記得有個凹印，右邊第九顆卻有一道裂痕。」

他所說的果然證據確鑿，令人不能不信。我猛然記起他原是那家珠寶的老闆，不知怎麼竟也身繫囹圄，但他卻認不出我來，獨自一個人絮絮不休地說：

「因為做成這筆交易的經過有點特別，所以我還記得，那好像已經是一二年以前的事了。有天晚上十點多鐘，我們正預備打烊，忽然闖進一個顧客來，指明要這項圈，連價也沒讓就付了錢匆匆地拿走了。我心裡還想如果天天碰到這樣的主顧倒很不錯，可是只隔了一天，那項圈卻又由一個漂亮的太太送了回來，說是願意貼點水退回本店。我沒有要，後來就又擺在店裡寄售，那個太太三天二天都來看，擱了一個月還是沒有賣掉，原想過些時殺價把它收回，不想那位太太有一天同一位先生一起來，又說不賣了……」

「你還記不記得那個同來的男人是什麼樣子？」我忍不住打岔問他。

「讓我想想看……好像個子很高，那女的只及他的肩頭。」

「是不是戴副眼鏡。」

「一點不錯，戴副黑框眼鏡。你認識？」

我卻沒有理睬他，猛然一把從他手裡奪過項圈，就想摔在地上，用腳踏碎，卻發覺那人正瞪著眼愕然地望著我。於是我把項圈恨恨地往草褥下一塞，隨即又把自己擲在草褥上，我只想壓碎它；想壓碎的不只是項圈，而是可怕的命運，路已經走到了絕境，還要給我這樣的打擊！她臨死還隱瞞我，欺騙了我，為什麼？為的使姓林的卸罪，為的迴護自己的名譽，為的不使我傷心？但那是不可能的事，二年多來，她已是我心中供奉的神，她是那麼聖潔，那麼崇高，不能忍受一點點的玷污，我寧願相信這個而不願去相信那個。但我絕不能容忍姓林的存在，就像眼裡不能忍受一粒砂子一樣。

自從知道項鍊是真的以後，我再不能死心塌地的待在牢獄裡，我計畫著越獄，我必須去掉眼裡那一粒砂子。由於二年來我在獄中的表現，大家都認為我是最守規矩最安分的囚犯，對我的防範也比較鬆懈，因此，經過一番布置，我的計畫終於實現了；不過這還只能說是實現了前半部，現在正待去完成的是後半部。

那個逃犯陰沉地說完他的故事，低低發出淒厲的冷笑，那笑聲彷彿梟鳥在黑暗的林裡夜啼，凌承祖不禁毛骨悚然，透不過氣來，那逃犯也似乎說累了，不再言語。車廂裡塞滿了使人窒息的沉悶的空氣。忽然擴音機裡一個生硬的口音報告著前面的一個站名，那逃犯才像從夢中醒來，向凌承祖告辭：

「我要下車了，打擾啦！」說著，站起來一手推開紗窗，雙手扶著窗子，敏捷地一聳，腳已跨了出去，這時列車漸漸減低速度，越來越慢，凌承祖先還看見一個頭在窗外，接著只剩二隻攀著的手，手裡的刀還閃著可怖的光，倏息間卻什麼也看不見了，一個人好像一滴水，整個融入黑暗的夜中。他正想探首窗外張望，列車突然剎住了，卻並沒有到站，只聽見擴音機裡又在廣播說是「交線」。話猶未畢，一列亮著燈的列車，飛快地打從他眼前疾馳而去。

他拉下紗窗，摸摸枕下那只厚厚的皮包，暗暗說聲僥倖，看著腕錶，還有二個多鐘頭就到台北了。他重新躺下。極力從腦中摒除剛才留下的那些印象，闔上了眼睛。

經過前一夜不平常的車行，又加上一整天急待趕辦的工作，凌承祖顯然覺得有點疲倦了，他回到家裡換上寬舒的睡衣，趿著拖鞋，走向廊上。太太已為他斟好了一杯親手煮好的咖啡，他端起來嚐了一口。

「甜不甜？」她在對面輕輕問他。

「夠甜了。」他抬起眼睛，以一個微笑作答謝。他看見太太似乎專為他的回來而盛裝著，黑軟綢敞領的衫裙緊裹著豐滿的胴體，嫩白的胸前繫著一串晶瑩的珍珠項圈，正與頰畔的珍珠耳環互相映耀。他感到一種幸福的感覺，像一注溫泉浸透了全身，愉快地拿起桌上剛才送來的晚報，不經意地讀著，驟然一個標題吸住了他的視線。

「企圖越軌，逃犯輾斃」。內容大概是昨晚第十二次北上快車與二十次南下列車在竹南附近交線時，輾斃一名中年男子，光頭，穿灰色囚衣，屍旁尚留下一把刺刀，顯係越獄潛逃的囚犯云云……他不由得驚歎了一聲。

「什麼事？」大太睜著驚奇的眼望著他。

「沒有什麼。」他捺住心悸，掩飾地說，不知為什麼不想告訴太太。「就是昨晚我搭的那班車與另外一班車交線時輾死了一個人，我卻一點都不曉得。」

「有許多事還是不要曉得的好。」她淡淡地下了一個結論，又低頭下去。

凌承祖不覺怵然，他從報紙上向她投過來疑惑的一瞥，視線正碰著那串晶瑩的珍珠項圈，他像被它閃爍的光彩灼痛了似的，又連忙避開。回到報紙上，重又看見那個怵目驚心的標題，他忙將報紙打開，迅速地翻過了另一頁。

編註：本文原刊於《中國勞工》第一三八期，一九五六年八月一日，頁三十二～三十六；第一三九期，一九五六年八月十六日，頁三十三～三十六。

雲消霧散

長風廣播電台林台長在南下的火車上找了個位子，小心翼翼地把手裡一包東西放在座位旁邊——裡面都是不能受震壓的唱片。列車開動了，他摸出手帕拭拭額角，望著車站上的木柵向後退去，綠色的田野逐漸展延開來。他不禁輕鬆地舒了口氣，覺得此行十分愉快而圓滿，需要洽商的問題全解決了，要買的唱片也全買到了，同時還跟三家大商號簽訂了長期播送廣告的合同，長風的前途看來似乎無限樂觀哩！

算起來，長風電台創辦到現在還不到三個月，彷彿一個蹣跚學步的孩子，卻已一步一步地舉步前進了。業務所以進展得這樣快，論功行賞，林台長一點不偏心，首先得推羅總編輯。他不僅寫得一手漂亮動人的廣播詞，做巧妙的廣告，還兼任男播音員。其次是何工程師——他的老朋友，和女播音員金鶯小姐。何做事熱心，認真，技術純熟；金鶯小姐嗓子圓潤帶甜，富於魅力，創辦伊始，她一直一個人擔任全天廣播，的確太辛苦了些。他們的計畫中原來還預備增聘男女播音員各一位，採訪記者一位，編輯一位，自然第一步是應該先聘個女播音員，分任金鶯的辛勞。

一想起他的計畫，林台長不禁更精神抖擻起來，這計畫是由他們大家的意見綜合提煉而擬定的。所謂大家，就是羅、何，跟他自己。金鶯嘲笑他們是三巨頭，他們也很得意這個稱呼。在計畫中他們第一步預備在沉寂的小鎮設一個播音站，這是何的工作。編播一個最能叫座，像美國電台播送的〈我愛露西〉那樣的固定節目，這重任當然又落在羅的肩上。一旦等這兩項計畫完成，電台也就算真正立穩了腳步。

一路想著，不知不覺列車已駛進了K鎮站。林台長一走出站門，情不自禁地先向西邊張望了一眼，電台上高高的信標，赫然聳立在鎮內矮小的建築物上，一看到這個，林台長頓時渾身流過一道親切溫暖的電流，說不出究竟是為了那一手創辦的事業，抑是為了愛人。他看著手錶，四點四十分，離第三次廣播還有二十分鐘。

林台長三腳兩步趕回電台，走上樓去。可是，迎著他的卻是一片沉寂，只有工友老李悠然伏在辦公桌上打盹，聽見他的腳步聲才揉著惺忪的睡眼站起來，接過他手裡的唱片送進內室。

「他們呢？」林台長問，心裡有點不悅。

「怕是到派出所去了。」老李意味深長地回答。

「什麼？」

說：

「羅先生和何先生打架哩，打得很兇！」

「打架？怎麼會打架！」林台長驚愣地盯住老李，老李卻故意賣衖似地笑了笑，搖搖頭

「這個，我不知道。」

「真糟糕，電台的事情不管，打起架來了。這，成什麼體統！」林台長頓著腳，又悻悻地朝外走。剛跨下第一級樓梯，卻又猛然頓住了；看看手錶，五點只差五分。不禁急出一身汗。

「那麼金小姐呢？」

「他們打架時她就走開了，不曉得在不在她自己房裡……。」

林台長不等老李說完，一抽身便腳跟不落地朝走廊盡頭跑去，推開虛掩著的房門，房裡下著窗簾，光線很暗，但依稀看得清睡在牀上那個線條優美的身影。

「金鶯，金鶯！」林台長一迭連聲地喚她。

但面向裡側臥在牀上的背影未曾稍動一動；林台長忍不住跑過去扳著她的肩膀微微搖撼。

「金鶯，快起來，馬上就到第三次播音時間了！」

金鶯彷彿正從夢中醒來，懶洋洋地回過頭來瞅了他一眼，擺出一副淡漠的神情，冷冷地

說：「這便是你回來第一句問候的話麼！」

「可是只有五分鐘了，妳不致於忘記我們工作的信條：第一就是遵守時間。」林台長陪著笑臉，俯下身去在她頰上輕輕一吻，不料金鶯卻霍然坐起，一手擦著被吻過的地方，露出一臉卑夷的神色，悻悻地說：

「別裝傻了。工作，工作，我看你現在一腦子裝的就是工作！」

金鶯背向著他，對著鏡子略略梳理了一下頭髮，便逕自走去門口。林台長望著她豐腴誘人的背影，情不自禁地喚了聲：「鶯！」

「鶯，」林台長馬上想起了那回事，「你曉不曉得羅跟何為什麼打架？」

「誰管這些！」金鶯倏地轉過身子，昂著頭走了。

在派出所，何跟羅兩人不接受警官的調解，兀自僵持著，林台長半勸半拉地把他們兩人拖了出來，羅的襯衣岔了個口，何的左頰紅了一邊，林台長看著直生氣：

「什麼事不好慢慢解釋，要鬧到這裡來！」

兩人都不作聲，三人悶著頭走了一陣，羅一個人先岔了路。

「你們究竟怎麼搞的？」林台長沉住氣問何，他們本來是老朋友，說話也就比較隨便。

「還不是為了你！」何憤然回答。

「為了我？」林台長困惑不解，瞥了一眼何一邊頰上的紅暈。

「人家全看出來了，就只有你看不見。」

「看出了什麼！」

「老羅跟金鶯嘛！」何幾乎是用一種憐憫的眼光望了一望林台長：「兩人在一起有說有笑，同出同進。我是看著為你氣不過，說話中不免帶了些刺，不想老羅那野蠻傢伙竟動起武來了。」

「什麼？」林台長有點迷糊：「你說老羅在追求金鶯？」

「也可以說金鶯對他很有興趣。」

「有這樣的事！」

「這事也不只一天兩天了，我一直不便跟你說，以為你自己總會發覺的。」

「這真使人難以相信。」林台長還是一臉懷疑不信的神色；何對他對自己的不信任，感到了莫大的屈辱，可真惱了。

「因為是老朋友，我才這樣赤忱對你。別人不了解倒罷了，連你也不相信我。難道我還撒謊來離間你們不成！」

「我不是這個意思，我是說……」

「從這一點看出來你並不信任我。」何不理林台長的分辯，氣憤地一口氣說下去：「我就是不能與不信任的人共事，我也犯不著為別人的事惹這麼大閒氣。先告訴你，我不想在這裡待下去了。」

說著已走到電台門口，何工程師撇下林台長，一個人負氣先加快腳步跑上樓去。

驟然間，林台長感到自己十分孤獨和迷惘，他的感情一時間不能適應這突變，幾乎是陷入一種迷糊恍惚的狀態中把自己拖上樓，拖進屋子，跌坐在椅子裡。他將臉深深地埋入手掌中，他亟需要靜一靜，在一大堆沉重而雜亂的思想中理出個頭緒來。

這是可能的嗎？一個是他倚重的人，一個是他摯愛的人，同時叛變了他！

將近三個月的相處，他總覺得羅總編輯是個正直而肯苦幹的人，他對電台的創辦貢獻很大，對未來的擴展倚重他的地方不少，他自己待他也不錯，難道他會不知道金鶯與他的關係，而不顧朋友間的義氣！最使他痛心的還是金鶯，金鶯原來跟他在一個電台供職，他是廣播主任，她是播音員，兩人感情很好，後來他與幾個朋友合股辦了這個電台，自然也把她挖了過來，原來預備等一切安排就緒，正式宣布婚約，誰料到她……他猛然記起何早就給他過暗示，過去有一天他勸他說：「你一天到晚都浸沉在工作裡，也不找些娛樂輕鬆輕鬆。」

「工作中自有無窮樂趣，何必又去找其他娛樂。」他笑笑說。

「也不陪金小姐嗎？」

「她，她還不是有她的工作。」

「可是，人家也許不能像你一樣拿全副精力寄託在工作上。」

他記起何那時說這話的態度很懇摯，顯然含意深沉。但他卻不曾理會。是的，這幾個月裡，他要想的和要做的實在太多了，而金鶯又一天播到晚的音，他就少有同她在一起談談的時候。但她不應該不了解他，所以傾注全力打好一個事業基礎，也還不是為了要使未來共同的家能夠更多一些幸福……

門上篤篤兩聲，林台長怦然一驚，忙自振作起來，清一清喉嚨說：「進來！」

進來的正是羅總編輯，他猛覺得血液直往上升，臉上發燒。但羅卻顯得特別冷靜，他直視林台長，用沉緩而堅決的聲音說：

「我對你十分抱歉，我來這裡只為告訴你一句話：請你另請高明，我要離開這裡了。」

「離開這裡，你不幹了？」林台長剛才的一股激憤之情，顯然被羅的冷靜和堅決沖淡了，頓時感到一種失去憑依的惶恐，只是無力地說：「你忘記了你的諾言，我們三個人要把這份事業辦好，豈能半途而廢？」

「我沒有忘記，但在此時此地，就當我沒有說過好了。」羅咬住嘴唇說，眼睛望著窗外。

林台長一時接不下話去，剎那間他又想起何對他說的話，自己居然還挽留他！不禁臉上訕訕的，兩人間有著片刻的沉默，林台長迷茫的眼光不經意地落在桌上的包裹上，忽然記起了什麼，立刻立了起來，走到桌子邊動手拆開包裹，一面對羅說：「你開列的唱片我全買到了，不知有沒有錯？」

羅沒有作聲，卻本能地在打開的包裹中抽出一張唱片看了一眼，又逐張翻檢下去。房間裡的空氣逐漸緩和，林台長又從口袋裡摸出幾張文件放在桌上。

「這裡是新訂的三份長期廣告合同，另外我還買了一些書預備你參考用的，大概明天可以寄到。」林台長頓了一頓，望著羅的注意力正被唱片吸住了。便又接著說：「你那個固定節目寫得怎樣了？」

「剛擬了個大綱。」羅說，仍低著頭觀賞那些唱片。

「內容是？……」

「內容主要的還是從家庭瑣事啟示人生真諦，科學新知，以及思想、哲理等等，使人好從日常生活中獲致生活的情趣，建立對生活的信心，同時容易了解一些學識。」羅先還淡淡地說著，慢慢地興奮起來，那種對工作的熱忱，逐漸融化了剛才罩在臉上的一層秋霜，眼睛發著光亮。

「這內容太好了！」林台長忍不住為之動容喝采：「我想這節目如果辦成，給予社會的進步和家庭幸福的增進，一定會有很大的幫助，而且準能叫座！題目呢？這樣好的內容一定得配上個好題目。」

「我想是想了幾個，『幸福家庭』，『錦繡人生』……」

「就是『錦繡人生』，響亮、動聽，而且寓意深長……」

就在這時，金鶯悄悄地走了進來。銳利的眼光從這個身上溜到那個身上，未開口先在嘴角吊著一抹淺笑。

「哦！我還以為又是在開什麼三頭會議，原來是在討論雙邊協定！」

這近於揶揄，也似有所影射的話，使浸沉在工作熱忱中的兩人，驀地又喚回那種使他們尷尬而難堪的場面，林台長感到頰上發燒，羅陡然沉下臉推開面前那些東西，嚴峻地向林台長說：「好吧，我的事就是那樣決定。」說著便掠過金鶯面前，逕自匆匆走了。金鶯負氣地望著他出去之後，問林台長：

「他決定了什麼事，那麼神氣！」

「辭職。」林台長簡短地回答，忍住氣不看她。

「懦夫！」金鶯低低地從牙齒縫裡迸出了一聲嘲罵。

「懦夫，誰是懦夫？」

金鶯詭祕地抿了抿嘴，林台長忽然覺得一陣妒恨的情緒像瘧疾似地攫住他，渾身起著顫慄，尖酸而帶著試探性地說：

「如今羅編輯的去留，該是妳最關心的事吧！」

「關心又怎樣？不關心又怎樣？」金鶯眉毛一抬，直望著他。銳利的眼光帶著一種挑釁的神情。

「這樣看來人家告訴我的全是真的了。」

「人家，人家又是誰？還不是老何。我說他是隻多嘴的老鴉，而你，你是個盲目的傻瓜！」金鶯銜著林台長把鼻子一皺，像頭發怒的貓。

「金鶯，妳，妳當真變了！」林台長氣得聲音直哆嗦。

「哼，倒還說我變了，」金鶯聳聳肩膀，不屑地在鼻子裡嗤了一聲。「問問你自己這一陣活著多一口氣的樣子，就像冰箱裡拿出來的，這是什麼電台，簡直就是冷宮嘛。我來了這裡，倒像給打入了冷宮，除了播音，成天讓人冷冰冰的，誰受得了！」

「這一點妳不應該不諒解。我忙得沒有時間陪妳玩，還不是想趁現在好好打下一番事業基礎，為我們未來的幸福。」林台長對金鶯的不能體諒他的一番苦心，覺得十分委屈。

「未來的幸福，說得倒好聽。可是愛情卻不能擺在冷藏庫裡保存起來。」

「所以妳就另外找路子發洩！」

「這個，你無權過問。」

金鶯輕蔑地撇了撇嘴，冷冷地說：

「什麼，妳？」林台長像被蜂刺螫了似地，驀地跳起來。但望著金鶯那副冷若冰霜的神情，卻又沮喪了，近乎懇求地說：「金鶯，妳當真便這般無情無義！忘記了我們過去的一段歷史？」

「過去的歷史，是的，你不就是利用過去的歷史做食餌，使我上鉤！」金鶯一說開頭，就像一隻蓋了蓋子的沸騰了的水壺，如今蓋子一揭，蒸氣便向上直冒：「你口口聲聲只是工作第一、事業第一，便由著人從早喊到晚，喊得唇焦舌枯你也不關心！你關心的就是你的電台，用我的聲音給電台以生命。你以為我會一輩子替你做揚聲筒？我會為你那一點微薄的報酬就甘願喊破喉嚨？別做夢！」

「金鶯——」

「告訴你，我才不稀罕做台長太太！」金鶯不給林台長說話的機會，兀自滔滔不絕地說：「我也瞧不起那楞頭楞腦的姓羅的，那憨勁十足的姓何的。你們別真以為自己真是了不起的三巨頭！在我底眼中，只是三根不折不扣的呆木頭，三個大傻瓜！這幾個月來同你們這些木瓜在一起真把我膩透了。現在我更是一分鐘一秒鐘都不想再待下去了！我，我恨透了你！」金鶯恨恨地衝著林台長發洩了一頓怨忿，便鞋跟敲著地板，一股旋風似地衝出台長室。

林台長怔了一會，一股勁向前走了幾步，想追上金鶯，但走到門口又停住了，開始不安地在房裡從東邊踱到西邊，就像一隻受傷的野獸！孤獨而煩躁地在洞穴中徘徊、躑躅，忽然他停立在桌子旁邊，重重地一拳擂在桌上，咬著牙齒喃喃自語。

「好吧，大家都不幹，看我一個人來幹！」

當天深夜，住在宿舍裡的羅、何以及工友老李，全被林台長沉重的呻吟驚醒，只見他雙手按住肚子，在牀上輾轉翻滾，臉色白裡泛青，嘴唇都發白了，大顆的冷汗從額上滲出來，看來病勢很兇，小鎮上沒有像樣的醫院，何工程師忙叫了輛汽車來，自己伴病人上縣城去。但臨上車時，已痛得有點神智昏迷的林台長卻拒絕去醫院。

「不，」他呻吟著說：「你們全都要走，我不能全撇下電台不管。」

「我暫時不走。」何說。林台長從他臉上收回急切的眼光，又望著羅。

「我可以等你回來再說。」羅說。林台長痛苦的臉似乎舒坦了一些，他有所期待的眼光再在兩人後面搜尋著什麼，但是落空了。於是他重重地呻吟一聲，閉上眼睛，讓汽車把他載走。

醫生診斷是急性盲腸炎，當晚就得動手術，開刀經過良好，何就留下林台長一個人住院，回電台去了。

林台長身體躺在牀上不能轉動，大腦卻更靈活了，他無法避免那使他痛苦的煩惱，這痛苦是甚於肉體上的。回想自己就像一個足以自豪的大富翁，擁有世上兩大財富——愛情和事業。如今卻彷彿經過一次浩劫，幾乎成為赤貧。他愛金鶯，金鶯卻說他不愛她只愛事業，這究竟是誰的過失？而電台從籌劃到創辦又耗費了多少精力、心血和積蓄，有似建築大廈，好不容易打好基地，架好樑柱，就待蓋瓦砌磚，忽然其中的一根柱子動搖了，影響了整幢屋架，搖搖欲傾。這究竟又是誰是這根首先動搖的柱子——林台長陷入深思的泥淖中，苦惱已極。而一星期來，台上又竟無一人來探望他。——就在這個難以再忍耐下去的時候，何走進了病房。

何問了病況，又約略說了些電台上的事。林台長正想問他金鶯的情形，何已從口袋裡摸出一封信交給他。

信是金鶯寫的，林台長預感到不吉，拆信時兩手便抖慄起來。信上這樣寫著：

可敬的台長：

十分抱歉，我實在等不到你病癒就走了，因為幾個月來我已全部透支了我所有的忍耐，再忍耐一分鐘就會使我窒息。你們三位都是值得尊敬的，你們全副精力從事工作，實在勝於三部機器，因為你們比機器多著一個頭腦。但是我不行，我十足是人，我需要人的溫暖，我必須回到懂得這些的人群中去。再會了！希望下次見到你們時已懂得更多人情味。並祝你早日恢復健康！

金鶯

林台長看完信頹然倒在枕上，彷彿連僅有一線希望也插上無形的翅膀，打從窗戶飛走了。一瞬間他已感到無比地空虛和迷茫，幾乎不知身在何處。何同情地瞥了一眼他那種痛苦的神情，悄然踅到窗前——時間在沉默中水一般地流去。很久很久，才給一個恍如夢中驚覺的聲音，劃破了室內的沉寂：

「那麼這些日子電台豈不瘖啞了？」

「沒有。」

「誰擔任廣播？」

「老羅。」

「全部時間？」

「全部時間。」

「哦！」林台長深深地吸了口氣，一個人要編，要寫，要廣播，僅僅一個人！一種內心的感激和尊敬，代替了多少還存在心頭的那份妒恨和憎嫌：「為什麼不早登報另外招聘一個？」

「老羅不知道你出院後是不是還要去找金鶯回來。」

「從現在起，請不要再提起她！」林台長好像被戳著了傷處，皺了皺眉頭堅決地說：「你回去要羅總編輯馬上擬個徵聘啟事送到報館去。」

何允諾著，欽佩地望了他一眼，匆匆告辭而去。

林台長看著何出去，剛才那種堅決果斷的神情又消失了，就像一支燃亮了又熄滅的火柴，眼神黯淡而沮喪，浸沉在痛苦的深淵中。

林台長躺在病院牀上，一天一天地捱著日子，內心卻從無片刻寧靜。如果身體上的創傷再不痊癒，可能又會染上精神上的疫症。好不容易總算盼到了創口完全縫合，可以出院了。還是由何工程師開了輛汽車來接他回去。

在路上，林台長雖然感到出院是解除了一種行動上的約束，但卻並不因此而感到十分喜悅。心頭反另有一種惶惑不安愴然若失的感覺。要走的已走了，留著的亦將離開，回去，面臨著的又是怎樣一副支離破碎的局面，一切待從頭做起……

林台長木然直視著車窗外，窗外經過的正是他熟悉的道路，熟悉的樹和熟悉的房屋。汽車一拐彎駛進了小鎮唯一的一條大街，忽然一個清脆嘹亮的聲音，像一注來自天際的泉水般，直注入林台長耳中。

「……這裡是長風廣播電台，波長三七四．二公尺，週率一五三〇千週……」

林台長像忽然觸到了電流似的，驀地一震。忙坐直身子，探首窗外凝神諦聽了一會，回頭望著何工程師，臉上是一臉迷惘的神情，顯得驚奇而又不相信。

「這是——這不會是？」

「這正是我們的第一廣播站開始第三次播音。」何微笑著解釋，「昨天才裝置完工。」

「哦，你當真把它完成了！你……」林台長的右臂給何的肘子撞了一下，打斷了他的說話，這是何示意要他繼續聽下去。還是剛才那個清脆悅耳的聲音——何告訴他那是新聘請的播音員。

「……這一個節目是〈錦繡人生〉。人生，是美麗的；生活，是豐富的，而唯有對人生了解得更深切，對生活也更具有信心……」

另外一個男中音用標準的國語接著說下去，林台長一聽就知道是羅的聲音。

「……在這一個節目裡所播送的，就是幫助諸位聽眾對人生有更深切的了解，發掘更多的生活情趣……」

「你們連這個節目也弄出來了，我在醫院裡躺了二十多天，你們可真做了不少事，我不曉得應該怎樣感謝你們！」林台長興奮地拍著何的肩膀，一口氣說了不少感激的話，何只是謙虛地說：

「這原是我們分內事。」

「那麼」，林台長忽然又想起了何和羅鬧意見要走的事，心裡又覺愀然，卻又不曉得該怎樣說：「過去那些事我希望你們大家都不要心存芥蒂！」

何笑著聳聳肩膀。

「你曉得，在工作第一的原則下，我們總是合作的。」

「僅僅限於過去以至目前？」

「目前以至永遠。」

就在這時，汽車在電台門口停了下來，只見羅總編輯一手執著播講稿，從大門裡迎出來，笑著對林台長說：

「為我們的台長恢復健康謹致祝賀！」

林台長伸出雙手緊握住羅和何的手，一時激動得聲音也哆嗦了：

「我真不知道應該怎樣感謝你們！……願從此雲消霧散，天朗氣清，展現在我們眼前的是未來的無限光明。這電台還是我們三——」

「三巨頭，」何笑著搶過去說。

「也是三個傻瓜。」羅帶著善意地嘲諷。

「不，應該說是三個力量一條心，共圖中興。」林台長鄭重而嚴正地說。

於是，三個爽朗、歡暢的笑聲，融和在一個清脆悅耳的聲音裡——

……BCA……這裡是長風廣播電台……

編註：本文原刊於《中國勞工》第一〇七期，一九五五年四月十六日，頁三十一～三十三；第一〇八期，一九五五年五月一日，頁五十～五十三。

糖渣

一

「俞老師！」

「噢。」聽見這揉合著尊敬和羞怯的一聲低喚，正伏在桌上寫東西的俞煥文連忙轉過身來，門口站著的是秀蘭——他一個學生的姊姊，迎著他的眼光，她微微一笑，又嬌羞地低下頭向室內走兩步，放下手上提的籃子，端出一碗水晶般透明的涼粉放在他桌上。

「才凍起的涼粉，吃了解暑。」

「每天都吃妳送來的點心，真不好意思！」俞煥文站起來望望涼粉，又望望秀蘭，只是笑著搓手。

「為什麼說這個！」秀蘭不以為然地瞟了他一眼，低下頭去翻他案頭的書。

「秀蘭小姐……」

「不是上次說過不叫小姐嘛！」她低低地抗辯。

「可是妳不是仍舊叫我老師？」

「那……」秀蘭語塞，只是靦腆地笑，俞煥文望著她一頭烏黑的柔髮半掩著的側影，含羞帶嬌的神態不禁油然產生一股憐惜之情，他用充滿了感情的聲音輕輕地說：

「秀蘭，妳對我太好了！」

秀蘭彷彿用了最大的勇氣，抬起那對清澈如水的眼睛，含情脈脈地諦視了他一會，立刻又不勝嬌羞地俯下頭去，一抹紅暈一直從耳畔泛上雙頰。

「秀蘭……」俞煥文又激動地低喚著她的名字，伸過手去按在那隻執著書的手上，他感到那隻纖小的手在抖慄著。她的頭更垂得低了，眼簾不安地閃眨著，像不住撲翅的蛺蝶，眼波盈盈蘊滿了淚水，胸脯劇烈地起伏著，一剎間彷彿呼吸阻塞困難——忽然她抽出了手，羞得像隻受驚的兔子般一溜煙從他旁邊溜開，走到門口時回頭欲言又止地深深看了他一眼，還是默默地走了。

俞煥文望著那纖瘦的背影消失在門口，悵然若失，像在平靜的心湖裡擲下了一枚石子，再也不能安心工作。他想起這一年多來，秀蘭對他關切備至，雖然她一直羞答答不擅言笑，一舉一動間卻常常流露出少女一派真純的感情。她不算美，但溫柔文靜，有如小鳥依人。她只受過六年國民教育，但聰穎肯學，是一塊可以雕琢的璞玉。他不能阻止自己對她萌生情苗，這份感情與日俱增，就像一株嫩芽在陽光下滋長，只是，他自己過分地拘謹和太多的顧慮，卻在這其間遮蔽了一層陰影。他無法超越或撥開這陰影，因此，他有時感到困惑，苦惱。而當他一陷入這樣的情感中，總是用加倍的工作來消弭——在學校裡，他一向就由於他那埋頭苦幹，孜孜不倦的教學精神，以及公正不苟，謹慎穩重的品格，獲得了同事間的尊敬和期重。

但是，這天他卻無法從工作中恢復寧靜，他握著筆，坐在桌前對著那一疊教育方案發怔。

「嘿，好一碗水晶冰！準又是林德盛的姊姊給送來的。」進來的是凌老師，一看見桌上的涼粉就張著嘴唇嚷著。

「與君分而食之如何？」俞煥文拿起一只玻璃杯便傾了一杯遞給凌老師，凌老師接過來呷了一口打趣道。

「說正經，究竟幾時請喝喜酒？」

「那是不可能的。」俞煥文眼望著碗裡，聲音有點無可奈何地悲哀。

「怎麼不可能？我看小姐對你很有意思嘛。倒是你自己退縮不前，不發動夏季攻勢。」

俞煥文苦笑了一下，閃爍其詞地說：

「問題並不簡單。」

「你倒說說看哪幾點不簡單？」凌老師不放鬆地追究著。

「唔，第一點，本地人一向就反對女兒嫁外省郎，第二點，本地人最講究聘禮，而我只是一個窮教員——」

「這都是林家答覆你的？」

「當然不是。」俞煥文連忙否認。「我最怕的就是鞋子未穿落個樣，羊肉未吃惹得一身騷。」

「老兄在工作上謹慎小心考慮周到，固然值得人拜服，可是用在戀愛上，我要說你太迂了，缺乏進取心。」凌老師搖著頭嘲笑地說：「這件事，由我去託人進行。」

「那不好，千萬別……」俞煥文可真急了。

「你放心，我總不會笨得說是你挽人去說媒的。」

就在這時，門外有小孩子叫：「俞叔叔，吃飯了。」俞煥文答應著同凌老師一路走出來，還躊躇不決地叮囑凌。

「我看還是聽其自然的好。」

二

俞煥文牽著孩子，向離學校不到二丈遠的眷舍走去。暑假，學校停炊，他就在同事又兼同鄉的丁老師家搭伙。

他走進那熟稔的小院子，在玄關裡換了拖鞋，剛一抬頭叫了聲：「老丁，嫂子……」驀地眼前一花，不禁怔住了，像烏雲堆裡湧出一輪紅日，黯淡的房裡特別刺眼地站著一個女人，鮮紅的衣裙，緊裹著豐腴得到達飽和點的身子，領子低得不能再低，跟那高大豐腴的身材成正比例的是圓臉上線條濃重的眉眼，鮮紅的嘴，嘴裡還不斷嚼著口香糖，乍一眼看見，這女人會給人一種近似壓力的感覺——俞煥文便覺這樣。

「……這是潘……噢，不，是周小姐。」丁太太替他們介紹著，她大方而熱情地伸出塗著寇丹的手，俞煥文被握著，不知為什麼感到十分局促。

周小姐看來很活潑，活潑得與她的個子和年齡似乎顯著不調和，也很健談，儘管俞煥文有點窘迫，她卻一見如故地問長問短，滔滔不絕。在開飯前的十分鐘中，她已與他處得熟不拘禮，像結識多年的老朋友。

吃飯時，那位小姐正被安排在他對面，為了怕接觸那使人窒息的，袒露著的胸脯，他連對面的菜都不敢挾，只是低著頭挾面前的黃豆芽拌飯——忽然一大塊鴨脯從對面飛落在他碗裡。

「你挾不到，我來開轉運公司。」

俞煥文迅速地望著她說了聲「謝謝」，卻把臉都漲紅了。但接著一塊又一塊盡往他碗裡送，他倒成了客人。

飯後，有那位小姐的女高音，俞煥文同丁老師也無法像平常一樣天南地北地聊天，無形中，俞煥文覺得那壓力越來越擴張，而有向他施展的趨勢。正想回學校，卻聽見那位小姐又在嚷著說：

「這裡我還是第一次來哩，哪一位陪我出去觀光，觀光。」

男主人搶著搭腔：

「抱歉，今晚上我還有個小組會議。」說完就披襯衣。

「晚上我不成，小瑩醒過來看不見我要哭的。」女主人歉疚地說。

「俞先生，不曉得我夠不夠面子請你當一次嚮導！」俞煥文還來不及溜，周小姐點將已點到他身上了。

俞煥文很想說自己要改本子，偏又吶吶說不上嘴，周小姐已一跳跳到門口穿鞋子，催他說：

「別猶豫了，這就走吧，吃了飯散步，正好幫助消化。」

俞煥文像一個將沉入水底的人似的，無助地向丁家兩口望了一眼，身不由主地跟了去。

在街上，周小姐像一隻紅火雞，到處都引人注目，俞煥文只在心裡暗暗禱告：千萬別讓他逢到熟人。而她偏這家鋪子問問，那家店裡看看，好像對什麼都感興趣。有時俞煥文故意當她走進一家鋪子時，自己只在門口觀望，她偏像小孩子發現了新奇玩具似地，向門外的他招手嚷著：

「俞老師，你來看這個，多有趣……」

好在鎮上的市街不太長，半個多小時便走完看完了，但俞煥文一身衣服都已被汗浸濕，回去時他揀了條冷僻的小路，路上卻沒有燈，而又高低不平，那位小姐嬌嗔地怪他帶路帶得不好，顛頓著走了幾步，索性將手勾住他的胳膊，半個軟綿綿的身子就偎依在他肩膀上。俞煥文從來不曾經驗過這些，不僅身上承受著壓力，內心也感到壓迫得呼吸不勻，高一腳，低一腳，那一段路彷彿在霧裡行走，一直到把小姐送回了家，自己回到宿舍裡躺在牀上，那使他昏眩的霧依然撩撥不開。

他從來不曾與這樣的女人來往過，而且也鄙視這種作風的女人，浪漫、隨便、大膽得近於放蕩，但不知怎麼那一片鮮紅的影子，總浮在腦海中抹拭不去，就像不小心撞著蜘蛛網，總覺得膩膩地黏著些什麼，卻又看不見，拿不掉。

這一晚，俞煥文再也無法集中意志工作，他卑視並厭惡自己不能寧靜的情緒，在男女這方面他一直是純潔，謹慎，而多少帶點保守。但誘惑，誘惑就像瘧蚊在叮人時，悄悄進入被叮的人血液中的病菌，被叮的人往往還不知道，毒汁卻已潛伏在體內了。

三

第二天上午，俞煥文正在批改那些補習班的作業，虛掩著的門未經通報就推了開來。

「到底給找著了！」

聽到背後那帶鼻音的聲音，俞煥文像突然被戮了一下似地跳起來。進來的正是周小姐，今天穿著無領無袖的尼龍衫，白短褲，露出兩大截玉柱似的大腿。

「噢，是周小姐——」俞煥文大出意料之外。

「歡不歡迎？」她望著他眉毛一挑，挑逗地。

「當然歡迎，真是蓬蓽生輝。」俞煥文惶恐地陪著笑，一手悄悄地推上了門。

「你這裡不錯嘛。」她向房裡環視著，一面從一個三角紙包裡拈著花生米一顆一顆向嘴裡丟，「一個人住？」

「嗯，」俞煥文挪出一張椅子請她坐，她卻毫不拘束地一屁股就坐在牀上。眼睛斜睨著他。

「不嫌寂寞嗎？」

「習慣了也無所謂。」

「我就耐不住寂寞，那比一群蟲子在心裡啃著還難受。」她索性斜倚在他牀上，含蓄地諦視看他，「可敬的老師，告訴我寂寞加寂寞等於什麼？」

「我想，應該是更寂寞。」俞煥文笨拙地回答。

「不對，你難道忘記了，奇數與奇數相加應該是偶數？」

「我沒有想到這個，」俞煥文不安地閃避著眼睛，像昨天不敢抬眼挾菜一樣，現在是赤裸的大腿，放肆地交疊在牀沿，十分炫眼。他一面怕有同事闖進來，好像做了什麼虧心事地，不時諦聽著廊上有無腳聲，一面又頻頻看著手錶，是不是已到吃飯時候——忽然額角上「搭」一聲，掉下一顆花生米，他錯愕地抬起眼睛，她展開紅豔欲滴的嘴唇對著他在笑：

「你這個人，真有意思！」

俞煥文尷尬地笑了笑，視線不經意地落在那兩隻挨近自己座椅的裸腿上，不知為什麼竟有點心旌搖搖，連忙站起來倒了杯冷開水喝，一面搭訕著說：

「我們該去吃飯了吧，快十二點了。」

但周小姐並沒有先走的意思，一定要等著他一路去，迎著他們的丁老師不由得驚異地瞪著他們說：

「嚇，你們真是一見如故，到哪裡去玩？也不邀一聲。」

俞煥文被丁老師一問，沒來由地臉紅著說不出話，倒是周小姐淡淡地說：

「誰玩了？人家替你們去請俞老師吃飯嘛。」

四

那位周小姐暫時似乎沒有離開丁家的意思，每天晚上，她總免不了要俞煥文陪著她去看電影或是散步，人的性格是很奇怪的，有時堅定有如石柱，任何引誘力都不能震撼分毫，有時又柔弱得有如浮萍，一根頭髮絲就能牽著走。俞煥文那時就是不知不覺被牽著走的，不過牽他的不是頭髮絲，而是邪惡的欲網上一根細韌的絲，他像一個初嘗試到酒味的人，初喝酒的人一點點酒就能使他迷卻本性，他渴慕著有次酩酊大醉。

周小姐誘引起他的乾渴，從來未有過的渴。

有一晚，他同周小姐看完電影回去很遲，已經是午夜了，他有點飄飄然地回到宿舍——沒有酩酊大醉，卻有十分酒意，推開房門，卻見丁老師兀然坐在椅上等他，他的酒意被這意外驅退了。

「回來了！我已候駕半天。」丁老師用銳利的眼光周身上下打量著他。

「這麼晚有什麼事麼？」俞煥文惶惑地問。

「有一點事，就是我必須把那個姓周的女人的事告訴你。她並不是什麼小姐，而是因為不安於室，不久才忍心拋下三個孩子與她丈夫離了婚，這種女人對男人的觀念，就等於吃口香糖，把甜味嚼掉了就吐掉再換一片。我因為她是太太的同學又沒有地方安身，只得隱忍著讓她住些日子，但我不能不把真相告訴你，我一直把你當作老弟看待，希望你早點娶個閨女好好成個家，你一向都潔身自好，犯不著去跟這種女人泡在一起。」

「我也不過陪她看看電影……」俞煥文吶吶地分辯。

「老弟，天下又有幾個柳下惠！」丁老師搖著頭，帶著憐憫地笑，眼睛注視在他左頰，「照照鏡子吧，已經蓋下印戳了。」

俞煥文對著鏡子一看，才發現左頰上還殘留著一抹口紅，不禁追想起剛才在公園冷僻的一角榕樹下，是她，先依靠在自己肩上低訴著，接著是使他血液沸騰的，火一般的熱吻——他不由得像犯了罪似地臉紅心跳，不敢正視丁老師。

「走錯了一步路回頭並不遲。」丁老師發現他的窘迫又寬慰說：「不管你是否已經失足陷網，只要你毅然揮動慧劍，沒有斬不斷的情絲。好，明兒見。」

丁老師走了，撇下俞煥文一個人對鏡站著，望著鏡子裡的自己，腦子漸漸清爽過來，他用濕手巾蘸著肥皂用力擦去那塊紅印，像擦去什麼恥辱的記號，他鄙夷地詛咒著自己怎麼會糊塗到就同這樣的女人胡搞一起？平時的操守、教養又到哪裡去了？當他陷入混亂的悔恨中時，另一個思念像一道聖潔的光輝通過心靈，那是屬於貞靜的秀蘭的，他慚愧地記起自己已經有好幾天沒有看見她了。她那默默地關切，默默的情意，年輕純潔的心的奉獻，世界上難道還有比這更值得珍視的愛情？一邊是誘惑、情欲，一邊是真純，敬愛——

「我縱使可以做對不起自己的事，也不能做對不起她的事！」俞煥文從心底發出誓言。

五

為了要避開那誘惑，俞煥文一上午都躲在辦公室裡，中午沒有去丁家，上小館子吃了碗麵。下午又上一個同事家去聊天。但心裡總覺得不安定，就像一個在戒香煙的人，恍惚若有所失，這一天彷彿長得難以打發，他又怏怏地從同事家回到學校，在校園裡遇見了凌老師，一把抓住了他。

「這幾天你忙什麼？影子都不見。」

「什麼也沒忙，還不在學校待著。」俞煥文故意裝得輕描淡寫地回答。

「不見得吧！」凌老師懷疑地打量他，「有人看見你同一個夢露型的女人在一起，樣子很親熱，真是會偷魚腥貓不叫，看你不出！」

「沒有的事，」俞煥文肯定地否認，似乎很有信心為自己辯護。「那是老丁太太的同學，有時請我陪她上街，而且——最近也不來往了。」

「但願如此，不然可對你影響太大了。你曉得不曉得？金教導下學期要不幹，校長的意思非君莫屬哩——。」

「哪裡……」

「別打岔，還有一個比這更重要的好消息，」凌老師故作神祕地眨著眼睛，「林家我已請人去探過口氣了，秀蘭她爸爸倒很開通，他表示也曾聽說過你少年持重，勤奮有為，十分誇讚，不過他說事關他女兒終身幸福，總得鄭重考慮一番，他既有這種口氣，也不過是想打聽清楚一些，而重要的是小姐對你有意，我看再挽人去一說，事成大概就在這一兩日了。」

俞煥文沒想到凌老師竟這般熱心地為自己去辦這樁事，不禁握住他的手，感動地說：

「你老兄真是熱心！」

「得啦！先別恭維，事成後不給扔過牆就萬幸了！」

凌老師爽朗的笑聲響徹了寂靜的校園，俞煥文望著他魁梧的背影走出校門，心裡一高興，原來想上辦公室去的腳步不知怎麼又折回了寢室。他倒了杯開水坐在桌前藤椅上，凌老師的話彷彿在他混亂的腦中注射了一針清潔劑，那些沒來由的煩躁不安頃刻澄清了，在事業的階梯上按步趨升，為人所重視，有一個溫柔賢淑的妻子，一個安詳甜蜜的家，這原是他畢生所祈求的，如今，他已感受到這一切預兆，好像黎明太陽尚未升起，卻已在山巔顯出一抹雲彩，他忭然向窗外的白雲藍天凝神瞻望——突然，眼前驀地一黑，被兩隻手封住了。

「誰？」俞煥文微恚地問著，回答他的卻是吃吃地嬌笑，一股濃郁的香味直竄入他腦中，他的心陡然往下一沉，又急遽地繃跳著，其實他不問也知道是誰了。

「快放手！讓同事闖進來看到多不好。」

「喲！就用這樣的態度接待你的情人麼？」周小姐摔開手，生氣地叱嗔著，俞煥文聽她這麼說，臉都掙紅了。一時不知該說什麼，卻見周小姐往他牀上一躺，一雙玉腿趁勢擱在他椅子靠手上，腳還抖呀抖地，那雙空前絕後的皮鞋離他臉不到五寸。

「這大半天你都上哪兒去了？找你幾次都沒找著。」

「在一個朋友家裡吃飯。」俞煥文側著臉眼睛朝向窗外，那兩條腿斜擱在哪裡，從他的角度正是一順溜從上而下，直到那緊狹的短褲——

「為什麼看都不看我？」她用腳尖挑逗地輕觸著他的耳朵；「人家一刻不見可真如隔三天哩。」

「請妳不要……」他近於哀求地閃開她的腳，「人家……」

「人家，人家，你就只曉得人家。」周小姐嘲笑地說，一挺身跳了起來，「別盡嘟嚷了，同我出去看場電影，找館子好好吃一頓飯，賠償我這半天為找你的損失。」

「我還有事——」

「暑假裡哪來許多事，和尚打道士！」

「真的——」

「告訴你，我明天要走了。就算替我餞行，陪我樂一樂都不成麼？」周小姐勾住他頸子，湊過臉去嬌聲軟氣地說。俞煥文被那香味和她吹在臉上灼熱的呼吸薰得昏昏然失去了把握，那戒備著的心不由自主地又解除了武裝，無條件投降。

一切遵照周小姐的計畫，看完一場電影出來，兩人找了一家北方館子。周小姐豪放地點了菜，又叫了酒——俞煥文雖然竭力反對喝酒，卻拗不過她的堅持。之後，又經不住她的軟勸、硬拚，一杯又一杯地對斟著，酒精慢慢地發揮出它的性能，俞煥文醉眼矇矓地瞅著周小姐酣紅的雙頰半斜著的媚眼，滲著挑逗的低語，他醉得渾然忘記了自己，忘記了一切。兩人醉醺醺地挽著手走出飯館，都同意找個僻靜的地方醒醒酒，在夜的黑幕遮蓋下，兩人情不自禁緊緊偎依著，酒精在體內燃燒起人類原始的欲念，兩人熱情如火，燃燒在一起，融化在一起……

「讓我們生活在一起吧。」

「唔，生活在一起。」

兩個夢囈似的聲音散失在沉醉的晚風中。

六

太陽已經爬上樹梢，透過枝葉間照在案頭那一本推開的《教育心理》上，俞煥文卻破例地還躺在牀上。他並沒有睡著，只是雙眉緊蹙，睜著兩眼瞪在天花板，彷彿極力在記憶裡搜索一個使他惶惑的謎，一個荒唐的夢，而顯得神思恍惚——

驀地房門被一股莽撞的力量衝開，凌老師挾著他爽朗而急促的笑語聲進來，就像一陣旋風挾著驟雨似地衝進來。

「特別號外，頭條新聞，老俞！你說這下該怎樣謝我？」他興奮地嚷著，沒有留意到俞煥文一副似乎茫然不能領悟的神情，漠然地望著他，還沒有起身的意思。

「嘿，你這當事者倒還沒事人似地躺著，人家可跑斷了腿，說乾了嘴。告訴你……」

「俞老師，你有電話。」校工跑來打斷了凌老師的話，俞老師彷彿正等待著這一個通知，他霍地坐起來，卻又畏縮地遲疑了一會，這才扱著木屐，連招呼也沒跟凌老師打一個，便匆匆地跑了出去。不到十分鐘，又回來了。凌老師正急得不耐煩地等著他。

「剛才你走過校長室有沒有注意誰在裡面？沒有？你的眼睛真是洩氣，那是你未來的泰山林老先生嘛！正跟咱們校長談論你哩，校長著實誇讚了你一番。老先生可樂了，他說他願意結這門親，可得校長出面作主。他還說預備為你們蓋一幢新屋做為嫁妝……怎麼啦？老俞，你到底在不在聽我說？這是有關你的終身大事。」凌老師興高采烈說了半天，這才發現俞煥文那副心神不屬、魂不守舍的神情。

「我在聽——」

「但你一無反應——剛才是誰給你的電話？」

俞煥文窘迫地低著頭，沒有作聲。

「哈，還那麼神祕！」

「是她！」俞煥文囁嚅地說。

「她！我到不曉得你還有個她。」俞老師疑惑地沉思著，「不會是上次丁家那個姓周的女人吧！聽說她已走了。」

俞煥文回答卻是幾乎看不出的點點頭。

「你不說早跟她沒有什麼來往？她打電話給你又幹嗎？」

「她！她說她馬上搬來。」

「馬上搬來？」凌老師被蜂子咬了一口般陡地跳起來。像要把他看穿一個洞似地盯住俞煥文，「難道說你們！你們就住在一起！」

俞煥文漲紅著臉，以無言替代默承。

「沒有想到你聰明一世，糊塗一時。」凌老師憤不可忍，厲聲譴責著。「你做這樣的事，不但對不起林小姐，對不起校長，對不起朋友，也對不起你自己，你是一手毀了你自己！看吧，將來總會自食其果。」

凌老師放爆竹似地一口氣放完，便撇下惶恐的俞煥文，頭也不回，大踏步跨出房子，等他走出校門時，正迎面碰著一個壯碩豐腴的女人，穿著怵目驚心的袒胸露臂衣裙，兩手提著簡單的行李，昂然直奔教職員宿舍。

七

一向拘謹、慎誠的俞老師竟忽然與一個十三點型的女人同居起來，這在學校裡確是一件聳人聽聞的新聞。

一夜之間，大家對俞煥文的看法全變了，有惋惜、責備，也有譏嘲鄙視，自知事情不能隱瞞，俞煥文只有告訴人家：說籌備一個月，再舉行婚禮。

從那一天起，人們經過一向都寂靜的，俞煥文住的宿舍門口，便時常可以聽到從裡面洋溢出來一串嘹亮、放蕩帶有挑逗性和征服者勝利意味的笑聲。俞煥文便在這笑聲中迷失了自己，他幾乎與過去的生活、交際完全隔絕了，過著從未經歷過的生活，幸福得像一個白癡。

第一個星期兩人相偕著上菜場買菜，周小姐親自下廚烹飪，儼然主婦模樣，吃飯時你敬我一筷，我餵你一口，親熱得恨不得像兩塊燒熔的鐵融合在一起。第二個星期開始時情形稍微有點變動。兩人不再像一對鴿子一樣，整天偎在窩裡唧唧儂儂，俞煥文陪著她整天在外面蕩，民生問題乾脆在館子裡解決。這一個星期快完時，情形更不同了，周小姐開始抱怨生活太平凡，不夠刺激，她單獨活動的時間逐漸增多，常常撇下俞煥文一個人在煤油爐上炒冷飯，第三個星期剛過了一半——離開學還有三天，突然俞煥文房裡那誘惑性的笑聲消失了，完全恢復了舊時的靜寂，這一段不平的、暴風雨式的關係，只了結於周小姐一句：「膩透了。」的話上。

但是，久久不能恢復寧靜的是俞煥文。慣於過清靜生活的人，寂寞是靈智上一種享受。而一旦耽迷於歡樂，驟然間再落入沉寂，卻使人感到空虛懊悔，惶亂無主，瀕於絕望。俞煥文便陷入這種絕望中。過去那短促的一段日子，他像睜著眼做了一個荒唐的夢，如今夢碎了，一切也隨風逝去。他深知自己對周無真實感情，而只有情欲，但情欲的浪潮猛然洶湧氾濫時，理智卻被淹沒了。縱使是瞬那間沖激侵襲，生命上卻已留下不可磨滅的醜惡的痕跡。

他記起丁老師警告他的，口香糖的譬喻：他就是那被咀嚼過又被唾棄了的糖渣，可悲又可恥的糖渣。

他覺得再無顏見人，見那些他愛也愛他的人——

學校開學了，冷靜了許久的學校裡頓時熱鬧起來，老師學生歡聚一堂，在這一群中，卻沒有人看見俞煥文，他的名字最後一次留在學校裡的，是在校長室辦公桌上放著的一封退回來的聘書上。

沒有人知道俞煥文去了哪裡，也沒有人知道周小姐又換了哪一種牌子的口香糖。

編註：本文原刊於《大道》第一四五期，一九五六年十月一日，頁二十二～二十五；第一四六期，一九五六年十月十六日，頁二十二～二十五。

吾妻

說起來，我自己只是個最平凡不過的人，大學只念上一年，當一個小小佐理員，對所謂崇高的志願，偉大的理想，自己也知道一輩子攀附不上，乾脆沒存過奢望。發財的夢倒偶然做做，但也只是做做夢而已。我更沒有什麼特別的嗜好、欲念，我生命中唯一的寄託，也是最大的幸福，就是我有一位既年輕漂亮，又溫柔體貼的妻子。

我的妻裘麗原來是我的表妹，二舅母去世了她就一直住在我家。七年前大陸快沉淪時，一天媽把我倆叫到面前，噙著淚交給我五兩金子，告訴我那是她與二舅父唯一能湊集的款子，要我帶了表妹一起來台灣念書，並且囑我好好照應她，將來萬一三年五年還不能回家——媽深意地望了我們一眼，她雖然沒有明說，我也聽出了她話中的意思，她早就希望我們能親上加親，我低頭瞥了一眼站在旁邊不及我肩頭高的表妹，她也正偷偷地抬起眼睛來窺視我哩。一碰上我的視線忙不迭又羞縮地低下頭去，把辮梢送到嘴裡去咬，那時我二十一歲，她才十三歲，黃鬆鬆的兩支小辮子，尖下巴，一臉的雀斑，要我帶這麼一個小鬼丫頭一路，該多彆扭！但我不敢拒絕，怕拒絕了，連我都去不成台灣。

到台灣後，我讓裘麗住進一座校規極嚴，就是星期日也需要有家長的證明才能出校的女子中學。我自己則悠哉悠哉地考進了台大，那時我這個大學生的表哥在這初中一小女孩心目中的地位是高高在上的，她近於畏懼地崇拜我、尊敬我，星期日偶然領她出來玩，她便乖得像頭想竭力討好主人的小羔羊一樣，馴順地跟著我跑，我也儼然擺出老大哥兼家長的威嚴，隨意支配她、督責她，但我還是單獨跟同學玩的時候多，身邊跟個黃毛丫頭總顯得彆扭。

我原是最不擅處理錢財的人，兩人念了不到一年的書，沒想到糊裡糊塗便把帶來的錢用光了。別說再繼續上學，馬上吃飯都成了問題，顯然必須有一個要放棄學業，從事工作。自然，如果要小孩子分負這個責任未免太可笑了。我便毅然退出校門，考取了現在這家公司的佐理員，一面仍舊供裘麗繼續求學，誰曉得裘麗念書卻越來越不爭氣，念了五年換了三家學校，連個初中都還不曾混畢業。她一再向我暗示對念書不感興趣，每次都被我曉以大義，教訓一番。對我的意志向來是不敢違抗的。

一個星期日早晨，我對著一面只照得半爿臉的破鏡子在修臉，裘麗來了。顯然她這次是鼓足了勇氣來的，站在我後面，第一句話就直楞楞地說：

「煥哥，我已決定不上學了。」

「那怎麼成！」我正在剃下巴，牙齒咬住下唇，從齒縫裡咆哮著：「將來回去教我怎麼向二舅交代！」

「我會告訴爸，是我自己不肯念書的，念書沒有興趣。而且……我這麼大了。」

聽她說這麼大了，我幾乎忍不住要笑出來，但當我一轉身準備向她告誡一番，我愕然了，五年來她一直穿著肥肥短短的白襯衣，長長的黑布裙。頭上覆蓋著清湯掛麵式的齊耳短髮，我總覺得她是個孩子。她那句話卻像使了魔法，改變了我對她的看法，那天站在我面前的她，穿了一襲我從未見她穿過的無袖大領口衫裙，合適的裁剪把發育得極健美的一身曲線烘托出來。頭髮向裡微鬈，眼波盈盈，雙頰浮著少女嬌羞的紅暈——彷彿就在轉眼間她長大了、成熟了，成為一個誘人的少女，渾身散發著青春光彩、芬芳——大概在驚愕中不小心割破了下巴，裘麗忽然驚噢了一聲，忙走近我，用她的小花手帕輕輕替我拭著，這動作在過去原來極平常，那天當她的手指挨著我的臉頰時，我陡然覺得血液都湧了上來，而從少女身上散發出來特有的青春氣息，幾乎使我因窒息而暈眩，這樣的心跳在我還是第一次。我強自鎮定著退後一步，把眼睛從她胸前像揭膏藥似地移開。

「嘿，誰讓妳穿這樣的衣服？」我矯裝著嚴峻，「我猜是學校裡開除妳的吧！」

「反正都一樣。我不念書了。」她坦然說。

「那妳……」我竟完全失去了譴責她的勇氣，惶惑的視線有如碰上了磁石，怎樣也閃避不了那股吸力。不知所措間卻記起了臨別時媽的囑咐，如今她已長……驟然間一股衝力促使我不加思索地脫口而出：「那妳一定不肯念書，就只有一條路可走。」

「什麼路？」她顯得完全信賴地望著我。

「同我上法院。」

「那又為什麼？」

「公證結婚。」我猝然說出了口，又覺得太倉卒，馬上紅著臉吶吶地補充：「妳知道你爸和我媽早有這意思。」

她的眼睛發出閃爍的光來，並不驚奇，彷彿那是她意料中的事。

「隨便你。」她輕淡地回答，像平時回答我提議上哪裡去玩一樣，她那低下頭，在手絞纏那塊沾了血跡的手帕的神情，使我想起她絞衖辮梢的神情。

「這不是上哪裡去玩一趟，可以隨便。」我鄭重地向她告誡。「這是你的終身大事，應該仔細考慮是不是願意。」

「我願意。」她肯定地說，抬頭望入我眼中，她第一次用那種成人的，充滿了愛慕的眼光正視我。

就這樣，我從光棍宿舍遷入小鴿子窠，小表妹裘麗成了我的愛妻。

婚後的裘麗更出落得漂亮豐滿，有似製成的瓷坯又沐上了一層油彩，她在家學烹飪，學縫紉，服從馴順，溫柔體貼，如小鳥依人，我每天一下班也總是盡可能早早回到她身邊，晚上陪她看場電影，逛逛馬路，星期日安排一個不太花錢的節目。日子過得甜蜜而幸福，誰把一個王國擺在我腳下，我也不會掉換這份幸福。

婚後兩三月，我發現裘麗一天比一天抑鬱，當我問她時，她才帶點羞澀地告訴我：白天一個人在家太寂寞，想出去找點工作做做，自然，首先要徵求我的同意。

「我還年輕，可以先去學習點技能，」她看出我眼中的懷疑，委婉地解釋說：「譬如學打字……」

「我當然一百二十分贊成，」迎著她有所期待的眼光，我連忙鼓勵她，「妳有這種學習的精神，我真高興。」

她嬌笑著吻了我一下，事情便算決定了。

第二天她就進了一家打字學校，為了使她有更多機會練習，我特地情商公司裡的總務科長，每天下班後讓我把辦公室裡的打字機帶回家，第二天上班前又送回去。我不懂打字這玩意兒，但懂得欣賞裘麗打字的姿勢，尖尖的十指優雅地在鍵盤上跳動著，很有名鋼琴家的風度。她自己也彷彿用心在姿勢上的美好更甚於技巧，一個多月過去了，也不曉得她的字究竟打得如何，卻又向我提出了她第二個計畫：

「光學打字沒有大用處，重要的還要英文程度好。」她顯得胸有成竹地告訴我說：「到什麼顧問團當個打字員，一個月賺幾百美金哩。」她的口氣不勝豔羨。

「啊！」我驚奇地望著她，「有這麼容易賺的美金！趕明天我也去學打字……」

「人家可只用女的，」裘麗瞟了我一眼，淡淡地說：「昨天我已在威廉英文補習班報了名，好在我早已看準了這一點，在學校裡樣樣功課不好，英文總是及格的。」她洋洋自得地掩嘴而笑。

這次她卻沒有先徵求我的同意，自然，我並不在乎，也陪她乾笑了笑說。

「算妳眼光遠大！」

裘麗進了英文補習班後，先別提英文是不是大有進步，而對於修飾打扮方面顯然更考究了，老實說，仔細分析，裘麗生得並不美，但那些剪裁合身，袒胸露臂的衫裙穿在她豐滿的身上，就有那麼一股誘人的丰姿，再加上畫得黑黑的眼圈，用唇膏塑成的豐美雙唇，脅下夾著一厚冊洋裝書，派頭十足。而交際也更廣闊了，晚上跟我說話除了摻入幾個英文單字，時常還夾入××長太太，××委員太太的芳名。逢上有什麼理由我要反駁她時，她便提出後援說是人家×××太太也是這麼說、這麼做的。自然，交遊一廣，對家事就不免疏忽一些，譬如吃飯，就只求簡單而不再就我的口味了。

一天我下班回家，意外地卻發現冷落了許久的飯桌上，不但預備了好菜，還有好酒。我驚喜地望著裘麗，她正盛裝接待我。

「不為我慶賀嗎？」她笑盈盈地向我舉起杯子，很有貴夫人在雞尾酒會中的氣派。「我終於找到工作了。」

我一怔，她在進行工作事先我卻毫不知情。

「恭喜！恭喜！」我有點勉強地端起酒杯，「是榮任了英文祕書？」

她矜持地含笑不語。

「英文打字員？」

她不屑地撇了撇嘴唇。

「那？……」

「告訴你，是×××……」

「什麼？」我猛然一驚，手裡的酒潑了一半。她說的那名銜大得任何人聽了都會震懾，我又追問了一句：「說什麼？」

裘麗卻不理會我的打岔，接著一口氣像小學生背書似地背下去：

「……××部，×××委員會，×××處，××××組。」

「好像從來沒有聽說過有這樣一個機構。」我有點懷疑。

「你又怎會聽說？人家剛成立的哩。」裘麗不耐地說。

「妳的任務是？……」

「獻花。」

「獻花？」我愕然。

「嗯，專門代表各界向那些要人、外賓、英雄、明星，以及什麼參觀訪問團等致敬的。」

「這也能叫工作？」我大不以為然。

「當然是囉。而且是最最光榮的，本來獻花小姐都是臨時選聘的，現在因為這樁工作越來越繁重，選不勝選。同時臨時選聘的有時不免參差不齊，譬如有的不諳禮節，有的不夠大方，有的又矯揉作態，有失高尚。所以特地選聘一批容貌端秀，儀態優雅，風度高貴，口齒伶俐的女人專任。」

裘麗說得眉飛色舞，興高采烈，我卻不由得倒抽了一口冷氣，心裡一百個不自在，辛辣地說：

「這樣說，妳倒快成為鏡頭女郎了。」

「什麼？」這次輪到她愕然了。

「每次逢上這種偉大的獻花場面，攝影記者不都把相機對準了獻花小姐，拚命搶鏡頭麼！」

「呃哼！」裘麗的眼睛燃著喜悅的光，連話裡的刺都沒覺察出來。反得意忘形地扯著裙角，踮起腳趾，在房裡旋了個圓圈，停在我面前，像個女皇吩咐她的臣子們似的，「那麼以後我就委你做我的祕書，每天替我把所有大大小小的報紙都看一遍，如果發現報紙上刊了我的鏡頭，馬上把那份報紙買上十份二十份，給剪貼起來。」

「呃哼，」我也學著她在鼻子裡哼了一聲，「不知妳的待遇如何？又給我什麼報酬？」

「待遇？沒想到你這樣庸俗！」她叫起來，好像那兩個字傷害了她的尊嚴。「這是一種榮譽，人家多少名媛淑女爭還爭不到呢？要不是我的同學張太太——就是××長太太設法介紹，哪有這樣容易！不過……」她矜持了一下，抑低聲音，彷彿怕走漏祕密似地，「張太太她們幾個人預備開家鮮花店——自然她們自己不出面。以後公家需要獻花，送花圈、花籃什麼的，全由她們店裡承辦。聽說贏利很大，張太太答應算我一個乾股。」

「哼！原來妳們是勾結——」

「你不懂，就別狗嘴裡掉不出象牙……」裘麗惱恚地阻止我往下說，我聳聳肩膀，搖頭說：

「我真是不懂，現在誰去誰來，動不動就塞上一堆花，娘們捧些花還罷了，一個個大男人也在懷裡摟著些紅紅綠綠花花草草的，看著多彆扭！多累贅！難道就只有這樣才能表示敬意和歡迎！」

「人家這是現在最通行的洋禮節嘛，土包子！」裘麗斜睨著我，玫瑰紅的指尖便直戳到我的鼻子上。

土包子！我這個在她心目中被神一般崇拜尊敬的大表哥，曾幾何時，竟貶成土包子了。我想發作兩句，但是連我自己也奇怪怎麼再也振不起過去的威嚴。

自從裘麗榮任新職以後，顯然更加忙碌了。一連串的獻花、赴宴、應酬，再有時間就研究服飾、美容、姿態、風度。我下班回家逢上鐵將軍把門是常事，如果她那天慈悲，鍋裡還給留下些冷菜剩飯，不然的話，就得自己拖著疲倦的身子再來生爐子、煮飯。好不容易盼到個星期日，想在家與裘麗共度一個歡樂的假日。只要門口小包車嘟嘟嘟三聲喇叭，便又把打扮得花枝招展的裘麗接走了。

我既失去了做光棍時那種灑脫不羈的生活，又享受不到家的溫暖。一個人苦惱極頂時，恨不得把裘麗抓回來好好教訓一頓，但只要見到她一顰一笑，我的心又軟了，我的手也軟了。我深深感到女人的善變，而我這個做丈夫的只好以不變應萬變。

裘麗起初要撇下我一個人出去時，似乎還有點內疚，走時媚眼閃著歉意，回來時便給我一個熱吻作為補償。慢慢地出去得多了，眼睛那點歉意淡了，消失了。熱吻也只成為敷衍的雞啄米式。到後來，索性一進門就往牀上一坐，嬌慵使喚我：

「啊！累死了！煥，勞駕遞雙拖鞋給我。」

「渴得要命！煥，請給我端杯茶好麼？」

服務為快樂之本，何況對象是自己的太太，我一一照辦了，於是找一個舒適的位子，擺好收聽錄音節目的架勢，等著聽她發言——裘麗每次回家，都要沾沾自喜地炫耀一番當天的光榮事蹟。

「噢，人家大人物究竟氣派不同！」她這麼一讚美，我就知道她這天歡迎的準是一些大官兒或是明星的。「那種儀表，那種風度，多富麗堂皇，又多高貴文雅！他們接受獻花時那樣微笑著望我，尊貴中顯著謙遜，莊嚴中透著和藹，真是不由人不尊敬！」裘麗頓了一頓，有意無意地上上下下打量了我一遍，又轉過頭去對著鏡子感慨地說：「我說一個人呀，如果想做大人物，首先應該多多注意自己的儀表和風度。」

我暗自思忖，不禁叫聲慚愧，這原是我平時最忽略的。

「嗨！人家英雄就硬是有一派英雄氣概！」一聽她那種羨慕的口氣，我猜她這天歡送的不是什麼球類代表，就是運動健將。「看看他們那魁梧的體格，那一身結實肌肉，多棒！多帥！他們跟我握手時那樣熱烈，顯得精神飽滿，活力充沛，怎不教人打從心眼裡讚美，」裘麗瞟了我一眼，又望著窗外悠悠地說：「似這般強壯的臂彎裡，才是女人的安全港。」

我偷偷捏了一下自己的胳膊，覺得臉上有點發熱。

有一晚裘麗回家居然沒有喚我替她服務，一進門便直奔妝台，對著鏡子發怔，我在她背後看見鏡中的她兩頰紅噴噴的，眼中水波盈盈，那神情陡然使我記起我們定情那一夕。也是這般興奮、羞澀，而惶惑。

「阿麗，什麼事？」我過去撫著她的肩問，我們兩人的臉同時出現在鏡中，裘麗想笑不笑地把嘴一撇，紅著臉說：

「我說那些美國人太天真了，真使人好氣又好笑。他們——我是說勞軍團裡的一個，還是什麼電視明星。我在獻花時特意用英語向他說了幾句歡迎辭，那曉得他——哎喲……」她突然欲說又停地捏住嘴，兩旁的耳環直晃。

「他怎麼啦？」

「他竟然緊緊摟住了我，吻我那股勁可真……」

「吻妳？」我驟然感到全身的血液湧上腦頂，胸脯立刻爆炸，「妳沒有給他兩巴掌！」

「我不至於這樣沒教養。」裘麗突然收斂了笑容，挺身說。

「那妳就讓他吻妳，讓他在大庭廣眾間侮辱妳？」我像隻受傷的野獸般咆哮著，拳頭重重地擂著桌子。

「得了，別那樣大驚小怪的，把事情看得太嚴重。」裘麗扶起被我震倒的香水瓶，冷冷地說：「人家也不過是行使他們國家的禮節。」

「但妳忘了這是在中國，而妳是道地中國人的太太。」我猶自氣憤地責備，卻見裘麗已不理會我，逕自安閒地卸妝準備睡覺。我一把拉住了她的手臂，「虧妳這就睡了，還不去洗洗這張臉，多擦幾次藥水肥皂。」

「我不，我偏三天不洗臉！」裘麗猝然摔開我的手，腳一蹬，一骨落便上了牀，拉條被子連頭帶腳蒙得嚴嚴的。

我差點沒氣昏過去，若不是房間裡充滿了裘麗那刺腦的香水味。

那一晚我記不清是怎麼過去的，第二天一早，我照例比別人上班得早，一去就先到閱覽室翻報紙——自從裘麗委任我做她祕書後從未忽略過這樁事，可是洩氣得很，獻花鏡頭雖屢見不鮮，卻始終未曾發現裘麗的半面側影，一角眉眼。那天早上，我憋著一肚子隔夜的悶氣，漫不經心地打開一份報——嘿，多肉麻的鏡頭！可是，天哪，那洋人摟著的不正是，不正是……我手腳感到麻痺，像一袋麵粉似地跌坐下去，我不僅恨裘麗，也恨那些記者，恨那家報館，為了賣噱頭，迎合讀者，連一國的「國格」都不顧，什麼照片不好登，偏登這種喪體面的照片！可恨呀可恨，我三扯兩扯把報紙撕得粉碎，揑成一團丟進字紙簍——但報紙又何止這一份！這一天我總覺得同事們都看出了那張丟臉的照片，都不住朝我投過來輕蔑的視線和嘲笑。我盡可能地低下頭，低到下巴抵著胸骨，彎著背，彎得脊骨像弓，以遮飾我的羞恥——以致結果造成了駝背。

但末了我還是原諒了裘麗；原諒她年輕無知，原諒她父母不在身邊，而我這個兼代家長的表哥又疏略一個大家閨秀應有的教養。

我滿心不願裘麗再幹下去，但她對自己那份光榮卻一直保持著高度的興趣，我不想使出丈夫的威嚴禁止她，只想讓她自己感到厭煩而促使她放棄，我一直等著這樣的時機。

那天，又是個星期日，裘麗一早出去了就沒回家。中午一個人剛焦頭爛額地服侍自己填飽了肚子，把那件浸透了油汗的破汗衫一脫，光著膊子放肆地躺上牀去。迷朦中忽然聽見房門「砰」的一聲，裘麗像一股颱風般疾捲進來，手那麼一揚，一只皮包便直向我頭上飛下，嚇得我一骨落翻下牀底。剛站起來，驀地又是一只高跟鞋掠過身旁，從牆上彈回來。

「今天真是晦氣！」裘麗把自己擲在牀上，恨恨地詛咒著，左腳一踢，另一只高跟鞋又飛向桌上把我的相架打落地下，「倒楣倒透了！」

我驚魂甫定，微感怫然地俯身撿起相架，玻璃碎了。

「怎麼回事？」我不快地看看她發青的臉，風塵僕僕衣冠不整的神態，「是誰開罪了妳？」

「別提了，我一肚子的氣。」

「誰那麼大膽，給你氣受？」我有點幸災樂禍，「不會是那些接受獻花的大人物，英雄、明星？……」裘麗沒好氣地瞪了我一眼。

「你看昨天的報沒有？」

「怎麼沒看！連分類小廣告，尋人啟事都看遍了。」我茫然摸不清她葫蘆裡賣的什麼藥。

「那你總看到了一則高雄車禍的新聞。」

「唔！車禍的新聞太多了點，讓我想想看……是有個人折斷了手臂，連找都找不著，迄今還未脫險——但這與妳又有什麼相干？」

「本來不相干，就闖禍的車好像有一點關係。可是我們組裡開會一討論，偏決定要我去慰問……」

「妳們真可以算是藥料裡的甘草，哪裡都派用場。」我說，裘麗瞟了我一眼，仍舊說下去：

「我們三個代表就特地坐了專機，趕到高雄去獻花……」

「什麼？」我忍不住又岔斷她的話，表示驚訝，「特地從北部趕到南部，向一個痛苦得在生死邊緣掙扎的人獻花？只是獻花？」

「誰要你打岔！」裘麗不高興地嚷著，「你聽我說嘛，我們到了醫院，裡面冷清清的，正巧休假，好不容易找到一個護士說明來意，那護士的神氣簡直可以印到鈔票上去，冷冰冰地打量了我們一眼，一句話不說，便帶我們走進一間陰暗的病房，有一個人睡在病牀上。我走前兩步，躬身捧著花照例說上幾句慰問的話，但半天不見動靜。同去的王小姐還在後面悄悄地扯我一下提醒我：『他的手臂斷了，不會接。』我臉上一陣熱，連忙湊上前去彎下腰來，把花放在那人胸前。然後抬起眼睛一望……嘜！隔得那麼近，那個人正直著眼睛瞪著我，一瞬都不瞬。」

「是看妳太美看呆了？」

「啐，去你的！原來已經嚥氣了。樣子真可怕！嚇得我忙逃出來，那可惡的護士先都不告訴我，真把我魂都嚇掉了，而且冷冰冰的，簡直是去送喪嘛！你說倒不倒楣！」裘麗一手撫著胸口，似乎猶有餘悸。

我忍不住在心裡暗暗說聲「活該！」「這種精神很了不起嘛！」我想安慰她幾句不知怎麼口氣中卻有點揶揄。「妳們一番誠意趕去送喪，也讓橫死者的靈魂獲得了人間的溫暖和同情歸天去，如果他死而有知，一定會在冥冥中保佑妳——只是他不會向妳握手道謝，不會吻妳……」

「閉口！不准你挖苦我！」裘麗突然狠狠地喝住我，聲音尖銳得有如噴氣機掠過屋脊，她似乎把剛才所受的委屈、憤恨一股腦兒傾注在我的身上，那充滿了輕蔑和鄙夷的視線視著我，像一條毒蛇糾纏著，憤怒使她漂亮的臉變成歪曲可怖，「老實告訴你，別以為了不起，像你這樣永遠不會有人向你獻花的人活著和死去都一樣，在這世上是沒有價值的，不足輕重的，就像一撮灰塵！」

我一手按住桌子，一手壓在胸前，絕望而惶恐地凝視著在一剎間變得完全陌生的裘麗，我是可悲地整個破產了——我那生命的財富，愛情和幸福，我是深深地受傷了——我的自尊和心靈。裘麗原來看不起我！看不起她崇拜的大表哥，她敬愛的丈夫。因為，因為我一輩子不會接受別人的獻花，我在這世上，不，在她眼中，只是沒有價值，不足輕重的一撮灰塵！悲哀喲！悲哀，這世界還是讓它毀滅吧……

編註：本文原刊於《暢流》第十三卷第十期，一九五六年七月一日，頁二十七～三十。

分水嶺

今年二月間，漪萍小姐已度過了她二十一歲生辰。

二十一歲，正值一個少女的青春綺年，最喜幻想，善於做夢。智慧的光輝，如晨星閃現；青春的情熱就像驕陽初升。有為自己編織一個錦繡的前程，有為自己描繪著愛情的虹彩，也有暗暗戀慕著那虛榮的冠冕。二十一歲，是青春的花園中最馥郁嬌豔的一枝花朵，是人生那一段黃金的路程上，最光輝奪目的一座奇峰。

當一道河流在潺湲的奔流中，必須經過一座矗立在面前的山峰時，常常會分成二支，繞著山麓一左一右，各奔前程。也許從此一清一濁，相去逕庭。也許從此一支奔越礁石，衝出峽谷，奔向浩闊的海洋，一支卻紓緩地流入淤淺的泥沼。但也有包抄過這一座山峰，又匯合在一起的。像這樣的山峰，普通就叫作分水嶺。

人生也會遇著這樣的分水嶺。二十一歲，往往便是一個少女在思想和觀念、行動和舉止上的一座分水嶺。

漪萍小姐，便正遇著了分水嶺。二十一歲以前的她和二十一歲以後的她，成為截然不同的兩種型。

十八歲那年她以優異的成績畢業高中，由於家庭環境的限制，她只得輟學就業，委屈地在一個機關裡當名小職員。但她的好強和肯負責，使她的工作能力一直表現得十分優良。她知道怎樣從工作中去學習。她也始終沒有放過繼續升學的初衷。下班回家，總喜歡一個人靜靜地坐在她的閨房中。不是讀書，便是畫畫、寫寫，有時也繡一個枕套或是縫一塊桌布。只有在這個小天地裡，她才感覺到自己是自己。而做為這小天地的中心的是一張寫讀和梳妝兩用的五斗桌。說是兩用，其實經常總是堆滿著書籍、簿本、筆硯等物；而唯一供梳妝用的只小鏡子一面，梳子一把，冷天頂多加一瓶冷霜，都縮在一個角落，擠時，她索性連這些也塞進了抽屜。

在外面，她是個端莊、沉默、矜持而不失謙遜的年輕職業婦女。在家裡，她是她守寡母親承歡膝下的好女兒。

她厭惡奢華，愛好樸素。儘管女同事們穿得花枝招展，她經常穿的是白衫藏青裙子，平底闊頭皮鞋。母親要她添購衣服，她買回來依然是些素淨顏色的格子布，或是她所喜歡的淺藍顏色。

「年紀輕輕的，為什麼不買些顏色鮮明的布穿呢？」

母親問她時她只是淡然無動於衷地搖搖頭：

「我就喜歡素淨嘛！」

「妳可以縫兩件花的裙子，穿起來一定更年輕活潑。」

那時正流行鮮明的印花布，同事們善意地向她建議。她的回答是淡然一笑。

「我覺得穿花花綠綠的，就像商品裝潢了去展覽。」

也有人告訴她：

「一雙高跟鞋對女人的風度太重要了。妳如果穿上一雙，一定更婀娜娉婷，顯得亭亭玉立。」

但是漪萍小姐有漪萍小姐的觀念，她說：

「穿鞋子為的是好走路，平跟鞋走得更穩健、更迅速，而且又舒服、大方，犯不著為了學時髦去活受罪。」

那時候，漪萍小姐對美術很感興趣，她很有耐心地把畫報上的畫，美麗的卡片，以及一切包裝紙上、封面上的圖畫，都收集起來，有閒時便一張一張地仔細欣賞。她的閨房更像是畫廊，琳瑯滿目，四處都懸貼著她最欣賞的名畫。她也愛拈一支彩筆，鋪一疊白紙，在她的小桌上消磨半天。她喜歡畫天上悠然的流雲，喜歡畫窗前驕矜的玫瑰，喜歡畫一個個女性在沉思的輪廓。她自己覺得她畫的風景像野獸派，畫的人物近似現代派，而花卉蟲鳥卻像國畫。

她常常這樣輕蔑地說：「那些人真是庸俗！只曉得裝飾自己的身體，從來不懂得怎樣潤澤自己的性靈。」

十九歲那年，漪萍小姐依舊披一頭簡單自然的短髮，未經修拔描繪的天然眉毛，未經唇膏點染的淡紅嘴唇，未經鉛華玷污的潔淨臉龐，三五顆小雀斑點綴在頰上，像疏朗的晨星點綴在黎明的晴空。

有時，逢上出去看電影什麼的，同伴們化好了妝，總是順手把化妝品推到她面前，慫恿她說：

「妳也搽一點吧！」

「不，我用不慣。」她揚一揚那張潔淨如白百合的臉，毫不考慮地推卻了。心裡卻在暗暗地嘲笑：「又不去出會，何必把自己扮成菩薩似的。」

有時，去參加一個宴會什麼的，她的姊姊或嫂子也會把一支口紅遞給她：

「搽一點吧，要不在燈光下妳嘴唇會顯得更黯淡無色。」

她卻撇一撇淡紅的嘴唇，鄙夷地反詰：

「難道說一定要同妳們那樣，像剛喝過人血似地才算美嗎？」

朋友望著她學生般的短髮，有時候笑著說：

「妳這一頭清湯掛麵式的頭髮，也該換換花樣了。」

她左右攏一攏，一頭柔滑的秀髮花一般綻開又覆攏。她笑著一昂頭說：

「還有什麼花樣比這更簡單、涼爽的！」

那一段時期，她又愛上了文學，她廢寢忘餐地從書本中掘發著豐富的寶藏，她整部整部地啃著世界名著，全副心神耽迷在其中。常常看完了書，書裡的人物還許久許久活在她心裡，書裡的故事情節，強烈地支配著她的感情，她喜愛那些純潔、善良、向上的人物，她喜愛那種神聖、樸實的故事。她也喜歡唸那些美麗動人的詩。一首美好的詩，常令她反覆默誦，眼睛閃熠著光彩，只覺此身彷彿已不屬庸碌的塵世，而進入另一個很遠的、崇高的意境。她把讀過的書都勤懇地寫下了筆記。她自己有時也用心地寫點散文，作一二首詩，想望著一旦成為奧爾珂德，成為喬治桑……但是她的作品永遠只寫給自己看。那時她喜歡觀察別人，也喜歡深思默想，頗有作家、哲學家的氣質。

她常常這樣不屑地說；「那些人真太淺薄！只曉得在臉上塗塗抹抹，從來就不給自己腦子裝點什麼。」

二十歲那年，漪萍小姐還是喜歡一個人騎著單車上班，騎著單車下班，路上伴著她的是樹梢的風聲，道旁的紅花，還有陽光的照耀。回到家裡，伴著她的是書、是畫，是小室裡淡淡的岑寂。她飄然來去，悠閒自處，自覺思想超逸如清風、流雲，心境平靜如明湖、滿月。

年輕、單身的女孩子總是為大家所關心的，那些結過婚的女同事有時半真半假地對她說：

「漪萍，給妳介紹個男朋友好麼？」

她立刻厭惡地皺起眉頭嗔著：

「別討厭！」

哥哥和嫂嫂也逗她說：

「萍妹，要不要幫妳選擇一個對象？」

她馬上不高興地板著臉說：

「少囉嗦！」

有時她母親笑著告訴她，什麼張太太，王太太來想跟她做媒。她一聽可就惱火了，面色紅漲，像受了莫大的恥辱似的，蹬著腳向她母親發小姐脾氣：

「這些人真無聊！成天就愛管別人家的閒事，十足的三姑六婆型。好像她們自己沒出息做一輩子管家婆，只想拖別人家下水。明天看我還理她們！」

漪萍小姐到那時為止，便從未對那些能夠瞻仰她的男士假以辭色。有時接到幾封冒昧陳情的信，連多看一眼也不屑，擦拉一聲，便擲進字紙簍裡。那時，漪萍小姐正醉心於音樂，常常一個人待在閨房裡放唱片，一放便是半天。她全神傾聽，整個心靈都浸沉在旋律中，忘記了自己的存在。她最喜歡欣賞的是古典音樂。她也勤懇地練鋼琴、學彈吉他。她覺得只有音樂，才能洗刷掉蒙蔽在心靈上的日常生活中的塵垢。

她常常借用尼采的話蔑視地說：「不喜愛音樂的人，生活是一場大錯——世上偏偏就有那麼多笨人生活在錯誤裡。」

她又引用著貝多芬的話揶揄地說：「不喜音樂的人，其靈魂常濁——那些心裡只有男女問題的人，他們的靈魂一定是沉濁的。」

這是二十一歲以前的漪萍小姐。

二十一歲以前，漪萍小姐便是那樣一位羞怯而莊矜、謹慎而文靜的少女。她認為美，便是單純，便是樸素，她重視靈性的陶冶遠勝於對外貌的修飾。她有顆孜孜向上的心，世界在她眼中是如此廣袤而豐富，人生在她看來是如此莊嚴而又美麗。她那樣用心地磨礪著學識的觸角，渴望著一探世界的寶藏，求證人生的真諦。她不慣於交際、熱鬧場合，而酷愛著過那性靈的生活。她要走的是大理石鋪的路，通向那理想的真善美王國。而男士們，只不過是那路旁的朽木呆石；富貴榮華，也只是路上揚起的庸塵俗土，怎值得她去俯拾、回顧！

但是，恍惚那麼匆遽，又那麼不可思議的，她不知不覺間便走上了那峰頂——已經二十一歲了。

二十一歲，她像驀地從恬靜嚴謹的生活中驚醒過來，正有那種在夢中登臨峰頂的感覺。

張眼俯視四周，大地萬物如伏腳下，一種新的、模糊的意念逐漸在心中滋生，猶如有一種氣體在內心擴升、膨脹；猶如脅下忽生雙翼，想飛揚、想翺翔。又彷彿有種想征服、想操縱的欲望，一種近於反叛的意識——當這些模糊的意念在心頭崛起時，自以為是根深柢固的意識觀念，卻逐漸模糊淡去。就如光芒強烈的太陽上升時，皎潔幽邃的月亮便隱退了。

就在漪萍小姐過二十一歲生辰那天，她幾乎是破例地穿上一條她堂兄從菲律賓帶回送她的印花裙子，一件她姨母送的茜紅色羊毛衣，頭髮用一支茜紅的花結扣在後面，大家都稱讚她美麗。回到房裡，她情不自禁拿起那面小鏡子來左照右照，只見那成熟的身材裹在羊毛衫裡，顯出了玲瓏優美的曲線，鮮豔的色彩更襯得她雙頰微酡，容光煥發。她彷彿第一次才發現自己是那麼美麗，那麼可愛。不禁愛不忍釋地凝望著鏡子裡的自己，感到一種從未經歷過的醺意，就像是喝了幾杯醇酒。

過了二十一歲生辰後，漪萍小姐閨房裡第一件變動的，是添置了一面可以照出全身的大鏡子，斜斜地懸掛在書桌橫頭的牆上，占去了平常她掛貼最欣賞的畫的地位。

慢慢地，隔不多久，大鏡子便照著漪萍小姐試穿新裝——有時是無袖襯衣，大裙子，有時是窄裙，豎領上衣，有時是袒胸上身連腰衣裙，有時是緊身羊毛衣細腿長褲……對著鏡子，她優美地轉一個身，又輕盈地走上兩步，細腰款擺，裙幅微揚。對著鏡子，她幾乎忘記了自己，而像在專心注意欣賞一幅極其動人的名畫。

為了與新裝情調一致，她也不惜在潔淨的臉上用起工夫來。起初還只是淡施脂粉，輕染雙唇，慢慢地眉毛成了柳葉，嘴唇是嬌豔欲滴的愛神之弓，塗黑的眼圈顯得嫵媚而神祕。而為了使這一身打扮相得益彰，她更不怕受罪，穿起了高跟鞋。

於是，漪萍小姐閨房裡第二個變動就是那張寫讀梳妝兩用的五斗桌上，由於化妝品的逐漸增加，把原來占去桌面三分之二的書籍都疏散了，只剩得一小疊讀書筆記和參考書冷清清地縮在桌子一角，蓋滿了灰塵。而牀頭、几上原來放滿了文藝書刊、畫冊什麼的，卻換了些美容術、健美手冊，和印著時裝模特兒的書報。

像一隻翎毛豐盛的孔雀，驕傲地、悠然自得地展開一身光彩奪目的羽毛，在人前開屏。漪萍也喜歡有意無意地炫耀著自己，更喜歡聽別人的讚美。

「啊！漪萍！妳穿這條大裙子，更增加了妳的翩翩丰姿。」

她含笑不語，一手曳著裙子，向讚美的人輕盈地旋一個圓圈。

「哦，漪萍！妳這一身合適的窄裙更顯得妳身材苗條。」

她微笑著優美地挺一挺胸和腰肢。

「我真佩服妳的審美眼光，漪萍小姐！看妳這身衣服色調多和諧，式樣多雅致！也只有配妳才更襯出它的高貴。」

「謝謝你的誇讚。」漪萍小姐滿面春風，優雅地躬身道謝。

漪萍小姐是那樣喜悅而貪婪地吸收下這些讚美詞，從心坎滲到血液，就似乾燥的泥土吸收著雨水。

漪萍小姐忽然覺得閨房裡那點小天地不夠她盤桓迴旋，那一份空氣不夠她舒暢地呼吸，於是，她的麗影耽在屋子裡的時間一天比一天少了，而她交際遊樂的範圍，卻隨著一天比一天廣大起來。

有一次，在一個野宴中，每個人都照了相。等沖洗出來，大家都認為年輕的漪萍小姐照得最好。她捧了一疊照片回家，足足端詳了半夜，一面又對著鏡子揣摩著各種姿勢、各種表情。最後，她很滿意地覺得自己一顰一笑都很美，世上的一切美，都應該使永存不朽。因此，她一定要更多的相片保留起來。她開始熱衷於照片，讓那些熟的、半生不熟的、相識不久的揹照相機的朋友，攝下許許多多不同姿態、不同微笑、不同裝束的她的相片。她香閨裡的四壁上代替那些圖畫的是自己大的小的、彩色的黑白的相片，她的相片簿來不及貼存。由於她不斷地研究、模仿，她在照片中的姿勢、表情，自覺一張比一張優美動人。

「漪萍小姐，妳很上鏡頭。」

「漪萍小姐，你的開麥拉翻司真美！」

「就是那些電影明星的照片，也比不上妳嘛！」

那些動聽的阿諛和讚美，更使漪萍小姐自我陶醉不已。她沾沾自喜地懷著一個祕密願望：願望自己美麗的照片一旦被採用為雜誌畫報的封面，恰巧又被發掘明星的「星探」賞識。

有一次，漪萍小姐認識不久的一位林小姐邀請她參加她的生日派對。

「可是，我還不曾學過跳舞呢！」第一次，漪萍小姐由於自己的跟不上時髦而感到羞慚。

那位林小姐一口答應馬上教她幾種簡單的舞步，並且到那天介紹一位舞跳得好的舞伴來帶她。

漪萍小姐第一次與一個陌生男子，那樣面對著面，摟住腰，扶著肩的情形，真是窘迫極了。她不敢正視對方一眼，只是側著臉歪在左肩上，把頸子都扭瘦了，而腳底下又不住地踩著別人的腳，或是身子撞著別人的身子。除了窘迫，起初她還覺得有一種被侵犯了少女的尊嚴的感覺，極力地矜持著，一副神聖不可侵犯的神氣。但一支音樂接著一支音樂，那軟綿綿的旋律，像一隻無形的魔手，輕柔地按撫著身子，按撫著骨骼，按撫著心，被按撫的人就似餳糖似地酥軟慵怠。那瘋狂似的節奏，更使著了魔的人血液奔騰，熱情溢流。跳著，跳著，漪萍小姐覺得身子不再那麼笨重，腳底下不再那麼澀硬。她把自己交給了舞伴，由他帶著迴旋、轉圈，一份近於暈眩的快感征服了她的矜持。也同大家一樣，她成了餳糖。

派對結束，漪萍小姐的舞雖然跳得不算太高明，卻也上了癮。從此，這小城裡只要有音樂晚會，便不會缺少她的芳蹤。她從不同的舞伴，很快地學會了各種新的不同的舞步。耳畔更低低地獻著不同的諂媚、諛詞。

「跟妳跳舞，真有飄飄欲仙的感覺。」

「能夠有這麼一個與妳共舞的機會，真是我最大的榮幸。」

「一舞難忘，我一生中永遠忘不掉這與妳共舞的一晚。」

漪萍小姐著了迷，中了魔！就在走路時，她也彷彿覺得腳底下踩的不是僵硬的地面，而是一個一個音符，她輕盈地踮著腳尖，滑溜過去。

由平淡而趨向燦爛，由樸實而趨向奢華，由恬靜而趨向虛榮，這其間，又何止一百八十度的轉彎？

漪萍小姐，她疏遠了她的書本，冷淡了她的藝術愛好，她的志願無力地癱瘓在心的一個僻角，她的理想蒙上了厚厚的灰塵，她全不在意。

她懷著一種反叛的心理，漠視母親給她的一切勸誡和忠告。反譏她的思想太舊，跟不上時代。

她對工作的熱忱消失了，沒有了自己培養的興趣，接踵而來的便是厭倦。她不能不在工作的時候，想起了明朝的約會，昨宵的歡樂。而相形之下，更覺得工作的單調乏味。當她留在閨房裡的時候，她最歡喜倚在牀上，披閱著那些讚美時一般的來信，再又聯想起那些寫信的人彼此在她面前爭著獻殷勤、陪小心的情形，她愉快地笑了。她覺得男士們有點傻，也有點天真，只要一個微笑就可以征服，一個眼色就可以使他稱臣。說一個字可以讓他們忙上半天，露一點口風馬上給辦得妥妥貼貼。那樣地恭謹，又那樣地崇敬，她覺得自己真像個女王，追隨在她左右的男士便是忠實的臣民；她又覺得自己像個牧者，圍繞在她四周的男士便是馴順的綿羊。還有什麼人，能比少女時代的女王、牧者，更值得驕傲，更感到榮耀！

不知道去享受這份驕傲和榮耀的女孩子，不太有點傻麼？

漪萍小姐很高興自己不再是那麼傻。她喜歡接受別人的崇拜、愛慕、敬仰、頌揚、讚美、阿諛和奉承，就像一個聖潔的女神，接受皈依她的信徒的禮讚膜拜和鮮花的供奉。

但是，儘管是多少心的殿堂上供奉的神，在實際生活中依舊總是人。也許是自在慣了的神不能集中思想於瑣屑的工作；也許是超凡的神不屑卑微的工作，這一陣子，漪萍小姐所擔任的那一份工作，常常發生錯誤：不是算錯帳，便是填錯表，與她過去的謹慎、勤奮，判若兩人。這一天，錯得似乎更厲害，她的上司喚了她去指給她看，末了以一種一半調侃、一半教訓的口氣提醒她：

「別忘了妳考績甲等的榮譽，做工作時，最好還是應該專心一點。」

漪萍小姐除了誇獎、稱讚，從未聽過這樣嵌刺帶骨頭的重話。她又是羞慚，又是氣憤，如果這工作是簽有合約的，一氣之下，她一定會一把撕得粉碎。她本來就厭倦了，正當她懊惱萬分，而又不得不重寫時，偏偏那位有「十三點」雅號的王小姐，從隔壁辦公室踱來漪萍的這一間，像發現了什麼祕密般興孜孜地告訴漪萍小姐：

「昨天同我看電影的那個朋友說，他看見過妳。」

「是麼！我不記得了！」她冷淡地回答，冷得像要結冰。但十三點並不在乎，還是說她的：

「他見過妳兩次。不，應該說是看見過兩次妳的相片。有一次是他一個同事的，據說他一直把妳的玉照收藏在身分證夾裡，時不時拿出來故意向人炫耀。那後面還寫著……嘿！」十三點故意掩著嘴一笑：「嗨！妳寫得可真親熱。」

「我寫的什麼！了不起簽上一個名。」漪萍衝著她頂過去。

「別賴了！什麼親愛的啦！我永遠在你身畔啦！屬於你的萍啦！」

「這簡直是不要臉！無聊！」漪萍氣得漲紅了臉，聲音都打顫了：「告訴我，那個不要臉的人姓什麼？」

「那我可沒有問。妳別急，還有更好的在後面呢！有一天我那個朋友，到他朋友的朋友家去，一進門可又看見了妳。妳跟那個人合照的放大相就懸在牀頭邊，旁邊還題了一首很熱情的詩……」

「真是活見鬼！世界上竟有這種沒有人格的人！」漪萍小姐跳起來一把抓住十三點，使勁地搖撼著她：「妳一定要告訴我那兩個混蛋是誰！我非刷他們兩個嘴巴子，再告他們破壞名譽！」

「這個，當然妳自己比我更清楚嘛！」十三點捧脫她的手，逕自悠悠蕩蕩地走了。

漪萍小姐真想放上一把火什麼的，牙齒咬得格格響，她覺自己的自尊心受了傷害，就像有人把泥土擲在她臉上，污辱了她。她想起許多人替自己照過相，有的要她在自己的照上簽上名送他留作紀念，有的說不定沖洗時自己多洗幾張留下了，便在像上自作多情亂寫幾句。更有的在照相時對好了鏡頭，忽然跑過來嘴裡說著「合照一張」，人已站在她旁邊，她不好意思拒絕。卡嚓一聲便攝下了雙影，事後，她也忘了。不想卻這般無聊！

她苦苦思索著是誰會這般下流，寫封信去痛斥一頓，並且要他繳出她的相片。就在這時，工友通知她接電話，她一聽是小金那個最初帶她跳舞的人，約她今晚去跳舞。她鬱著一肚子悶氣正沒處發洩；便沒好氣地回絕說：

「對不起，我頭痛，不能奉陪！」說完就擱下了電話。

可是還沒有等她想出是哪一個該被罵的，電話又來了。這次是一個姓陳的，認識不久卻對他印象還不錯，也是約她跳舞。她沉吟著正想婉辭，那邊卻又懇求著：

「千萬別使我失望，這是我一星期來唯一盼禱著的。晚上來接妳，一定！」電話掛了，那帶著些男性的魅力的聲音，猶自迴繞在漪萍小姐耳畔。

「今天一連碰到兩樁倒楣事，真氣得人要吐血！玩一玩也好，暫時忘掉那些氣惱。」她跟自己辯解著。這正跟有人在煩憂時借酒澆愁一樣。

那神祕的燈光，那軟綿綿的音樂，那一份令人沉醉的偎貼，那在耳畔低低的讚美和私語，又使漪萍小姐漸漸忘記了自己，忘記了那些不愉快的事情。

接連跳了三支舞。跳完第三支回去時，卻見小金一臉尋事挑釁的神色，端坐在他們桌上。

「漪萍小姐，妳的頭不痛了吧！」小金雙手支著下頦，直視著她冷誚地說。對旁邊的陳，故意做出一副視若無睹的神氣。

漪萍含糊地應著，覺得有點尷尬。但小金的態度卻使她生氣。

「真是巧得很！最近我約妳兩次妳都說頭痛，好像過去妳並沒有這個毛病。」

「你說這話是什麼意思？」

「沒有什麼意思。我想，現在妳大概用不著我奉陪了。」

「笑話！我高興跟誰跳就跟誰跳，什麼用得著用不著？」漪萍小姐可真惱火了。這時音樂又起，她索性倏地站起來轉臉向另一邊的陳：「走！陪我跳這支曼波──」話猶未了，小金，驀地從斜刺裡伸出手來一把握住了她的手臂：

「小姐，我請妳跳這一支。」

漪萍小姐臉色都變了，她還沒有發作，旁邊的陳早已耐不住一聲叱責：

「你這個人懂不懂禮貌？」

小金勃然作色，逼視著對方：

「嚇！你算什麼，配來教訓我？」

「我就是教訓你在小姐面前要懂得禮貌！」

「得了，你們兩個都別說了。」漪萍發覺有好些人在向這邊注視，只得忍住氣忿，想喝住他們。但兩人也許都要在美人面前逞英雄，你一句我一句，誰也不肯認輸，眼看著挽袖捋臂，扭作一團。她勸阻無效，退在一邊，又是氣急，又是羞慚。跳舞的人大半停下了圍攏來看熱鬧，還有冷言冷語在譏誚批評說：

「跑到這裡來爭風吃醋，真是無聊！」

「現在的年輕人太不成話！」

「也要怪女孩子濫交男朋友，這叫白板對煞。」

漪萍小姐一句一句聽耳朵裡，臉上紅一陣、白一陣，渾身直抖慄，就恨不得有個地縫鑽下去——突然她一手抓起皮夾，便從人堆裡擠出去，衝出舞廳，便跳上了一輛三輪車——

漪萍小姐發了瘋似的，衝進房裡，抓起桌上的瓶瓶罐罐就用力往地下摔，彷彿要把整個地球摧毀在自己手裡。她接連摔了幾件面霜、香粉，也許有點手軟，忽然又轉移目標，遷怒到疊在桌子一角的書籍上去：先拿起筆記本，撕拉！一撕兩截摔在地下。筆記本撕完，又把那些厚厚的參考書掃到地上，用腳亂踩亂踏一頓。接著，像擲一袋麵粉似的，把自己擲在牀上，雙腳向空一陣亂踢，高跟鞋如同兩顆手榴彈，一東一西跌落下來。她將臉深深埋入枕頭裡，那一天來累積的氣憤、惱恨、怨懟、羞慚、恥辱、委屈……全化成熱淚，像大雨滂沱，又似急流奔瀉，一會兒就把臉上的殘脂剩粉，沖洗得乾乾淨淨。

漪萍小姐感到一切都被摧毀了、玷污了，那女王的尊嚴！那女神的聖潔！

她彷彿爬上一座山峰，以為那是堅固的岩石，不想只是風化了的危岩；跌下來，也跌碎了幻夢。

她哭得那麼傷心，那麼悲慟，以致連懸掛在四壁上她的那些照片裡的微笑也黯淡了、褪色了。

她哭著，哭著，直到困倦壓住了她。

晚風從忘記關閉的窗戶裡吹進來，吹著地上狼藉的化妝品和書籍：被分屍兩截的筆記本吹得悉悉索索，好像在低低呻吟，不勝幽怨地：

「我只剩下一個小小的願望：願造物促使它快點實現。」

躺在旁邊的一本參考書——《中國文學史》，身上沾留著鞋底上的泥灰，風捲弄著書頁，也像感傷地在說：

「說出你的願望，讓我們一起祈求吧！」

「但願收拾字紙的馬上把我帶去，送到焚爐裡去焚化。」風吹著筆記本的聲音是沉痛的。《中國文學史》一頁一頁吹開合攏，像是輕輕喟歎著：

「噫，夫復何言！」

同時，牀上飄送過來漪萍小姐在夢中的嗚咽。

編註：本文原刊於《自由青年》第十八卷第十一期，一九五七年十二月一日，頁十二～十六。

太太的信仰

馬居安先生是那種常常可以碰見的普通公務員，平易、達觀、隨遇而安，他孜孜兀兀勞碌了半生，在事業上沒有爬到什麼高職位，值得告慰的是承繼有後，已有了五個小兒女。自然，他那份不太豐足的薪俸，贍養一個七口之家，自不免有點周轉不靈，但足以寬懷的是他有一位賢能的太太，對於支配家庭財政，似乎自有她一套方法。因此，馬先生自己能不操心也就樂得不操心，他的人生觀概括一句，便是「吃飽睡足」，他認為只有睡足了，才能精力充沛，神采煥發，睡在生活中應該占絕對的重要性。而每個星期日早上睡一個懶覺，也就是他最大的享受。他是個沒有宗教信仰的人，別人如果問他奉什麼教，他一定先打個呵欠，又伸個懶腰，自嘲地說：

「嘿！我從小便信的是睡教（覺）。」

馬先生信他的教倒的確比誰都至誠，比誰都虔敬，真是數十年如一日。可是，就在這陣子，達觀的他卻深深地感覺到不可名狀的一種悲哀，那是因為他不得不犧牲出生活中最大的那份享受——每星期一次的睡懶覺。起因是由於他的信仰與太太起了衝突。自然，逢上這一類事件，做丈夫的總是只有忍痛犧牲自己，何況根據馬太太的批評：他的信教是利己主義，只是個人貪圖安逸。而她的信教，卻完全是利他主義，且不說冥冥中有主保佑一家大小健康快樂，還有最大的好處是馬先生實在不大願意赤裸裸地再說一遍這一點，因為那便是他悲哀的根源。

他還記得那一天，也可以說是他那小小的厄運開始的一天。他像平常一樣下班回來，在平常日子，只要不是颱風下雨，馬太太同著對面的俞太太，隔壁的丁太太、金太太……總是聚在坪上那株老榕樹下咭咭括括，有說有笑，又像比嗓子似的，那笑語聲一聲比一聲嘹亮，他只要一拐彎遠遠在轉角上便聽得見了，許久以來，他已習慣於把這笑語聲，當作是歡迎他的禮炮，但是，那一天卻例外地寂然無聲，好像連地球都靜止了，等他走近一看，才發現四位太太人手一冊，原來全在研究一本小冊子，研究得那樣煞有介事，連他經過她們面前時誰都不曾掀起眼皮來看一眼。

馬先生一肚子迷惑，吃晚飯時忍不住衝著太太一本正經地說：

「嗨，今天我看見西天出太陽了哩。」

馬太太鼻子裡「唔」了一聲，停下筷子，疑惑地從飯碗邊上望著他，他詭譎地一笑：

「我第一次看見妳們居然也看起書來了。」馬先生又補充了一句。

「那又有什麼稀罕！別這麼瞧不起人。」馬太太向他翻了個白眼，又低下頭去划飯。

「妳別誤會，我絕對沒有瞧不起妳的意思，」馬先生趕緊分辯，「我只是想知道什麼書能這樣吸引妳們？」

「沒有告訴你的必要。」

「我看，大概不會是什麼正經書吧？黃色的，黑色的……噢，可別是那些有毒的……」

馬先生還在涎著臉胡謅，馬太太可有點認真了，冷然截止了他的話。

「我高興保留著這點祕密又怎樣？可不許你再胡說亂道。」

「太太對丈夫保留著一點祕密，這問題似乎有些嚴重哩。」馬先生自我解嘲地調侃著，見太太不答理，便放下碗筷站起來，悄悄地用眼光在室內搜索了一遍。末了才發現在太太身上繫的圍裙口袋裡露出一角，正是那本小冊子。

晚上等孩子們都睡了，這一段空暇照例是馬先生看報，馬太太縫縫補補的時候，一張報紙在兩人中間一遮，恰如隔了一層紙幕。馬先生眼睛看著報紙，耳朵裡只聽見喁喁聲不絕，他先還以為是太太在背算一天的菜錢，未加理會。不想這聲音一直斷斷續續，無休無息地叨嘮個不停。他終於忍不住從紙幕邊緣向外窺視，卻見他太太正一個勁扭著兩片薄嘴唇，和尚唸經似地咕嚕著，唸一會，又停下手裡的針線，不住眨著眼睛思索一會，活像小學生背不出書那副神情，看著是實在想不起來了，又從針線笸裡一摸，摸出那本小冊子來，匆匆地翻到那一頁，突然舉手在自己額上打了一記，喃喃地自責著：「真該死！就是這一段老記不清，如我亦免負我債者，又不許我陷於誘惑，乃救我於兇惡，亞孟。如我亦免負……」

「妳究竟在哪裡唸些什麼咒語？怪腔怪調的。」馬先生驀地從幕底下伸出一隻手去，奪過那本冊子來看，「嚇，什麼《天主十誡要理問答》，看這個幹嗎？」

「別打攪！快還給我。」馬太太伸手來搶，馬先生手一縮藏在背後。

「先告訴我妳看這個幹嗎？」

「人家得唸熟了，明天背嘛。」

「明天背？妳又不是教徒，為什麼背這個？」

「就是說嘛，明天要背得出三篇經文，神父就給受洗。」

聽她說得那麼一本正經，馬先生可越來越困惑了。

「妳不是說笑話吧？」

「誰跟你說笑話！人家早就跟金太太，俞太太她們都約好了，大家一起去奉教，俞太太已經全都背熟了喔。」

馬先生還是不信任地盯著他太太說：

「信奉一個宗教可不像妳們過去一窩蜂地去學洋裁、學髮網，哪有這樣隨便，再說他們的教義你都懂得了，而且真心信仰嗎？他們的教規很嚴，將來妳都能遵守嗎？」

「這些等入了教，常常聽聽講道，自然就會知道，你少嚕嗦，快把書還我，別耽擱人家時間了。」太太神色之間顯然已很不耐煩了。

「我可不贊成妳這樣輕率地去信教。」馬先生也斷然加以阻止。

「嘿，老大課本上都印著：人民有信教的自由，你管得著我！」

馬先生被太太搶白了兩句，眼看她一把從自己手裡奪回了那本小冊子，逕自翻到那一篇經文唸下去，只有搖著頭連說：

「荒謬，荒謬，真是荒謬。」又豎起了他的那層紙幕。

第二天，他下班回來，四個大孩子照例一擁上前，捧腿的，扯胳膊的「爸爸」、「爸爸」喚個不停，除了這份親熱勁兒，每個人似乎都急於要向他炫示什麼。等他弄清楚了，才看到他們每人都有一塊像一毛錢鎳幣那樣大小的橢圓形牌子，上面刻著耶穌的像，有的繫在腕上，有的懸在胸口，同時七嘴八舌地爭著向他報告。

「我們今天去受洗了，這銀牌是交發給我們的。」老大說。

「受洗好好玩喲！神父用樹枝蘸了水灑在我們頭上。」老三說。

「噯，還給我們聖餅吃哩。」老四咂著嘴說。

「神父說不受洗將來不能進天堂，爸，天堂在哪裡？」老二提出問題說，連最小的不會說話，也在老大手裡咿咿呀呀的，舉起小手不住搖動繫在腕上的銀牌。

「我的太太，妳這算是怎麼一回事呀！」馬先生脾氣再好，這時也不由得惱然作色，摔下孩子，便走進廚房裡責問著馬太太，「妳說妳有信教的自由，我管不著妳，可是孩子們的事我總有權過問吧！怎麼妳問都不問我一聲，就擅自帶他們去受洗入教？再說信仰的事等他們大了自己應該有個認識，妳怎能替他們胡亂作主。」

馬太太看來一副胸有成竹的神情，正不慌不忙地將調味品一一加入菜鍋裡，又掐起一杓菜汁來嚐嚐味道，等馬先生一口氣放連珠炮地放完了，這才睨著他悠悠地說：「別那樣聲勢洶洶的，老虎不吃人，吃相難看，我且問你；你每次到一個機關去開始工作時，要不要填家屬調查表？」

馬先生愣然一怔。

「當然要填。但這與現在的事又有什麼相干？」

馬太太神祕地一笑：

「功用差不多。」

「究竟妳在弄什麼玄虛？」馬先生更加像丈二和尚摸不著頭腦，不禁發急。

馬太太卻含笑不語，把一碗剛盛起的韭菜炒肉絲往他手裡一遞，說：「先去吃你的飯吧，有話也不爭著這一會兒空著肚子來扯談！」

馬先生把飯一吃完，就去藤椅上坐著拿一張報紙一個人納悶，太太卻姍姍地過來先逗著他說：

「現在吃飽了怎麼倒反不哼氣了？」

「沒有什麼要哼的。」馬先生懶懶地連眼皮都沒有抬一下。

「你沒有說的，那麼，我可有點事要跟你商量。」馬太太做出一副若有其事的樣子，在他旁邊坐下來。

「說吧，除了妳不能說服我信妳的那個教，總可以商量。」

「我要同你商量的就是這個。」

「那就棉花店失火——免談（彈）了。」馬先生斷然一口拒絕，又預備豎起紙幕來，卻被太太一手阻住，她對他笑了笑，笑得很嫵媚。

「我倒並不想說服你信我的教，而是想請你星期日早上犧牲一下你信的教。」

「什麼理由。」

「我要去做彌撒，把五兒留在家裡你看一會。」

「妳交給老大不就成了。」

「他們都要去教堂。」

「那不成，」馬先生皺著眉頭，像要割掉他一塊肉似的。「妳知道這個早覺對我如何重要，忙了一個星期，就是這一點享受，怎能隨便就被妳剝奪了！」

「等我們回來你再補睡好了。」馬太太說得極其委婉，馬先生卻仍不為所動，只是搖頭連說：

「不行，不行。」

「那麼這樣好了。」馬太太像蛻了一層殼似的，突然收斂了嫵媚的笑意，換了沉重的語氣說：「就算是我做妻子的向你請求恩准可不可以？」

「那，咳，妳真是……」馬先生感到不勝惶惑，乾笑著，終於下了犧牲的決心，很勉強地應承下來：「好吧，只是只此一次，下不為例。」

馬太太臉上繃緊的肌肉這才鬆弛下來，似笑非笑地瞅了他一眼，但對他的條件卻未置可否。

雖然馬先生下了犧牲的決心應承下這一件差使，但當實際執行起來時，仍感到十二萬分的委屈，先不說在他睡興正濃，如夢方酣時把他硬給從牀上喊起來，腦子裡昏沌沌，腳底下輕飄飄，就滿不是味兒。肉團子似的孩子捧在手裡偏又不安分。走著哄著，怎麼依還是吵個不休。他耐足了性子，一會兒望望門外此刻杳無一人的坪上，一會兒又望望桌上的鐘，覺得這一早晨的時間就像膠在一起黏住了，教人難捱，好不容易像捱過了半世紀似的，遠遠聽得人聲漸漸近來，只見一群大大小小的孩子簇擁著幾位一搖三擺的太太們，就像一簇小螞蟻擁著幾隻大螞蟻，個個人手裡不是抱著瓶子罐子，就是提著袋子，一路上拖拖曳曳，馬太太生得最高，提著一只布袋腳步蹣跚地一晃一搖，很像隻鴕鳥，鴕鳥終於向同伴們告別了。一踏上自家門的前台階，便把布袋往地板一擲，歎了口大氣，又是揉胳膊，又是搓膝蓋。誇張地嚷著：

「哎！可把我這胳膊提得瘦死了，膝蓋也痛得要命！」

馬先生憋著一肚子委屈懊惱，原來想抱怨幾句，一看太太這副嬌模樣，又只得把衝到喉嚨頭的話和著口水嚥了下去，看看擺滿一地的東西，衝口說：

「嚇！看你們倒像是一群撿荒貨的。」

「什麼撿荒貨的！你倒去撿撿看：這是黃油，這是奶粉，這是麵粉和包黍粉，都是教會發的。」馬太太一樣樣介紹著，神態之間掩飾不住那份沾沾自喜的得色。

「哦！」馬先生恍然領悟過來，那一聲拖得長長的「哦」帶有譏誚和嘲笑的意味，「敢情妳巴巴結結去信教，便是信的這些！」

「是又怎樣呢？」馬太太不甘示弱，馬上回敬過來，「人家也跟你們一樣，計口授糧，而且配給的東西，還比那點油鹽煤米營養得多哩，將來還會發衣服，病了還給針給藥，只要平常去聽聽講道，做做彌撒就行了，還不比你強嗎？」

「說了一句，惹了一車。看妳扯到哪裡去了！」馬先生越聽越不是味道兒，順手把孩子交給老大，打了個呵欠，訕訕地說：「早晨沒睡醒，睏得很！還得去補充一覺。」說著，避難似地走進內室去。

可是，就憑他平常那樣一挨著枕頭就做夢，這一刻卻怎樣也睡不妥貼，蓋著被嫌熱，撤掉被又感到涼，就這麼翻覆轉側，似睡非睡間，恍惚自己到了一個很陌生的地方，那是一條又狹又暗的巷子，兩面高聳著閃閃發光的牆。仔細一看，那高牆原來是一罐罐奶粉、黃油砌成的，每個罐上都長著一對冰冷的眼睛，正居高臨下，桀傲地俯視著他，使他感到厭懼和難以忍受的窒息。加快腳步想快點離開，但一眼望去，這巷子卻長得無垠無底，他情急心慌，試著用手去推動高牆，這一推，只見頂上的罐子全搖搖欲墜，驟然間山崩似地向他頭上滾落下來——他猛然一驚，醒了。耳朵裡一陣陣只聽見孩子們在外間興高采烈地笑聲，那種充滿期待的聲音，只有在過年時可以相比。鼻子裡嗅到一種異於酸泡菜、臭乳腐的香味，自己的肚子也在這時向他咕嚕起來，再想睡下去顯然已經不可能了。

「見鬼，真是做白日夢！」他自己嘲笑著，懶懶地起來扱著拖鞋走出去，只見孩子們早便圍著桌子坐在那裡眼巴巴地等著了。馬太太正端著盆呀碗的往桌上放，看見他出來，微笑著就像預備了一桌盛饌請他入席似的。

「我正想叫孩子去看你醒了沒有？快趁熱吃吧！」

馬先生坐下來一打量：這一頓早餐果然與平日簡單的泡飯粥、酸泡菜大不相同。桌子中間是一大盆黃鬆鬆、尖聳聳的包黍粉饅頭，一碟子黃澄澄的奶油，每人面前還有一杯熱氣騰騰的脫脂奶粉。孩子們咬一口塗了黃油的饅頭，喝一口牛奶，個個吃得津津有味。

「要是每天都吃這樣營養豐富的早餐，怕不一個個都會強壯起來！」馬太太瞧著孩子們狼吞虎嚥，彷彿已眼見結實的肌肉在瘦皮猴似的身上茁長起來，嘴角一直浮著一抹得意的笑。

馬先生在太座殷勤而熱忱的注視下，也生硬地照著孩子們的榜樣做去，但是，儘管肚子早就在向他咕嚕，嘗試之下，卻覺得那黃鬆鬆的饅頭梗著喉嚨，那潤滑的奶油腥氣黏口，那牛奶又甜得膩人——他一手拿著咬過一口的饅頭，一手端著喝過兩口的杯子，遲疑著，忽然他又記起了那狹巷，那桀傲的眼睛……

「吃就吃嘛，發什麼楞！」

「不吃了。」馬先生索性擱下了手裡的東西。

「為什麼，胃不好嗎？」

「不，我，」馬先生眼看著孩子們那副饞相，不由得搖著頭，幽幽地歎了口氣，「我覺得很悲哀。」

「你這人才怪哩！」馬太太一臉的關切立刻化作怫然不悅，煞有介事地說：「這是主的恩賜，又不是求來討來的，有什麼可悲哀？」

「我為我自己悲哀，也替妳，替妳信的那個教悲哀。」

但馬太太只是不以為然地瞟了他一眼，好像說你願意悲哀就去悲哀吧，便自顧自照顧老五喝牛奶，不再理會。

儘管馬先生是無限悲哀，馬太太卻信仰彌堅，每周去做彌撒，按時去領配給。而在這樣的情況下，他也唯有忍痛一次又一次犧牲自己信奉的教——睡覺。

編註：本文原刊於《文壇》第一期，一九五七年十一月，頁九十三～九十五。

永保青春

玉芝蜷縮著身子，像一頭煨灶的懶貓，酣睡在厚厚的被褥中間，半爿臉全埋在軟軟的枕頭裡，露出來的眉眼微蹙，雙唇張開，一副呆滯倦乏的神情。她睡得很沉，地震和打雷都不能把她驚醒。但這一刻卻有一個尖銳的聲音，不斷地、模糊地戳著她的神經，好像從很遠的地方吹來。慢慢地近了。

「太太！太太！」

原來是下女阿翠在喊她，她含糊地「唔」了一聲，迷迷糊糊地，連眼睛也不想睜開。

「太太！要去買菜啦。」

「真討厭！」玉芝不能再裝聾，厭恨地詛咒了一聲，眼睛仍舊沒有睜開。「我不是告訴過妳，隨便妳買，不用問我。」

「就是啦，太太沒有給我買菜錢。」

玉芝惺忪地睜開眼睛，但室內強烈的陽光卻射得她乾澀的雙眼發痛。她一面用手揉著眼睛，一面不耐煩地說：

「錢我不是昨晚上就交給妳了？」

「莫啦，」阿翠還是曳長了聲音慢腔慢調地答理：「太太昨晚回來太晏，要睏啦，沒有給錢。……」

「曉得了，少囉嗦！妳在壁櫃裡的皮包裡拿十元錢去。」玉芝實在睏得要命，吩咐完了，馬上又闔上眼皮，向裡牀翻一個身，繼續睡去，耳朵裡隱約鄉還聽見阿翠拉櫃門，開皮包的聲音，意識卻已逐漸模糊，恍惚又聽到她的腳步聲悉索向外走動……

「太太！」

玉芝像被刺了一下般，驀地轉過身，憤恨地瞪著阿翠，只見她一手拿著皮包，一手握了二三張單票站在她牀前。

「統統只有兩三元錢，不夠啦。」

玉芝這才想起昨晚上去上局時，把錢一起放在外衣口袋裡帶走了。她咬著嘴唇把幾句罵人的話吞了下去。耐住性子告訴她從口袋裡掏了張十元的鈔票，打發走了。不禁恨恨地詛咒著。

「笨得跟豬一樣，吵得人家都睡不成！」

這一生氣，她果然再也睡不熟了。儘管眼睛還是倦澀得打不開來。矇矓的睡意一消失，昨天晚上她最得意，也最使她懊惱的最後一副好牌又清晰地浮上腦海，清一色，一條龍，二八將，滿貫的牌，只等三六筒和，轉手輪到自己摸牌嵌上正是一張三筒，又加一個自摸雙，偏偏上家先一著和了牌，真氣死人！那份懊惱的情緒就在這一刻回想起來，也還像黃梅天的濕空氣般使人窒悶，連厚厚的被褥也變得黏稀稀的。玉芝索性起來不睡了。她隨手拉了件絨線衫披在睡衣上，跨兩步便慵懶地倚著梳妝台坐下來。她覺得頭裡有點暈，眼睛也有點發花，她用兩手扶著額角等這一陣過去了，然後緩緩地移開雙手，對面橢圓形的大鏡子裡便顯出一張像六月裡走了油的臘肉皮似的黃臉，加上口紅斑駁的黯淡的嘴唇，和失神無光的眼睛，就跟醫院候診室裡坐著的主顧一樣。

「嗨，怎麼這樣一副病容！」玉芝湊近一些，兩手在頰上抹了一把，又用小指甲挑去眼角的眼屎，對自己產生一份憐惜的感情，「莫不是有病？」

她摸了摸額角，頭還有點暈，這些日子精神的確似乎不太好，昨晚上打了個十六圈，牌風又不好，就感到腰痠背痛的，今天還倦得眼睛乾澀乾澀的，想起來這幾天胃口好像也比較差。為了趕局，她三餐本來就不大按時按頓進食，常常晚上餓透了就胡亂泡點冷飯充飢。她記得這幾天就沒有泡過冷飯。

她對著鏡子打了一個呵欠，擠出了兩滴淚水，眼角的皺紋經這麼一擠，清晰地顯了出來，就像鯽魚尾巴。她不由得伸出兩個手指輕輕按撫著，女人就怕這個，年齡可以隱瞞，三十五歲以內可以充二十九歲，四十歲左右可以謊稱三十四、五。唯這皺紋，把歲月毫不含糊地刻在臉上。磨也磨不平，蓋也蓋不住，比什麼都可惡！很顯然的，就是這些條皺紋，今天看起來也比平常更深了。一份混合著恐懼的悲哀替代了剛才的懊惱，從心坎漸漸滲透了涼意。她是女人，而她比別的女人更怕老，更怕有病痛，她仔細端詳著自己，一面不住在臉上摸摸弄弄，喃喃地跟自己說：

「花怕雨來摧，人怕病來磨。哎，病可病不得！」

就在玉芝自憂自歎時，外屋裡一陣急促的腳步聲，幾乎是與一串尖脆的嗓音同時傳進來。

「怎麼一個人影都不見，敢情還在睡懶覺，太陽曬屁股了！」隨著聲音，一個高頭大馬的女人提著一籃菜跨了進來，不等玉芝招呼，又笑著指著她說：「看妳這嬌慵模樣，病西施似的，多美！」

「別取笑，人家真的不舒服哩。」玉芝有點不高興，索性身子也不動，一手支著頭，連聲音也是懶洋洋的。

「病了，什麼病？」

「也不知道什麼病，一起來就頭昏，眼花，心跳……腰痠背痛，不想吃東西，還有容易疲倦……」玉芝還在邊想邊數著，那位吳太太卻立刻擺出一副什麼都懂的神氣，飛快地運用著她兩片剪刀片似的嘴唇搶著說：

「我知道那個情形，那多半是營養不良，因為台灣氣候燥熱，身體裡的熱能也消耗得更多。我從前也常常會這樣，後來請教了別人，說是只要吃多種維他命就會好，我吃了不少。要不是怕太胖，說不定我現在還在吃哩。」

「妳的身體看起來很好嘛。」玉芝不勝羨慕地打量著吳太太那結結實實的身胚。暗自慚愧自己一身排骨。

「現在當然好，就是吃維他命吃好的。」吳太太挺一挺胸脯，做個深呼吸的樣子，「告訴妳，吃維他命沒有錯，包妳打三個通宵不會頭暈腰痠——哎，言歸正傳，剛才在菜場裡講好了，今天在金太太家上局，我特別來關照一聲。時間寶貴，得早點來。」餘音尚在空中裊裊未散，人已同著那只大菜蒲包跨出門外，玉芝還想說什麼，看見人已走遠便也懶得說了。她一心惦著吳太太介紹的多種維他命，恨不得馬上就吞下一些，好像自己已病得很嚴重，而那是救生靈丹似的。不，應該說好像自己是一枝因枯渴而將憔悴的花，而那是甘霖，她連忙盥洗一番，便匆匆趕上街去。

到了藥房裡，才追悔剛才沒有向吳太太問個清楚，不但維他命的牌子多得無數，有美國的，日本的，台灣的，而種類也有九種，十四種，二十一種等等，使她無從擇取。考慮再三，她認為平時用什麼都覺得美國的好，而補品的種類當然是越多越好，因此，她最後決定買了一瓶美國藥廠出品的二十七種維他命。

回到家裡仔細把方單看了一遍，無非是說補這補那。服法是每日一粒至二粒。玉芝心想既然是補劑，多吃點當然效力更大。她毫不猶豫一口氣就吞了二粒。飯後去上局前又吞下了二粒，還預備在臨睡前再服一次。這樣接連吃了幾天，她每天上午起來就攬鏡顧盼：看看臉色是否紅潤些，陷下的雙頰是否豐滿點，頭暈好像已好了不少，可是過一天又覺得差些。服補丸後大概一星期左右，她照鏡子當真發現了紅潤和豐滿，只是部位卻生錯了，不在頰上而在鼻尖上，長了綠豆那麼大一粒癤子。又紅又硬的根盤卻有扣子那麼大小。有一點痛也有一點癢。成了個赤鼻子，害她上街時只得用手帕按蓋著。

那天玉芝正服用維他命，鄰居楊太太過來看見了，又熱心地勸告她說：「維他命吃起來藥性太慢，最好雙管齊下，一面吃一面打針。我一個表姊產後體虧，就是一面吃丸藥，一面打一種什麼維康，是維他命的混合劑，很快就好了。妳可以打幾瓶試試，叫什麼維康，噢，我說不上來……反正藥房都有賣。」

玉芝想，既然要補當然希望效力越快越好，她立刻聽從勸告，又去買了一盒楊太太介紹的那種針，就近找一家醫院去注射了一針。那瓶針要注射十次，每天一次，玉芝連跑了三五天便覺太累，太浪費時間，於是熱心的牌友便輾轉替她介紹了一位業餘的打針專家，每天登府注射。一次收手術費一元五角。玉芝平常是連扯掉一根頭髮都要嚷半天痛的，這下忍痛每天扎一針，在她實在是一種嚴重的考驗——為健康而犧牲。

藥丸已吃了，針也打了，就等著藥性顯靈了。這些時候，玉芝自己覺得精神果然不錯，有時打完了十二圈牌，一起勁再加上四圈也不覺得太累。只是胃口仍不見好，體力也未見增進。而且常常害便祕。最討厭的是臉上那些火氣疱，一個癤子好不容易出了膿消了，接上唇畔、下頦又生了一粒兩粒。有時牙肉腫起一大塊，吃起東西來碰著就痛，很不方便。喉嚨頭更感到乾燥燥的不好受。她去請教吳太太，吳太太說她沒有這樣的反應，大概不關針藥。她又請教了一位自詡深諳醫道的前輩親戚，他倒是很詳細地給了她一番指示：

「服用維他命很不錯，這年頭，差不多每個人都有點營養不夠。」

那位親戚感慨地說：「不過所有的補藥總是熱性的，所以一定要吃清涼的東西散散熱。要多吃開水，多吃蔬菜，多吃水果——頂好是橙子。還有維他命只是補充營養不足，並不治病。我看妳大概多少有一點貧血。最好再去買一瓶肝精吃吃。」

自然，懂得醫道的人指示，當然要比別人正確，說她患貧血也許不假，頭暈、心跳、眼睛發黑這都是貧血的徵象，她的臉上白裡泛黃的不就缺少血色？事已至此，不能功虧一簣，就買一瓶肝精吧。

從此玉芝每天要按時服用和注射三種補藥。只是多種維他命已遵照那位親戚的囑咐從一日六粒減到三粒，同時因為喝大量的開水，和貴得令人心疼的橙子，腸胃也好些了。果然臉色漸漸紅潤，兩頰慢慢豐腴，打起牌來更是精神百倍，不聽見她埋怨腰瘦背痛，牌友們湊合得稱讚她說：

「程太太，這一陣妳的氣色真好！」

「程太太，妳發福了。」

「程太太，妳胖一點顯得更漂亮——嗯，按照現在最流行的新名詞說應該是更『性感』了。」

玉芝笑著、啐著，掩飾不住臉上的高興得意，從心底湧上歡笑來。那天她給自己過了過磅，居然重了三磅半。這一份喜悅自不必提了。

藥還在繼續吃，針還在繼續打。這樣又過了一個多月，體重卻還是那先已重了的三磅半。而便祕似乎又嚴重起來，不得不又增添了一服潤腸丸。同時每天一針，臀部和兩臂扎滿了針瘢，和消除不了的腫塊，又痛又癢，這味道實在不大好受。那位業餘護士告誡她不能用手抓應該用熱手巾敷。但她忍不住時總要抓幾下，揉幾揉。一抓一揉，那幾處的皮膚更腫脹透明，就像熟透了的杏子，一碰就會破。

但熟透了的杏子，還不及那沒有熟就摘下來乾了皮上起皺打褶的使人討厭。儘管打補針吃補藥，臉上好像長了幾錢肉，而額角眼梢，鼻旁唇畔，那些紋痕，總是不見減少，只見加深。玉芝在滋補身體之外，又添了份心事，本來嘛，健與美原該是兩位一體的，健而不美，蠢、美而不健呢？又配合不上時代。實在說：她自己不能說不美，薄薄的嘴唇，纖巧的鼻子，眼角微微上翹。自然，瓜子臉蛋要稍微再豐滿一點，就更好了。而現在亦不算難看。缺就缺一點青春的光輝，聽說從前的美人所以紅顏不老，都是吃珠粉的，這一點當然辦不到。只不知現代的美人又怎樣駐顏有術。苦於無處討教，怎不教玉芝心裡感到憾恨。

在玉芝忙碌的生活中，本來就未曾列入閱報這一項目，除了偶然找一找電影廣告，或是一個月兩次，在愛國獎券開獎後的第二天，對一對獎券號碼。那天事有湊巧，她剛剛查對過獎券號碼，失望地正要把報紙一丟。忽然四個醒目的紅字映入她眼中，「永保青春」！

原來那是巨幅介紹一種新出品的女性荷爾蒙的廣告。玉芝興奮地，急不容待地抓起報紙念了一遍，又重複了一遍。廣告內容自然是大大地誇張了一番荷爾蒙對於女性——尤其是中年婦女的重要，接著列舉了凡未老先衰，缺乏活力，精神疲倦，便祕，昏眩，腰痠背痛，心跳，胃納不佳等等二十多種病徵，只要經常注射或服用此種荷爾蒙，即可促進健康，增加美麗，並使青春常在，紅顏不老。讀完這一則廣告，玉芝不啻中了另一個特獎，把剛才一些懊惱的情緒完全沖得乾乾淨淨。一個占據了她全心全意的念頭，就是馬上去買一盒來注射。

但第二個念頭卻又帶著一片輕愁，悄然遮掩了第一個念頭的光彩，那就是錢的問題，自然，這樣的藥是不會太便宜的。為了買多種維他命，買肝精……買維他命混合劑……潤腸丸，橙子……這些，她已把家用和各種支出撙節得不能再撙節。每天的副食費也由十二元錢減成十元，而至八元。以致程先生常常歎說營養不夠，孩子們也減少了飯量，她也只能裝聾作瞎。可是，如今又拿什麼錢來買荷爾蒙呢？要她因此兌換首飾當然不願意，放出去的一點錢又是呆的。動了半天腦筋，覺得家裡唯一可以減省的消耗，便是程先生抽的香煙，不能叫他硬戒，可以說服他，故意誇張地告訴他就說是聽見別人說，美國一個大醫生最近化驗出來香煙對於人的肺如何有害，很容易染上肺癌，肺癌又是如何危險的絕症。而最近他好像正有點咳嗽——玉芝正在動著錢的腦筋，那位敦厚勤懇的程先生卻已下班回來了。長長的臉上掛著一抹高興的微笑，是那種有一點歡喜的事情都要與太太分享的好丈夫。

「玉芝，」他一進門就忍不住報告，「今天得到一筆外快。」

「什麼外快？」玉芝心裡怦然一跳，眼睛發亮。

「等於外快，一筆加班費。」程先生把脫下來的，染了又染的舊皮鞋往角落裡隨手一丟，「這雙皮鞋明天總可以讓它退休了。」

玉芝沒有接腔。眼睛一眨一眨地，又在動別的腦筋。

阿翠來請吃晚飯，玉芝卻把眉頭一皺說不想吃。

「頭暈，心跳，胸中飽脹……很不舒服。」玉芝回答程先生的關切說。一手支著額，手肘便支在桌子上。

「大概是方城之戰太辛苦了，應該掛二天免戰牌休息。」

「你這個人一點同情心都沒有！」玉芝嗔叱著，很不高興：「人家不舒服你還挖苦人家——醫生卻說這樣的病徵，像我這種年齡的女人最容易得，他叫我打荷爾蒙。」

「荷爾蒙！妳這一陣的醫藥常識倒豐富得很！」程先生笑著說了又怕玉芝不高興，忙又補充道：「醫生要妳打就打。」

「我就是為這個在煩心，不打，身體拖下去就怕吃不消，要打，家用裡又抽不出這筆錢來——你說呢？」玉芝的口氣，完全是要程先生拿主意。程先生也聽出她的意思何在。躊躇著，臉上露出為難的神色，吞吞吐吐地說：

「錢，我身上有一筆，不過，我的皮鞋——……」

「哎，我的先生，誰又打了你那筆錢的主意？」玉芝臉陡然一沉，聲音也變酸了，「皮鞋當然比太太的身體重要囉！」

「這是什麼話：還有什麼東西能比得上太太的健康重要？」程先生誠惶誠恐地，忙堆了一臉笑，從口袋裡掏出一卷鈔票，恭恭敬敬送到玉芝面前。「明天妳就去打荷爾蒙，我的皮鞋可以再去換一次前掌。」

玉芝很有把握在這樣的回合中必操勝券，她認為天經地義的，一個丈夫應該是太太第一，自然，太太的美麗，也是丈夫的光榮。

這以後，每天玉芝得注射兩次補針，和服用兩樣補身妙品，還有配合著補藥的各種副藥品。她必須把每頓時間擺在表上，早早記住，心想如果有個特別護士來為她照料這些，那就更理想了。

當一天兩次，捱受尖銳的針管子插戳進皮肉中的痛苦時，玉芝便閉上眼睛，覺得那些營養恢復青春的液體，正一西西、一西西地滲入血管裡，就像雨滴被吸入乾裂的泥土裡，完全吸收進去。她想著一個半個月之後，精神飽滿，皮膚漸漸滋潤，光滑，皺褶像被熨過似地消失了。面色白裡泛紅，眼睛晶瑩明亮，曲線玲瓏，風韻綽約。重又充滿了青春的魅力——她由衷地感謝，感謝偉大的科學家發明了婦女界的救星。

有這許多補藥可憑恃，玉芝對於視若第二生命的方城之戰，更是有恃無恐，變本加厲。飯後十二圈只是幫助消化，通宵達旦也不傷元氣。只是關於自己最近又在注射荷爾蒙補針這會事，玉芝卻對親密的牌友們守著小小的祕密，原因是她要讓她們自己驚訝地發現她越來越變得年輕和健美了。

但是，事情的演變往往出人意料之外，玉芝的牌友們還不及發現她越來越年輕，健美，卻忽然聽說她進了醫院——送醫院的急症是鼻子突然出血不止，昏厥過去。附帶的病症還有腸胃病、神經衰弱，由便祕而起的痔瘡，臀部針疤發炎潰爛等等，不下五六種。生平最怕病來磨的玉芝，這次可是真真病了。而且病得不輕，她軟弱地躺在病牀上，蒼白、憔悴、瘦陷的臉上，每一條皺褶裡都嵌滿了痛苦和懊傷，以致看起來似乎又老了一些。

編註：本文原刊於《文壇》第二期，一九五八年六月，頁五十七～五十九。

淘金夢

一

「唷——嘖！」李嫂子輕喚著痛，擲下鞋底，食指上已滲出一顆血球。她忙不迭送進口裡去吮著，像個嬰孩似的。真見鬼！這一會子還不曾扎好兩圈鞋底哩，倒已被針戳過兩次了。

她索性擱下鞋底，有點心不在焉地抬起頭來望望窗框上懸著的一面鏡子，鏡子裡映出她自己的臉龐，臉色黃黃的顯得有點憔悴，頭髮又枯又長地梳在耳畔，更襯得兩頰微微下陷；她不由得想起另一張塗滿脂粉的臉，鼻子扁扁的，頰上芝麻點似地灑著雀斑，新燙的頭髮像一頂捲邊小帽子覆在額上，一笑兩顆金牙子一閃，那是隔壁張嫂子。

張嫂子從台北回來，一身閃著光彩就像一枚新鑄的五角銅幣。她也不過是去年才到台北去幫傭的，這一年間的變化她長胖了，變白了，也穿得漂亮了，還給家裡和孩子捎回了吃和穿的。

在這一帶眷屬區裡，李嫂子向來是以精明能幹被大家稱道的。如今卻被張嫂子帶回來新的光彩遮掩得黯淡失色。

張嫂子向鄰居們炫耀著自己，也誇讚著台北：

她說她拿三百五十元一個月，另外打牌請客還有外快。

在東家家裡吃得好，有時還送她衣服。

她說台北怎樣好玩，怎樣熱鬧，那些稀奇珍貴的東西縱使買不起，看看也舒服。

一星期後，張嫂子回台北去銷假了，但她的誇耀在這平靜的眷屬區裡掀起了漣漪。在不甘沉寂的人心裡喚醒了渴慕——李嫂子也是一個。也便是她為什麼這幾天心不在焉的原因。

她想起丈夫當名機械士，一個月收入只不過一百多一點，自己每個月做點小鞋子，或是逢上時節磨點糯米粉包點粽子什麼的拿出去買，儘管每天忙得腳跌手打也只是湊付著過日子，抵不上人家一個月當傭人的工錢，如果她也……

「李嫂子，一個人在想啥！」進來打斷了李嫂子胡思亂想的是方嫂子，方嫂就在她家斜對面，兩家的男人是同事。

「想啥，想妳嘛！」

「不開玩笑，我來告訴妳一個好消息，剛才我聽見胡老闆說，今天報上有一家傭工介紹所還登了廣告，徵求南部的女工到台北去哩。」

「哦！」李嫂子心裡怦然一動，「妳去不去？」

「去，有大錢賺為什麼不去！本來我已託了張嫂子，有機會替我留心留心，如今有介紹所登報招請，那就更好了。」方嫂子望著李嫂子眉毛一招，故意激她，「妳想去怕也去不成吧！」

「為什麼去不成？」李嫂子給她這一激，心裡有點不豫，憑張嫂子那點本事能賺大工錢，自己粗活細活樣樣做得乾淨俐落，還怕去台北吃不開？

「恩愛夫妻離不開嘛，還有孩子拖後腿。」

「噢，妳說這個。」李嫂子頓了一頓，嘴唇一掀，一個淡笑。「鳳英今年九歲已可以照顧她弟弟了，鳳英她爸平常什麼都依著我做。我要拿定主意，他不肯也沒有用。」

「那麼妳也想去？」

「我早就有這個意思，我們兩個同路去！」

「好啊！」方嫂子重重一把掌落在李嫂子背上，亮開粗嗓子大聲笑著，李嫂子也興奮得臉上浮上兩片紅暈。肩上彷彿長出兩張希望之翼。簡直想輕飄飄地飛升……

李嫂子一下決心可比柱石還堅定，任憑鳳英她爸怎樣勸阻，她還是提了一個小包袱同方嫂子一路上台北去淘金去了。

二

介紹所的孫老闆拿到佣金，便留下李嫂子在新主人家裡逕自走了。新的環境是陌生的，新的工作也是生疏的。但李嫂子對自己有信心，相信一定能做得好，只是一點，剛來台北對那些衖呀巷呀，還有擠擠攘攘的街道一時還摸不清。她第一天去買菜回家就幾乎迷了路，只覺得越走越迷糊，心裡正有點慌，忽然一輛汽車倏地在她身邊停下來，倒把她嚇了一跳。

「妳是新來的李嫂子吧！」從司機座裡探出半個臉來。

「唔，」李嫂子見過新主人家有汽車，卻不認得司機。

「我看妳準是迷了路，這條路跟回家的方向恰恰是相反的，妳上車來吧！」司機推開了車門，李嫂子微微紅著臉，羞愧與驚喜摻半，只是望著敞開的車門猶豫著，司機又催了一聲，「我送走了先生小姐，這是回家等候太太差喚，順路。」

「真巧！要不逢到你，可不知什麼時候到家了。」

「可不正巧，今後我們便是同事了，主人不給我們介紹，我們自己先認識了。」司機又望看李嫂子一笑，露出一排潔白的牙齒，「我叫何榮，妳以後有什麼要人幫忙的就叫我何榮好了。」

「謝謝！」李嫂子覺得這人十分可親，便向他探聽了一些這一家的人物和生活習慣，何榮不憚其煩地告訴她，主人姓高，是一個實業機關的主管，公事忙，交際應酬也忙，常常成天不回家。太太是個牌迷，一上牌桌子可以二天二夜不休息，大小姐和二少爺在念中學，一個愛跳舞看電影，一個成天三朋四友，騎著車子滿街撒野。小小姐還在念小學。除此以外，還有個比較特殊的人物，介於親戚和跑腿之間，常年住在高家。就叫三先生。

聽何榮說起三先生，李嫂子馬上想起早上那個替高臥未起的女主人傳話的人，一面盤問她是哪裡人，今年幾歲，家裡有些什麼人……賦忒忒的眼光卻盡在她身上打轉，她正懷疑這大宅子裡怎麼會有這樣的男主人，原來竟是這等角色。

對主人有了初步的認識，開始也就容易做事些，由於李嫂子的能幹再加上賣力，不久她對這一份新工作雖然繁重，卻也完全熟悉了。

第一個月的工錢拿到手，加上外快和買菜的油水。一個月足足賺了四、五百元。李嫂子捏著厚厚的一疊鈔票，從心裡笑出來。她連忙匯了三百元回去，一部分是償回來台北時借的旅費，又給自己和孩子剪了幾件花布衣料。這晚上她第一次興奮得連瞌睡都嚇跑了，「只要有一身氣力，兩隻手，錢是多麼好賺呀！早不曉得走這條路。」她在黑暗中睜大了眼睛想：「下個月先添雙皮鞋，以後每個月積起三百二百，慢慢地就可以獲得渴望已久的縫紉機，金項鍊，身上穿著的，家裡需用的……」她的意識在幸福的陶醉中漸漸迷糊了。唇畔還拽著一抹微笑。

三

自李嫂子來到高公館以後，一晃眼已兩個多月了。她每天做著刻板的工作，像一部機器，自然，這其間也有不愉快的事，譬如有時太太怪她衣服熨得不好，先生嫌她小菜炒得太鹹了，小姐又責她洗浴水倒得太慢大發脾氣，不過她總抱著「寄人籬下矮三分」的哲學，默默忍受著，倒是那位不上不下的三先生，使她覺得難以侍候，他常常像煞有介事地傳達主人的命令，或是支使她做這做那。一會兒卻又嘻皮涎臉，盡盯著她說些瘋言瘋語：

「李嫂，想不想妳男人？」

「李嫂，年輕輕的一個人不寂寞嗎？」

「李嫂，妳今天真美得像一朵鮮花。只可惜鮮花開在沙漠裡，沒有誰欣賞。」三先生涎著臉說，湊到她面前去。「三先生，請尊重你自己的身分，我們是做下人的。」李嫂子板著臉往後倒退了兩步。但三先生馬上向前迫近三步。

「現在是民主時代嘛，不分上下。」說著更動手動腳起來。

「你再不老實，我告訴太太去啦！」李嫂子用力摔開他的手，漲紅著臉怒責著。三先生悻悻地抽回手，輕蔑地在鼻子裡哼了一聲。

「別黃熟梅子賣青，裝什麼貞節！以為我不知道妳心裡就只有何榮那小子？」

「三先生，你可不能血口誣人，我……」

正在這時，何榮走進廚房來。三先生聳聳肩膀走了，何榮不知就裡，問了李嫂子兩三句話，卻見她板著臉不理，便也怏怏地退了出去。

李嫂子等那一陣激怒的風暴慢慢平息下去後，馬上又感到莫名地惶惑，何榮，是的，打從她上工第一天去買菜他送她回來，就對他產生了好感，也只是基於感謝的好感，她與他接觸的機會很多，時常向他請教這樣那樣，他們又是在廚房裡同桌吃飯的，有時他也會幫她揀豆芽、削削蘿蔔皮，有時衣服破了，脫了扣子便請她代他縫補，他喜歡向她訴說自己的身世，她也喜歡聽，當她一面做事一面聽他講時，不知不覺便把手裡的事做好了。

她高興他無形中解脫了她整天浸沉在繁瑣的工作中那種冗長的寂寞……但，那會是心裡有了他？

這以後，李嫂子便處處避開何榮，他來跟她兜搭時，她便冷冷地愛理不理，他要幫她做什麼，她便拒謝了。

同時對於那繁瑣的工作也感到了煩膩和憎厭，她想起家，想著孩子，常常想得半夜失眠。

那天，主人又大宴賓客，席散時已很晚了，何榮猶自湊著剩菜，一個人慢慢地喝著餘下的酒，李嫂子只得盛了碗飯，坐在他對面默默地吃著。

「李嫂子。」何榮眼珠紅紅地望著她巍巔巔地喚了一聲。

「唔。」李嫂子在鼻子裡答應著，眼皮都不抬一抬。

「是不是我在哪裡開罪了妳，生我的氣！」

「沒。」

「可是這些日子妳一直不大理睬我，如果我當真不小心得罪了妳，請妳告訴我，讓我向妳陪罪，別教人心裡憋得難受。」

「跟你說沒有嘛。」

「那麼。」何榮斟了一盅酒，雙手端到李嫂子面前。懇切地說：「要是妳真的不是生我的氣，請喝了這杯我敬妳的酒。」

李嫂子本來不願意喝，見何榮懇切的樣子，想著他對自己究竟也沒有什麼錯失，便接過酒杯來喝了一口，看何榮時仰著脖子正乾杯呢，她猛然想到兩人這樣對斟又算什麼？忙不迭又擱下杯子，匆匆地把飯吃完，離開飯桌逕自去洗碗洗鍋。

宴會後自然免不掉又有牌局，李嫂子侍候過宵夜，便回廚房旁邊的小屋去休息。走過庭院時，覺得精神有點恍惚。是春天了，雖是晚風透著點涼意，吹在身上還是使人軟綿綿的，有薄醺的感覺。

「這樣的春宵，這樣的深夜，鳳英她爸不曉得在家做什麼……」李嫂子走進屋子想著，沒來由得感到臉上一陣熱。忽然一個黑影從橫裡竄至她面前，嚇得她倒退了兩步。

「何榮你……」李嫂子吃驚地望著闖進來的人，不由得倒退了兩步。來人卻順手扣上門，一步一步迫近來，眼睛裡閃熠著異光，一開口一股酒精味。

「李嫂子，我忍不住一定要告訴妳，我喜歡妳——」

「你瘋了！」李嫂子覺得自己的心要從口腔裡跳出來：「出去，不然我就要嚷……」

但動作比聲音還要快，她還來不及閃避，已被兩隻強壯有力的臂膊擒住了。

大地在旋轉，在上升，空氣中的每一粒微塵在膨脹分裂了——當兩人的狂熱逐漸降落時，才聽見外面一疊連聲在叫何榮，是牌局散了。派車送客。

何榮惶急地一躍而起。昏亂中忙去開門，用力拉，再用力拉，門像釘住了似地絲毫不動——外面不知被誰鎖住了。

四

李嫂子自己也不知道是怎樣離開了高公館，怎樣走到街上，事態的突變彷彿是瞬那的事，快得她措手不及有如行駛中的船隻驟然遭遇了觸礁，耳畔依稀回響著高太太冷峻酸刻的聲音。「……平時看妳還老實，又是有丈夫兒女的人，想不到做這等糊塗事，蹧蹋了我們的地方還不算，若是妳男人曉得了鬧到這裡來還脫不了關係哩，可不敢再屈留妳了。」三先生在一旁幸災樂禍地嗤嗤冷笑，無疑地這幕醜劇是他一手造成的。——她羞憤得只恨地上沒有一條縫鑽進去，竟不復置辯……多可恥呀！要洗刷這恥辱除非連這個玷污的身子一起摧毀一起泯滅——李嫂子一路昏昏沉沉走去，像在一團濃霧中徬徨，忽然眼前一花，一朵雲彩攔住了路。

「噢，是李嫂子，好久不見了，妳提著這包袱是去上工還是歇了工呢？」對她說話的人穿著花綢旗袍，高跟鞋，臉上搽得紅紅白白，耳朵上還垂了一對墜子。李嫂子認了半天才認出原來是張嫂子，不就是她引起了她到台北的動機嗎？

「哦，是張嫂子，我幾乎認不得妳了。」李嫂子言語慌失地敷衍著。「最近回家了？」

「還是前個月回去的，妳還不曉得，我跟家裡那個窮鬼已離婚了。」

「離婚了！」李嫂子不禁驚愕了一會，「那，那你現在還幫從前那家姓李的？」

「早就不幫啦！我告訴你，李嫂子，女人要賺錢的方法在台北可真多著呢。你要不願意幫人家了，可以來找我。」張嫂子賣弄地一笑，金牙齒閃著光。「好，拜拜！」臨走時張嫂子還洋裡洋氣地將手一揚，扭著腰肢翩然離去。

第二次李嫂子被介紹到新主人家裡，主婦多病多痛有一大群孩子，不大管理家務，男主人一板正經，回家就用報紙作紙幕，把自己與家人隔開——這一家的工作不比高家輕鬆，自然也沒外快收入，但李嫂子還是沉著氣一天做到晚，不是為著熱忱而是極力用工作來忘卻那醜惡的記憶。她覺得對不起丈夫。她心裡很想回家從此不幹。只是她原是心高氣傲的人，回去總得光彩些再回去。要不雙手空空回家豈不惹鄰人暗地裡譏笑？因此，她耐著心一天又一天地打發著日子，等積些錢再回去。

但是，她極力要忘記的醜惡的記憶。卻在身體上留下了一時無法磨滅的痕跡，經驗告訴她，生理上的某種變化確實證明她朝夕所恐懼的事情。這一急一懼，害得她再無法安心做事。晚上瞪著眼睛直到天明，她記起了聽來的方法，便悄悄地去藥房裡買了些奎寧丸吞下去，結果耳朵倒聾了幾天，腹內卻毫無動靜。

她又告了半天假，鼓著勇氣到各家婦產科醫院去探詢，都遭受正言厲色地拒絕了，最後一家很小的醫院勉強應承下來，但手術費卻使她感到為難，她出來也只三個多月，每月的工資寄回去一半，存起的一半裡她還添置了衣物，這筆費用卻要她整整二個月的工錢！

「等這個月滿了工吧，滿工結清了工錢再動手術。」李嫂子走出醫院這樣計畫著。但回去卻接到丈夫的信，信上措詞很嚴厲，叫她不要再幫人家，馬上就回去。從這封信的口氣看來顯然她丈夫聽到了什麼謠言。

於是，她不再遲疑，便告訴主人說家裡有事要她馬上回去，女主人這些日子原來也用懷疑的眼光在打量她，並不挽留，便結清了工資。

李嫂子並沒有上火車站，卻一腳跑進了那家產婦科醫院。孽障總算除去了，但由於那位大醫師手術不太乾淨，手術後李嫂子流了過多的血，還發著燒，不得不在院裡住了一個多星期才出院。

她一路上停停歇歇，吃力地走到傭工介紹所，那位薦頭老闆卻不似平時的笑臉迎人，斜著眼睛先將她打量一眼，皮笑肉不笑地掀著嘴角，聲音有點嘲諷。

「唷，我的李嫂子，這會子妳倒從哪裡鑽出來了，大家都以為妳失蹤了哩！」

「我……我病了一場。」李嫂子挨著門口的長凳就跌坐下去。只是喘著氣。

「病，什麼病那樣厲害？」薦頭又針刺似地刺了她一眼，「妳還不曉得前些日子妳男人來找妳，也不知哪裡聽了些歹話，找妳不著，便在我這裡胡言亂道，好像是我把她老婆賣了押了，妳曉得我們這裡是專門介紹清清白白的傭人的，可不是什麼那些幹下賤勾當的行家。別的不說，蹧蹋了小店的名譽可賠償不起，要不看在妳李嫂子面上，哼！……」

李嫂子呆呆地望著薦頭老闆，一種揉合著恐懼驚惶的感覺通過全身，使她神經突然陷入麻痺。鳳英她爸找得來了，他一定曉得，一定曉得了……

「我看妳還是趕緊回家得了，不然妳男人找不著妳，我看真會殺人呢？像這樣的生意，下次貼我一千八百也不敢接受了。」薦頭老闆冷冷地說，顯然在下逐客令了。李嫂子不說什麼，只是勉強讓無力的腿支持著自己立起來，茫然地，向前走去。

李嫂子凝視著面前的大卡車，小包車，吉普車，三輪車……一輛連接一輛的車子，像一注永遠流不停的巨流——這是台北，這是淘金夢之王國。

綠燈亮了，她沒有走動，也不知該去哪裡，惶惑迷亂中，她想起月前回去的方嫂子，她羨慕她曉得遇難而退，如今還在雖是貧困的家裡卻過著安穩的生活，這條路她目前是不能走了，她又想起那天在路上逢到的，裝束入時的張嫂子，她告訴她願意幫人家可以去找她。也許只有這條路，可以試試——她躊躇著換隻手提著包袱，向前挪了兩步，驀地紅燈又亮了。那慘紅的亮光像獨眼巨魔的怪眼，閃爍著發出無聲的危險的警告，李嫂子停下腳步，煩躁不安地等待著、等待著。

犧牲者

每次當我經過那條小衖口上，總不由得朝哪裡多望上兩眼，小衖十分狹隘，一並排約莫住了三四家人家，一邊是前衖人家的一帶高圍牆，沒有人走這邊出入，卻在牆角上留了幾處垃圾的出口，便成了雞和狗最喜歡發掘的寶藏。因此地上老是撒滿了煤渣和屋子裡清除出來的廢紙爛菜梗，還有堆得厚厚的落葉，那是從幾株衝出圍牆的大樹上落下來的。那些樹枝杈杈枒枒幾乎遮掉了半邊天，儘管太陽再明亮些，小衖也總有一半掩蔽在濃蔭裡。溝裡永遠淤塞著腐爛的樹葉和污黑發酵的臭水——就是這麼一個所在，孩子們卻選擇了它作為他們的樂園，不論清晨黃昏，總有一群年齡相仿的幼童在那裡嬉戲追逐，叫囂打鬧，彷彿從來不會厭倦，也從來不知道什麼是污穢，有時我只是有點稀罕這一條小衖裡怎便有這許多孩子。但吸引我注意的卻並不是他們——而是其中一個從來不參加他們嬉戲追逐，叫囂打鬧的孩子，他反常的舉止，使他顯得特出。就像一片隨風狂舞亂擺的蘆葦中，一支直立不動的細竹。

那孩子生得那樣瘦弱伶仃。以致從他外表上看不出他的年齡究竟是三四歲，還是五六歲，衝額角，尖下巴，臉色蒼白，一對微笑的眼珠向前瞪視著，茫然無光。小小的鼻子和嘴，尤其是嘴唇，呈現著一種暗紫的豬肝色，舉止遲緩，步態蹣跚，一副可憐而軟弱的樣子，當別的孩子玩得興高采烈時，他卻被冷落在一邊，向他們瞪視著，也有時莫名其妙地跟著裂開嘴寂寞地笑笑。但別的孩子從未理會他的笑和笑裡那種表示友善的意思。他們無視於他的存在，嬉笑著奔跑過他面前，就像經過一堵牆，一株樹一樣，他被摒除在歡樂的圈外，便只有羨慕的份兒。或是聊以自慰地撫弄著手裡的一隻絨布小狗。

那隻絨布小狗就同他身上的衣服一樣，已辨不出原來是什麼顏色了。尾巴斷掉，耳朵分裂，既髒且舊，但他卻當作寶貝似的，或抱或攜，成天不離左右。有時用瘦小的手指撫弄著，有時親暱地偎在臉畔，嘴裡喃喃地不知對它訴說些什麼，彷彿那不是一件殘缺的玩具，而是一隻有生命通靈性的小動物，可憐的孩子，也許那便是他唯一相依為命的伴侶了。

失去了健康的生命，就像失去了陽光的世界，剩下的只是清冷，黯慘，寂寞……而殘忍的命運之神，卻偏挑揀了這樣稚弱無助的孩子作他的犧牲品！

「不知是什麼病痛，把這孩子摧殘成這樣？」每次看見那瘦小稚弱的身影，我總不由得從心坎湧起一陣憐憫。

那天上午，我又打從那裡經過，離開小街還遠遠的，便聽得一片叫囂喧譁，孩子們一窩蜂邊嚷邊跑，從街口跑到街底，那瘦弱的孩子一手倒提布狗，一手的手指含在嘴裡，木立在被他們揚起來的塵灰中，怔怔地望著，那群孩子在衖底撲打拉扯了一陣，又掉頭向衖口跑來。為首的一個在經過瘦孩子旁邊時，忽然順手在他頭上拍了一掌。他驟然吃了一驚，似乎還不曾弄明白是怎麼回事，第二個又跑過來推了他一下，他踉蹌地倒退了兩步，驚惶失措，無神的眼睛求助地閃眨著，卻不料第三個又竄前一步，一把奪去了他手裡的布狗，這下急得他尖聲叫嚷起來，隨著叫喚眼淚便簌簌落落地掛下污穢的臉蛋，他亂晃著雙手去奪取，那孩子卻往後退了幾步，把狗舉得高高地逗引著他。等他好不容易蹣跚地挪到哪裡，那孩子又敏捷地，往旁邊一閃，別的孩子也都在一旁哄笑著，雖然有一個在說：「還他，別逗他了。」但沒有人停止，那隻布狗此刻像傳球般，從這個手裡傳到那個手裡，那瘦孩子追索不到。只急得雙腳頓地，放聲大哭，渾身直抖顫。我看看門裡沒有大人出來，正想過去勸阻這惡作劇。突然那小東西晃了兩晃，便像一袋米般跌倒在地上。

彷彿所有的聲音都被一個開關倏地關掉了，小東西躺在地上不再哭喚，那些孩子們的哄笑叫囂也寂然截止，鬧得熱烘烘的空氣似乎驟然遇上了冷氣，立即凍結凝固，我意識到發生了什麼不幸的氣氛，就像嗅到飯焦味一樣，連忙走進衖子，在小東西身畔蹲下來，只見他直僵僵地躺著，汗淚和著泥灰塗滿了一臉，原來蒼白的臉更白裡透著青色，紫色的嘴唇卻變成了烏黑色，眼睛定定地朝向上邊並不轉動，我握住他垂在身旁的小手，冰冷有如浸了霜的石頭，忙又用手在他眼前擺動著，也不眨閃，再試著探他鼻息……

「哎呀！」我不禁驚懼地喊出聲來，抬眼四望，卻見那些闖下禍的頑童已不知何時都跑走了，只有兩個還站在我身旁。

「快告訴我，這孩子的家在哪裡？」

「在那裡。」其中一個指指第三家大門。「他是我弟弟。」

我即刻抱起那孩子——幾乎使岔了力氣，因為那孩子竟那樣輕，輕得彷彿只有那一套衣服的重量。那個自稱他哥哥的便撿起那隻丟在地上的小狗，帶頭領路，一進大門，他更高聲報告。

「媽，小安又厥過去了！」隨著這一聲喊叫，彷彿點燃了一串爆竹，只聽見裡面一個尖銳急促的聲音恨恨地數說：

「死鬼，叫你們不要惹他偏要惹他，人家這裡油鍋要滾了，菜還沒有洗好，偏擠在這時來軋忙，真是前世少欠的冤孽債……」語聲未了，人已三步併作兩步走出來，先是一個挺著的大肚子，兩隻濕漉漉的手，接著是一張憔悴而貧血的臉，衣衫不整，滿臉油汗，看見我她似乎微微一怔。

「我走過這裡，看見這孩子暈過去了。」我著急地告訴她。

「噢，謝謝妳！」她不慌不忙地向我道謝，一面便伸出濕漉漉的雙手來接過孩子去，這半天他還是閉嘴咬牙，一動都不動。

「最好馬上送醫院。」我向她提醒道，「我看這孩子體弱，拖久了怕不好。」

「他這是老毛病，我自己能治。」她沉著地回答，隨手把孩子放平在膝上，用手指去掐他的人中，又燃著一根紙煤在他鼻底下薰著……她做這些顯得熟練而鎮定，像是個平時訓練有素的巫醫。

隔了半天，那孩子果然悠悠地醒過來了，臉上的青漸漸褪去，嘴唇由黑轉紫，突出的眼球微微轉動著，喉嚨頭發出微弱的呻吟。

「狗，」他哽咽著喃喃不清地說著一個字，「狗。」

他母親忙把那隻布狗放在他手邊，但他卻似乎無力舉起，只是伸出顫抖的手指攣痙地摸觸著，把它壓在胸前，停止了抽咽。做母親的還把他緊緊抱在懷裡，彷彿要用自己的體溫去暖和那冰涼、瘦弱的小身軀。

「這下沒有關係了。」她看見我一直站在一旁關切注視，向我做了一個如釋重負的苦笑。「妳請坐嘛。」

我好不容易在擠著雙層牀、行軍牀、桌子、椅子和林林總總的雜物中間勉強找到了一個可以坐的地方。

「他過去也會常常這樣厥過去嗎？」

「可不是，只要一不遂意、一生氣，病就犯了，這孩子生來就磨人。」

「那是什麼病？」

「心臟病。」

「這麼一點點大就會得心臟病？」我感到十分驚詫。

「他這病還是從娘胎帶來的哩。」

「妳是說？……」我以為她是指遺傳什麼的。

「不瞞妳說，是墮胎打壞了的。」她垂下眼簾悔愧地說。

「啊？」我不由得倒抽了一口氣，一個做母親的竟能下毒手把自己的孩子摧殘成這樣，這是什麼樣的心腸，我冷眼瞅著對面那個憔悴的女人，忽然對她產生了一種憎厭的感覺。她這時正用一塊手帕拭去孩子臉上的淚和汗。

「只怪我吃壞了藥，沒把他打掉卻打成這副模樣。」

我覺得她的聲音很刺耳，同時我來這裡的任務已完成，沒有逗留在這裡聽一個做母親的述說她怎樣摧殘了孩子的必要。可是我還沒有站起來說走，她彷佛已覺察了我神態中有對她所說的行為不滿的表露，自己先深深地歎了口氣，自怨自艾而又無限悔愧地向我訴說起來：

「我知道，別人一定認為墮胎是很不道德的事，會把做這種事的人看作罪人，其實要不是萬不得已，那一個做母親的又忍心下這樣的毒手？這年頭，孩子太多了，不但物質上負擔不起，就是精神上也照顧不了嘛。那時我生了老七……」她拍拍那個領進來的孩子，我忍不住岔嘴問她。

「他是老七？那麼他呢？」我指那個小可憐的。

「他是老八，他是老九。」她又指著另外一個說，看來卻比小可憐的還大些。「大的都上學了。」

「那一共有九個——噢，不，連這十個孩子！」

「可不是。」她低下頭去望望突出的肚子，向我苦笑了一下。

天！一連串整整十個孩子，想想看十個孩子從懷孕、出生、哺乳，以至撫育長大，這其間做母親的要飽受多少痛苦，要耗去多少時間、心血和精力！

「噢，妳真是好福氣！」沉默了好一會，我才想起用這句話來恭維她。

「哪裡還談得上福氣，都是前世的冤孽罷了。」她自嘲地說：「妳想想看結婚十幾年，從來沒有舒服過一年。肚子空了，手裡又有抱著吃奶的，等手裡的斷了奶，肚子倒又裝滿了。連氣都不給透一口。那年我生下老七，產後失調，幾乎送了命，我實在不願意再生了，那曉得只隔了一年，這不合時宜的又來投了胎，我決心要打了他：第一次吃了不少奎寧，沒有一點用處，倒讓我耳朵聾了好幾天。恰好這時我有個朋友生了五個孩子也不想再留了，找中醫給開了一個藥方，一劑藥就打了下來。我一聽說就去找她要了那些藥方，哪曉得個人體質不同，我先服了一劑藥，過了兩天沒有動靜，我又配了第二劑。」

「哎！這種藥藥性一定很烈，怎麼可以隨便亂吃？」我覺得這女人既蠢又蠻勁。

「我那時一心只想打掉胎兒，也想不到那許多。可是第二劑藥服下去後，除了肚子隱隱地作痛了幾天，還是沒事兒。我想這孩子真是根深柢固，再沒有辦法，也只得由著他吧。唉——」她沉痛地搖搖頭，眼睛俯視在懷中的孩子身上，我看見辛勞的生活在她額上所刻下的痕跡，遠勝於歲月的斧鑿。她浸沉於哀傷中，我也一時無語。頓了一頓，她又沉緩地接下去說：

「如果生下來是個死的，我一點也不傷心，偏偏是帶了這麼個殘疾活著。做母親的只要看見自己的孩子一眼，沒有不產生強烈的感情的。不管他是殘廢或是醜怪——實在我為照料這孩子耗費的心力，比哪一個孩子都多得多。時時刻刻要當心他不生氣、不受寒，玩得不要太勞累，吃的東西不能有刺激性……妳剛才看到他一生氣病就犯了。」

「醫生說他這病不能根治嗎？」

「很難。我只是盡我的心力，能照料到他多大就照料到多大——就為了他，底下這兩個我就不敢再起什麼念頭，只好認命了。別人還說我是子孫太太，說我福氣好，我說那是前世的冤孽。我這一輩子就埋葬在他們身上，別想再過一天安靜日子——哎呀！老九快把剪刀放下，戳著人可不得了，老七你是哥哥，還不把棍子給你弟弟，聽見沒有！快給我住手！」那個悲痛的母親忽然又放開尖銳的嗓子，大聲吆喝著，那小兩兄弟正撕扭成一團互相揪打。她站起來待過去扯開，小可憐的也在她懷裡哭喚起來：

「狗，」他用微弱而發音不清的聲音嘶喚著，伸出乾瘦的手在空中亂抓，像一頭被捆著送上祭壇的羔羊，做著無用的掙扎，狗在他母親站起時掉進牀底下去了，「狗。」

就在這一片混亂中，我告辭了走出那擁擠而雜亂的屋子，走出那狹隘而污穢的小街。我的腳步已跨進大街上明亮的陽光中，但我的腦際卻深刻地印下一個揮除不掉的影子，那突出而無光的眼睛，那暗紫色的嘴唇，那蒼白的臉蛋，瘦小的身軀，那遲鈍的動作蹣跚的步態……這原該是一個活潑、矯捷，生氣蓬勃的小生命，像陽光般璀璨，像溪流般無憂無慮，像春草般欣欣向榮，這無辜的生命怎又知道他所要投生的新世界是這樣地複雜和自私，尚未接受光和愛的洗禮，便先遭受了罪惡的摧殘！如果說這是謀殺不遂，那麼那做母親的豈非便是謀殺的兇手？立刻，我腦中又呈現出那女人憔悴而不事修飾的身影，那尖削的臉，那瘦小的身肢和笨重臃腫的腹部，懷裡緊抱著那個病弱的孩子，貧血的嘴唇微微顫抖著，喃喃地說：「……冤孽，這都是冤孽……」

是罪人，是冤孽，究竟誰是那無辜的犧牲者？

編註：本文原刊於《婦友》第十八期，一九五六年三月十日，頁十八～二十。

乾親家

一

女人間的感情往往是無法捉摸的，有時她們讓成見、妨嫌、妒嫉這些堆疊成堅固的礦山，怎樣開鑿也掘不到友情的礦苗，有時卻只是叉過八圈麻將，同上過兩趟菜場，或是僅僅在某件事物上觀點相同，馬上會一見如故，引為畢生的知己。易太太和彭太太的友誼便是由後者的關係極迅速地建立起來，何況她倆又貼上了同鄉，更似水乳交融，大有相逢恨晚之慨。

易太太的先生官兒做得大，生活很優裕，彭太太的先生是小公務員，但這並未影響兩人的友誼。據易太太表示：不管先生們的社會地位如何，以一個主婦跟一個主婦的立場來說，總是平等的。不過彭太太多少存有些高攀的意識。處處謙讓，易太太膝下有三個女兒，如今又大腹便便，彭太太卻是「活神仙」一個，因此，有足夠的時間陪著易太太做這做那的。

那天，南台灣炎熱的仲夏，火傘似的太陽烤得柏油路軟癱，芭蕉椰葉都直不起腰來。為了要給一件蜜黃色的旗袍配上一道跟李麗華一樣的淺咖啡色滾邊，彭太太陪著易太太跑遍小城的綢緞布店。回到彭家。易太太一進門就把自己汽油桶似的身軀填進藤椅。伸手攤腳地連汗淌在她眉毛上也懶得眨一下眼睛。彭太太卻一股勁忙著招待，遞上拖鞋、送上扇子、端上涼茶，末了又絞了一把香噴噴的手巾來，動作敏捷靈活，易太太望著她輕盈的身段，想著究竟沒有生產過的女人能保持身材的苗條，不禁厭恨地瞥一眼自己高高隆起的肚子感慨地歎了口氣。

「哎、拖著這累贅真把人磨死了！」

「還有一個多月。也快了嘛！」彭太太也望望那隆起的肚子，眼睛裡忍不住露出羨慕的神情。

「要是這次生個男的，我可再不要生了，你想一個女人有多少年青春全被生孩子給生掉了。」言下，不勝怨嗟。

「要是生個女的呢？」

「乾脆送人。」

「送人，妳這是說氣話，自己生的親骨肉怎捨得送人！」

「這有什麼稀罕，人家王太太是局長太太哩，還不送掉了一個女孩子！」

「哦！真的……」彭太太忽然想起了什麼，眼睛發著光亮，漲紅了臉，欲言又止。易太太好像一下就看透了她的心事，在她手背上拍了一下。

「生個女孩子送給妳好不好？」

「您這是說真的？」彭太太被一語說中，驚喜地跳起來，但馬上又感到有些不妥，吶吶地說：「我怕沒有這福氣，高攀不上。」

「說那些幹什麼，我要送像你們這想孩子又不能生孩子的人家，再說憑我們的關係，我還怕妳虐待孩子嗎？」易太太把話說得十分爽直。

「真的，妳不誆我？」彭太太半信半疑地望著易太太，易太太笑著允承地點點頭。「易先生不會反對嗎？」

「孩子是我生的，這點主總做得動吧！」

「一言為定。」

「一言為定。」

「那……那……我們算哪一門的親？」

「我把女兒送妳，妳再讓她拜我做乾媽。可不就成了乾親家了。」

「乾親家，噢，乾親家，我這裡就先給妳請安道謝。」彭太太喜出望外，向著易太作著揖深深一躬到地，易太太忽然伸出手去一把攔住。

「這不成！」她嬌嗔著，聲音裡摻著點懊傷。「別把親家叫得那麼早，我還盼望他是個男孩子哩！」

二

達月後，易太太生下來果然又是個女孩子。氣得她連多看一眼都不願。三朝過後便叫彭太太抱走。易先生雖然滿心不肯，卻也拗違不了太太的意志。

在易太太坐月的那些日子裡，彭太太可比任何特別護士都招扶得周到，易太太肚子一痛，她也馬上搬去醫院跟她做伴。她生時，她便守在牀畔頻頻地替她拭汗，幫她用勁。孩子生下地後，她更成日周旋在產婦身畔，侍候她飲食，服侍她盥洗，不嫌骯髒地替她清理穢物，陪她說話解悶。易太太一天忍不住拉住彭太太的手激動地說：

「妳待我真比自己的親姊妹還好，我叨長妳幾歲，就叫妳聲妹妹好不？」

「我從小就沒有姊姊，只要妳做姊姊不嫌棄，打著燈籠找還找不著哩！」彭太太立刻高興地滿口允承。

於是乾親家又結了乾姊妹，整天親家長、妹妹短，叫得親親熱熱，兩人更是好得傾心相許，剖腹相示，倒把彼此的丈夫都扔在一旁了。

孩子抱去後易太太一忽兒想起了要易先生撿些三兒穿過和沒有穿過的小衣服給送去，說是：

「我那乾親家沒帶過孩子，一時怕準備不了那許多。」

隔兩天又關照易先生買幾磅奶粉給送去，說是：

「我那乾妹子家經濟比較緊一點，現在奶粉貴，這一筆開支會增加她不少負擔哩！」

但易先生卻一百個不願意兼這份差，忍不住抱怨太太：「孩子都捨得送給人家，還管這些！要不還是自己帶好了。」

「自己帶！你就只會說風涼話，你不曉得帶大一個孩子要蝕掉我多少青春！」說著易太太氣又來了，覺得丈夫一點不顧惜她，雖然每一個孩子都請了保姆。「再說，孩子多的人家，總照顧不了那麼多。給像妹妹那樣疼孩子的人，也是她福氣！」

「那既然送了人又這樣拖泥帶水的，多彆扭！」

「這有什麼彆扭，我的乾妹子，你是乾姊夫嘛！」

懾於閫令，易先生也只得無可奈何地硬著頭皮一次又一次去執行。

易太太已滿月了，一個月的休息營養，孩子雖然生掉了，腰圍未見減瘦多少。一身精力充沛，只愁著無處發洩，顯然地，那位乾親家有了孩子，來易府走動的時候越來越稀了，有時來一歇便推說惦著孩子無人照料，匆匆地走了，有時抱了孩子來，又不時地打岔，也有時易太大跑去彭家，看她到有大半時間在張羅孩子，自己也感到沒趣。一旦身邊少了個參謀、顧問兼特別隨從，易太太頓時行動不便，悵然若失。

「哎，真不該跟她結什麼親家不親家，孩子給了她，反把做媽媽的冷淡了。」易太太深感寂寞時，不由得在背地裡悔恨地譴責彭太太，但幸好還有一樁她嗜好的消遣不受影響——打牌。一坐上麻將桌摸上十六、三十二圈，什麼乾的濕的也就暫時擱在腦後了。

相反地，開始時無可奈何去執行閫令的易先生，卻逐漸變得殷勤起來，隔些時他會自動地提醒太太：

「是不是該買些奶粉給妳親家送去了？」

「喲，真是幾時你倒變得比我還細心起來啦！」易太太半真半假地誇獎他先生。易先生只是笑笑，似乎被誇獎得有點不好意思。

易先生出差的機會很多，回來時若給孩子們帶些穿的，玩的，總也有施施——送掉的四女一份。雖然她還不懂得玩。帶來了一定還親自送去，回來便高興地報導孩子的動態：「施施會笑了」。「施施今天拖住我的指頭吮。」又不住地誇說彭太太帶得仔細，他沒覺察說多了已引起太太的反感。一天吃晚飯時易先生正興孜孜地告訴：「施施的鼻樑很高，將來是個小美人哩……」

「我看你現在好像對施施特別關心，從前對別的孩子都不這樣。」易太太那天輸了錢正好沒好氣，截住他的話冷冷地說。眼睛望著易先生。覺得他在她注視下臉上似乎驟然一紅。頓了一頓，才尷尬地搭訕著。

「那是因為，因為我發現她特別像我。」

「像你才美，還是帶的人美帶美了！」

「當然不是這樣的意思，要像媽媽才是真正的美人胚子吶！」易先生急忙阿諛了一句，掃一眼桌上周圍三個孩子，四個一樣的扁鼻樑！

易太太只在鼻子裡不屑地哼了一聲，便逕自低下頭去吃飯。不再理會。

彭太太沒有請傭人，又是第一次照料孩子，加上先生又調差，一個人在家裡忙得更輕易不出門。易太太的牌癮越來越大，一上桌常常整日通宵不下場。因此，乾親家更少見面了，朋友遠則疏，疏則閒言讒語不免趁隙闖入。易太太在牌友間不時聽到一些嵌骨頭的話，在心裡打了個疙瘩。

那天早晨，易先生出差台北回來，抵家跟小別重逢的太太剛寒暄幾句，便憂形於色地說：

「施施病了，妳曉不曉得？昨晚上燒到三十九度五哩！」

「是嗎！」易太太關心地問了一句，忽然又懷疑起來。「你怎麼一回來就知道了！」

「我，我回家時在路上碰見妳乾妹子，她告訴我的。」易太太盯著易先生，見他猶豫了一下才回答，顯然有點情虛，又追一句。

「怪了，從火車站到家裡的路上，怎麼又會碰見她呢？」

「那我就不知道了，反正孩子病了是事實，哎，我還不曾盥洗哩！」說著易先生從旅行袋裡撿出盥洗用具，轉身走進盥洗間去。

易太太直覺地感到易先生是避免正面作覆，難道他下了車竟先去了彭家？牌友間隱隱約約聽來的流言蜚語，此刻全爭先恐後一句連一句地在腦際湧現，她又想起他忽然間變得殷勤，和特別關心孩子，這其間確是形跡可疑。一剎那她只感到妒火中焚，渾身顫慄。

「如果真有那麼回事——」易太太從緊咬的牙齒縫裡迸出恨誓，趁易先生補充睡眠去了，她未加修飾，便去彭家，一路上，她計畫著兩個步驟。

到了那條街上，離彭家還有四五家門面，易太太碰見李太太站在自家門口，還有張太太，不免停下來招呼。

「怎麼，又去探望妳乾親家！」張太太先笑著調侃她，「你們賢伉儷真是，先生前腳走，太太後面又跟著來。」

「你們易先生是剛從台北來吧，我看見他車上七包八包的。」易太太還沒有答言，張太太嘴快地接過去說：

「我說彭太太攀上你們這親家，可真拾到了福氣，不但孩子吃的穿的不用操心，自己可也叨了個光，昨天我看見她穿一件……」張太太說到這裡讓李太太一聲咳嗽攔住了。

「看我們怎麼就在門口聊開了，進屋裡坐吧。」

「不啦，施施病得兇，我來帶她去看大夫。」易太太極力抑制住自己的感情，鎮靜地告辭，過去幾步，一走進彭家，便見彭太太抱著施施在房裡哼著轉著，屋子裡一反平時的整潔，椅子上，桌上，堆滿了小衣服、尿片、被褥、奶粉瓶，一看見易太太，彭太太像見了親人般喚了聲「姊姊！」，一面便騰出張椅子來招呼她坐。易太太眼尖，看見她扔到牀上去的一條被子，正是用來遮蓋幾包有著台北百貨店商標紙的包裹。

「噯，燒得火炭似的！」易太太按按孩子額角，誇張地驚喚了一聲，一面譴責彭太太，「孩子病得這麼厲害，怎不帶她去看醫生？」

「昨天晚上才燒起來的。」彭太太用臉頰貼貼孩子，惶恐地望著易太太嚴峻的臉色。「本來上午要帶她去看——」

「孩子抵抗力薄弱，病了哪裡經得起拖，振偉說他一早來這裡。」易太太故意在這句加重語氣，頓一頓，但見彭太太並無反應，她兩頰鬆弛的肌肉突然收縮僵直，心裡受了致命的一擊——一切都證實他來過了這裡。而單單瞞著她。這裡顯然有私情！可惡可恨，卑鄙無恥！她在心裡詛咒著，更拿定了主意，但依然裝得鎮靜而只為孩子焦灼。「他告訴我施施病了，不曉得還病得這樣厲害。本來嘛，三兩個月的孩子完全就靠做母親的小心照料，他們有病就表示做母親的疏忽——自然，這也不能全怪妳，一來妳沒有帶孩子的經驗，二來妳又沒有請傭人，事情多總不免分心，所以振偉告訴我，我就仔細想了一想，妳還是把施施交給我。」

「把施施交給妳？」彭太太疑懼地抱緊孩子往後退了一步，似乎怕人奪去。「姊姊妳是說？……」

「帶去找大夫嘛！」易太太說得很自如。

「哦，」彭太太鬆了口氣，「那我就去託隔壁金太太……」

「不，妳不必去。黃小兒科我很熟。」易太太堅決地吩咐，一面已從彭太太手裡抱過孩子向門口走去。坐上三輪車再回過頭向惶惶然站在門口的彭太太叮囑：「回頭妳也不用上我家，有消息我叫人送來。」腳一頓，三輪車走了。

彭太太最後接到的通知是：因為她不會帶孩子，怕蹧蹋了一條小生命，所以易家決定領回去自己帶，從此一刀兩斷。

孩子領回來了，易太太並不甘心，到處告訴別人。彭太太怎麼沒有良心，怎樣無恥卑鄙，自己待她那樣好，而她卻想騙了她的孩子作為引誘她丈夫上鉤的香餌，利用他的慷慨，好騙他的錢。彭太太又向別人哭訴說易太太欺人太甚，不講信用，不顧面子，送她的孩子替她帶大了又搶回去。還到處造她的謠言。

一個說要告對方妨害家庭。

一個說要起訴她破壞名譽。

當側面攻勢發展到最高潮，大家都等著一場好戲看時，忽然消息傳來說易先生調差台北，易家馬上要搬家了。這大家都知道易太太有位有權勢的堂兄在上面。

易太太似乎早已胸有成竹，說搬就搬。那天看看行李家具全上了運貨汽車，易太太一手提著皮包，一手握著線袋，在搬空了的房子中巡視一周，正待下階上車，忽見久不見面的彭太太單槍匹馬，騎著腳踏車直衝到她面前跳下來。

兩人彼此瞪視著，像兩隻決鬥前僵持著的公雞。

「妳到處造謠言中傷我。」最後還是彭太太先開口，聲音因恨極而顫抖：「現在我丈夫不要我了。我們算算這筆帳！」

「抱歉，我的丈夫我還想留著，不能賠償妳。」易太太冷冷的聲音像一支尖利錐心的冷箭，彭太太被刺得再也難以抑制。

「妳，妳欺人太甚！」她猛地一頭向易太太腹上撞去。易太太不及提防被撞得往後倒退了兩步，重重地跌坐在地上，但她也不示弱，一伸手抓住對方的頭髮，反手一掌打在臉上。揚起嗓子便嚷。

「勾引了別人的丈夫還敢鬧上門來，好不要臉的賤胚！」

兩人撕著打著扭作一團，旁邊看的人只虛張聲勢解勸著。卻無人出力拉開。大家彷彿像欣賞一場難得的角力般。眼看著烏雲勾肩的頭髮散成瀑布浪花，白嫩紅嫣的雙頰添上青紫虹彩。臂上扣上貝齒印痕，一個酥胸半露，一個玉腿展覽，最後還是易家的男傭人帶著貨車司機上前各抱著一個拉開。傭人把易太太半扶半拉擁上車座，看見她回頭張望，便說：

「火車還有十分鐘就開，先生早去了車站。」便碰地一聲關上車門。

易太太坐在車上猶自昏昏迷迷，不知身在何處，只聽見一個嘲笑的聲音在說：

「精采！精采！聽說那兩位太太從前還是乾親家呢！」

「如今可成了濕（死）冤家了，呵哈！」

易太太羞恨地掩上撕裂的前襟，車子一震動，只覺得渾身皮肉，一起發痛發燒似焚如裂……

編註：本文原刊於《婦友》第十三期，一九五五年十月十日，頁二十四～二十六。

級長

就像有一隻無形的巨掌推了一把似的，李德明驀地從沉睡中驚醒，睜開惺忪的倦眼，只見屋子裡還是黑沉沉的，那排玻璃窗有似一張灰色的布幕，他看不清幕外的景物，卻聽見幕外這幾天聽厭了的雨聲，經驗告訴他下雨，天亮得遲，忙不迭掀開帳子走下牀來把電燈一開，可不又是七點差二個字了，李德明一面扣著童軍服上的扣子，一面輕手輕腳走到廚房裡去，盥洗過了，便盛了一碗昨晚留下的冷飯用開水一泡，就著小碟中的酸鹹菜，很快就把一碗飯吃完了，胡亂抹一下嘴，便揹上書包，費勁地穿上膠鞋，披上雨衣，悄悄地打開大門，一陣晨風挾著驟雨迎面向他撲來，他不由得打了個噴嚏，緊緊拉住雨衣，毫不猶疑地衝進驟雨中去——雨是太大了，離上課也還有些時，但李德明是他們這班——三丙的級長，他負責開他們這班的教室門，一定要早點到校，不然去早了的同學就只得在走廊上站著等，而雨下大了，廊上是會飄雨的哩。

李德明一口氣走到學校裡，照例先去級任劉老師宿舍。

「報告！」

回答他的是一聲嘴裡含著水的咳嗽，他進去向正在漱口的劉老師行了個禮，便在桌上拿了鑰匙到教室去。他那瘦小的身軀還不及門鈕高，仰著脖子費好些勁才把鎖打開，當他再把鑰匙送回去時，劉老師對著一面小鏡子在剃鬍鬚，頭也不回地喚他道，

「李德明你穿著雨衣是嗎？」

「是的。」李德明恭敬地回答。

「那麼給我去學校對面買二個燒餅，一甜一鹹。錢就在桌子上。」

李德明答應著拿了錢又冒雨向校門外走去，校門口兩個守崗位的同學攔住了他。

「我去給劉老師買燒餅。」李德明理直氣壯地說。

「給老師買燒餅？」一個高年級的同學怪腔怪調重複著他的說話，望著他抿嘴一笑，放他出去。李德明忽然覺得那崗位的說話和眼睛裡都嵌著一點什麼使他臉上訕訕發熱的東西，從來他為老師服務總帶著一種榮譽感，認為能夠為自己尊崇的老師做事，是無上的光榮，哪怕做一件微小的事，但這一次，他第一次因為崗位的眼色和微笑，失去了那份感覺，他把買來的燒餅遮藏在雨衣裡，低著頭，匆匆地掠過崗位，送到劉老師房裡。

「級長你不管楊繼洪專門搗蛋。」

「級長我昨天掉了一支鉛筆你看到沒有？」

「報告級長，腳心發癢，請假三天，不能站崗。」

上課鈴打過了，教室裡還是一片喧譁，這裡喚級長，哪裡叫級長，也有同他開玩笑的，李德明一面應付著同學，一面尖起耳朵，聽起走廊上有無動靜，一聽到他熟悉的腳步聲由遠而近，便立刻警覺地挺直背脊衝著第一隻跨進來的腳，便用丹田中迸出來的聲音喚著：「起立，坐下！」

於是教室裡只聽得一片椅子吱喳的聲音。劉老師點過名。打開這一堂要教的算術課本，向黑板轉過身去。

「李德明，到辦公室去拿支粉筆。」

小級長答應著，立刻輕捷地走出去，到辦公室要經過三個教室，一片操場，他用了小快步很快地完成了任務，可是當他跨進教室裡時不禁愣了一下，他最要好的同學楊宗華正站在講桌前面領受責罰，還有一個是跟楊宗華坐在一起的林凱，劉老師滿面怒意，正生氣地譴責著：

「叫你們上課不要說話，偏要說話——李德明，快去把我的板子拿來！」

李德明屁股還沒有沾上椅子，又只好轉身出去，這次他走得特別慢，好像延遲了時間便能免除楊宗華的體罰似的，摸索半天才拿了板子回教室。

「你不能走快一點嗎！」劉老師向他大聲叱責著：「給我每人打五板手心。」

李德明吃了一驚，很想抗議，卻又馬上被劉老師的尊嚴懾住了。他只好咬著牙齒，先走到林凱面前，在他伸出的手掌上打了五下，林凱抽泣著回到座位上去，李德明又猶豫著走到楊宗華面前，楊宗華早已伸出手來，掌心因挺直而鼓著成為弓形，這隻手，李德明剛才還牽著一同玩的，怎又忍心打下去？他高高地舉起了板子——

「打重點，打輕了重打。」劉老師注意地監督著，李德明把心一橫，閉著眼睛便在那手掌上重重打了五下，眼看掌心從青裡泛紅，他覺得自己要哭出來了，把板子往講台上一擱，低著頭匆匆地回到座位上。心裡說不出得難受。

接連下了幾堂課，楊宗華都像故意迴避他似的，盡同別的同學扯在一起，使他得不到請求原諒的機會。好不容易盼到了上午的課完了，李德明捧著一大疊堆到下巴上的本子，跟在劉老師後面送到他宿舍裡去。

「李德明，」劉老師特別客氣地叫他：「下午能不能早點來？」

「好，」李德明，滿口答應著，走出宿舍便飛跑回教室，整好書包，又飛跑出大門，這才看見楊宗華跟另外一個同學挽著手走在前面。

「楊宗華！」他大聲喚著，但楊宗華連頭也不回。

「楊宗華，請別生氣……」他追到楊宗華後面，悄悄地說。

「我哪敢生級長的氣嘛，不怕打得更重點！」楊宗華看也不看地說，冷冷的聲音像支箭在李德明心上戳了一下，但他還是吶吶地分辯著說：

「那是劉老師叫我。……」

「我知道，明兒劉老師叫你殺我你還殺我哩！」楊宗華兇惡地衝他說，加快腳步，把他撇在後面。

李德明懷著一肚子委屈，快快地回到家裡，放下書包便幫著媽媽端菜開飯。這一餐他覺得胸口有什麼梗著，少吃了半碗飯，吃過飯，媽媽照例把妹妹交給他抱。

「我馬上就要去學校哩。」李德明破例沒有抱妹妹。從來媽媽吩咐他做事，他總是乖乖地照做了，可是有老師的囑咐在先，連媽媽的吩咐也是次要的了。

「這麼早去學校裡幹嗎？」

「劉老師叫我早點去的。」李德明一面催只上半天課的弟弟，「快點嘛，我走了。」說著，腳就下了台階。

「小鬼，老師的話就是聖旨！」媽媽在後面呵責著。

到了學校裡，因為學生都還沒來，李德明覺得校園更空曠了，他撇下弟弟，便一個人跑去教職員宿舍，劉老師的房間虛掩著。他停下來聽聽裡面傳出來輕微的、撥弄算盤的聲音——他常常看見劉老師打算盤算帳，可不清楚他算的是什麼帳，他在門外喚喚聲「劉老師！」

「進來。」劉老師伏在桌上撥撥算盤，又用鉛筆在面前的筆記簿上記下些什麼，忙得連頭都抬不起來。「是李德明吧，你幫我把這些筆記簿改改。」

幫老師改簿子，李德明已有過好幾次經驗了，他覺得那是一種榮幸，卻也帶著點惶悚。他站在桌子一端，打開第一本簿子，抖簌簌地舉起蘸滿紅水的筆，開始在簿子上畫著對的記號，一個勾，然後參照從前的評分寫上甲或乙，再寫上年月日——做這些，他是十分小心而費力的，他方額上漸漸滲出汗來。

劉老師好像因為算不清帳，蹙著眉一會兒算算，一會兒寫寫，顯得十分煩躁，猛地他把鉛筆一擲，算盤一推，把簿子鎖匙放進抽屜裡，站了起來，他望望手錶，對李德明說：「我要休息一會，回頭上第一堂國文時，你告訴大家把昨天教的那課書唸熟，第二堂課要背。」吩咐完畢，他就揮著扇子躺到牀上去。不一會，李德明就聽見了「呼呼」的鼾聲。

遠遠傳來同學們在操場上嬉笑歡呼的聲音，李德明覺得眼睛有點倦澀，紙上的字逐漸模糊起來，就在這時，預備鈴響了，他把改好和沒有改好的簿子分開整理好，望一眼猶自沉睡的劉老師，便躡手躡腳走出屋子，順手給悄悄地掩上了房門。

「劉老師叫大家把昨天教的那課書唸熟，下堂課背。現在大家開始唸！」李德明向同學宣達了劉老師的吩咐，便學著劉老師的樣子，手執著教鞭，在課桌行列間走來走去。看他們偷不偷懶。起初大家也還唸得像個樣子。慢慢地那股勁就鬆懈下來了。有的低低講話，有的在桌子底下比手勁，有的寫了紙條搓成紙團亂丟。當李德明轉過身去時，背上給誰用彈弓彈了一下，他回過頭去看不見是誰，只見大家竊笑著，他覺得有點惱，用教鞭敲著桌子說：

「唸書，唸書，誰不好好唸書，記下名字來。」可是他走過楊宗華身邊時，卻見他似乎故意向他挑釁似地拿張紙在摺飛鏢。用輕蔑的聲音輕輕說：

「趕緊記下名字來去向老師討功好了！」

李德明只好當作沒有看見。逕自從他身邊走過。這一堂課李德明覺得時間過得特別冗長，好不容易熬到下課鈴響，他已累得聲嘶力竭。想著自己的那課書還沒有機會唸過一遍。便趁著這幾分鐘休息時間坐下來輕輕地唸，奇怪的是那些字今天好像變得特別生澀沉重，唸起來總覺得不十分連貫。而且每一個字只在嘴裡發一個音，卻不像平常那樣很快地把字的意義反映入腦中。他費力地唸了兩遍，上課鈴又響了。在外面玩的同學一起蜂擁進來，教室裡頓時像打翻了蜂窩似的，鬧成一片。級長因為惦著自己的書沒有唸熟，如果老師挑他背起來背不出才丟臉哩。只是站起來向大家嚷著。

「不要吵，不要吵，在老師沒有來的時候，請大家先唸幾遍書。」說完，他又專心唸他的書，劉老師半天還沒有來，不知怎麼李德明唸著，唸著，覺得舌頭變僵硬了，眼皮重甸甸的，直往下墜，他做了幾次努力，抬起來，但馬上又墜了下來。他實在是很倦了，晚上回去他得幫著媽媽洗碗、擦地板，而且要等她去學了洋裁回家，才能把看顧小妹的責任交卸，再開始做功課。抄完了兩篇書，做好一篇日記，已經很晚了。第二天天一亮就得起牀，中午又費力地改了那些簿子和督促同學溫課。九歲的孩子精力究竟有限，再加上教室裡燠熱的空氣一薰，那些喧鬧的聲音逐漸變成一隻蜜蜂的嗡嗡聲，越飛越遠了，遠了……他猛然被一種警惕驚醒，耳畔卻正響著巨雷似的吼聲：

「上了課半天還這樣吵鬧，這成什麼樣子，成什麼樣子！」忽然，李德明耳朵上一陣熱辣辣的，身子就不由得跟著耳朵像要撕裂的疼痛，站起來，一抬眼，正對著劉老師瞪著他要冒出火焰來的眼睛，嚇得他又馬上低下眼簾，「睡得好覺！我叫你督促他們唸書，你倒睡覺，你這個級長算幹什麼的，你說！」

李德明蒼白著臉，嘴唇抖慄著，他想不到自己會犯這樣嚴重的錯失，又是羞愧，又是惶懼，低著頭只不作聲。

「叫你說，你是幹什麼的！」

「上，上一堂課同學都唸了。」李德明痛苦地掙扎著說。

「上一堂課都唸了？好，背不出都記在你帳上。」劉老師瞪了他一眼回到講壇前，拿起課本來。便一個個喚起來背。

「王永保！」

「楊宗華！」

「梁建！」

但是，彷彿大家全被這嚴厲的氣氛所震懾，竟沒有一個順順利利背完了全課的。

「全班都站起來！」劉老師怒不可遏地叱責著，最後嚴厲地命令李德明：「現在你來背。」

「古時候有一個聰明的女子，她喜歡觀察草木蟲魚。一天，她……她」李德明戰戰兢兢背到這裡，卻再也背不下去了，他覺得那些字句都成了毫無意義，毫不聯貫的音符，他受了驚的腦神經無法把這些沒有意義的音符串綴起來。

「蒙蔽老師，上課睡覺，很好！」劉老師狠狠地說。似乎把所有的怒氣全集中在級長身上。他瞪著眼睛四面張望，似尋覓什麼可以責罰的工具，他的眼光一落到牆隅兩根站崗用的童軍棍上，立刻過去拿了一根，向李德明走來，李德明從來沒有經過這種場面，一時嚇呆了，恐懼地望著劉老師直等那根棍子向他頭上打下來，他才本能地舉起手臂來護住頭頂，只聽見「拍」一聲李德明感到一陣徹骨地疼痛，嘴裡喚著「哎唷」，手臂便像折斷了似地落下來。

「劉老師！劉老師……」李德明捧著手臂，驚懼欲絕地哀求著。但劉老師此刻就像失去了理性的野獸，怒眉豎目，對著李德明又是一棍子打在他肩胛上，打得他身子一晃兩晃，緊接著又是一棍。這棍正落在頭上了，李德明只覺得眼睛裡直冒金星，接著是一片昏黑，便什麼也聽不見，看不見了⋯⋯

李德明從迷糊中醒過來，渾不知自己究竟在哪裡。身子卻動彈不得，只聽見屋子裡人聲嘈嘈的。

「身為師長，可以這樣任性毀打學生？以後人家的弟子還敢送到學校去嗎？非去法院告他不可，問問那個姓劉的根據什麼教育法這樣打孩子的？」李德明聽出這是大伯父氣憤的聲音。

「還不知孩子的腦子有沒有受震傷，要不，豈不害他殘廢一輩子！」這是父親沉痛的聲音。

「當然，當然，這是很不幸的事，學校當局因為劉老師犯下這一樁嚴重的錯誤，也感到十二萬分不安和抱歉。」一個陌生的聲音婉轉地岔進來說：「不過如果告到法院裡去，而法院也真的判了劉老師個傷害罪。這與令郎的傷——似乎並沒有好處。其實劉老師年紀輕，性子躁一點，事後他亦十分悔恨，他表示願意負擔令郎全部的醫療費用。自然，只要能夠很快地使令郎恢復健康，就是學校當局也願意分擔這筆治療費，我看，我看還是私下調解的好⋯⋯」

「我打傷了？」李德明疑惑地問自己，他恍惚記起劉老師毆打的一幕，好像那已經隔得很久很模糊了，不是嗎？在他單純的心目中，劉老師不一直是他最敬愛崇拜的人；可是——

他忽然覺得頭裡像有無數針在戳著似的，感到一陣劇痛，忍不住重重地呻吟了聲，立刻，屋子裡父親他們說話的聲音，就同那天在教室裡一樣，變成蜜蜂的「嗡嗡」聲，越飛越遠了，遠了！

編註：本文原刊於《反攻》第一一六期，一九五四年九月十六日，頁二十四～二十六、三十二。

群魔宴

陽光透過沉沉的窗簾，落在那張雕花的檀木大牀上。埋在被褥裡沉睡的女主人——老牌左翼作家，似乎讓這光亮驚動了，從織錦緞的被底伸出手來擦擦惺忪的眼睛，首先看到外面那個枕頭已空了，只留下個深陷的臉印。再看衣架上也沒有了衣帽。她滯澀的眼光落在窗前的圓桌上，兩副用過的杯碟，空了的酒瓶，在黯淡的陽光下顯得十分狼藉。她想起了昨晚，臉上有點發熱，那來自窯洞的草澤英雄，怎樣陶鎔，也還脫不了本質上原始的獷野氣息。

她翻了個身子，厚厚的墊褥幾乎覆沒了她瘦小的身軀。緊閉著門窗，屋內的空氣真是窒悶薰人，就像充滿了水蒸氣的浴室。她閉上圍著黑圈的眼睛，又迷濛地想睡去；猝然一個念頭閃電般擊中了迷糊的腦神經，《文藝報》那篇稿子已來催過二次了，今天一定得交卷。下午要去一個大學裡講演，而晚上更有一個由她主持的文藝工作者聯歡晚會……她骨碌一個翻身起了牀，順手披上一襲金黃色繡花晨衣。盥洗畢，按一按電鈴，一個唯一能進入這寢室的女侍端來了一份精美的早點。

她一邊呷著麥乳精，一面極力調整複雜的腦筋。思想這樣東西真怪，一擱久不用就顯得不靈活了。再加上「人民政府」統轄大陸後，過著奢侈放浪的生活，真有點腦滿腸肥。好在馬列主義、唯物辯證法、普羅文學這套老調兒已是唱得爛熟了，再翻閱一番什麼斯基、什麼列夫的作品，首先便迅筆疾書一個響亮雄壯的題目：「跨到新的時代來」；在歌頌了一番人民政府後，提出了一個原則，強調解放了的知識分子應該拋棄舊的趣味，以農工兵為主題的對象，「嚴肅」地建立起人民大眾自己的文化。寫畢，自己讀了一遍，也覺得盡夠擲地鏗鏘了。進餐休息後，便脫下那襲輕軟華麗的晨衣，換上粗布解放裝。立刻，由一個嬌慵佚侈的享受者，一變而成為嚴肅儉樸的「文化戰士」。

在大學裡講演的題目是「新時代的文藝工作」，與那篇〈跨到新的時代來〉大同小異。「……文藝是為大眾服務的，我們要為人民大眾創作，要向人民大眾學習。」她加重語氣述及那個自己認為精心構作的原則。「但這絕對不能將殘留的小布爾喬亞的尾巴帶過去，必須要完全拋棄舊的趣味，以廣大人民為主題的對象，嚴肅地建立起人民大眾自己的文化，嚴肅地……」她嚴肅地作了結尾，嚴肅地在掌聲中步出講堂，嚴肅地向送她的主人告別，處處都表現著自己是一個歸依人民大眾的、嚴肅的文化戰士。就擁著這一身嚴肅，直赴國際飯店。

這次宴會，表面上是為了與文藝工作者聯歡，實則還秉有另一重使命。毛澤東同志近來對「文化人」深深感到失望和不滿。果然，他們過去的宣傳工作是做得不錯，可說極盡煽動、教唆、挑撥、蠱惑之能事。可是當「解放」的地區逐漸擴大，他們的筆卻變得無力而凌亂，有時更揭露著黨的缺點，洩露著人民的不滿。一怒之下，他便告訴那批前進文人，他們還須向人民學習。果然，他們便乖乖地不再舞文弄墨了；直到現在，直到「共和國」建立了，毛澤東同志統治了全國，還是默默地不見一部歌功頌德的鉅作。他只是要他們不要自由發表言論，不想他們連該表揚的也不表揚了。難道他們便忘了他賦予他們的任命嗎？而最近莫斯科的主子又表示可以將中共解放中國的情形介紹給他的人民。怎樣的恩澤！偏生又找不出一部鍍金的作品奉獻。下道命令吧，雖然他們是受他，不，受人民豢養的，一旦惹得他們發書獃子脾氣可也麻煩，於是他便授意黨資最悠久的頭牌左翼作家，主持這個文藝工作者聯歡晚會。

女主人抵達國際廳三樓時，已到了好些「前進才子」、「革命書生」，屋子裡煙霧騰騰的，大家一面牛飲般喝著可口可樂，一面拚命地抽著特殊配給的三炮台香煙。女主人一進門，衛隊之一的「前進詩人」立刻殷勤地迎上來接過外套，客人們也堆著諂笑恭敬地伸出手來。文人那種灑脫不羈的風度在這裡都收斂了。談話時不僅自己的每句話都要經過考慮，別人的說話也要拿來在肚裡忖量，梗梗格格，吞吞吐吐，雖然濟濟一堂，卻全然沒有一般宴會場合的高談闊論，暢言無阻的情況。

賓客絡繹來齊，盛大的華筵開始了。潔白的桌布上，鍍銀的杯碟在炯亮的燈光下閃爍，穿制服的僕孩交替著端來大盆名貴的菜餚，筷匙的動作由緩慢而迅疾，頃刻便展開了各種攻勢，「叭……磁……」「叭，磁……」，一瓶一瓶的酒不斷地開，紅的白的酒液從杯底泛上臉頰。酒的浪潮開始洶猛地向心中的堤防進攻、沖激。女主人把著杯向客人勸酒。

「請了，我的主席同志。你那篇向史太林祝壽的詩：偉大的太陽，親愛的鋼，多麼鏗鏘的句子！」

「這不能歸功我的靈感，而是一種偉大的人格的感召！哈哈，請了。」

「近來有什麼新的感召嗎？」

「哦，還沒有，我正埋頭於學習。」

「請了，我們的部長同志。你在那篇寫作經驗談裡說：作家必須熟讀毛澤東主義的意見，真是透徹！」

「那因為我自己正從哪裡得到了啟示。嘿嘿，請了。」

「近來又得到什麼新的啟示沒有？」

「那個吆，我還在學習，在學習。」

「請了，青年作家同志，你的〈毛澤東與吳滿有〉，把一代偉人與勞動英雄描繪得那麼深刻、動人。真是好作品！」

「偉大的時代便能產生偉大的故事，我這支拙筆只能說報導了千分之幾的真實。請了，同志。」

「近來有更深刻的傑作嗎？」

「唔，沒有，我還需要多多地學習哩。」

「請了……」同志一個個地敬下來，一個個答覆如出一轍般「學習，學習」。其實她自己又何嘗不是為了學習而擱筆！可是她記了毛澤東同志的吩咐，我只是要他們不要自由發表言論，不是叫他們從此緘默。她按著酒杯緩緩地站起來，深意地向四周環視了一眼。

「親愛的同志，我一直感到我們的筆是世上最犀利的武器，最萬能的工具。不是嗎！我們曾經控制了全國的文藝潮流，我們曾經把革命的種籽下在青年的心裡，我們告訴人民反叛腐化的國民黨政權，我們勾畫了一幅光明燦爛的美景展現在人民面前，我們的宣傳戰終於使國民黨政權不能存在，我們的筆終於支持了人民共和國的建立。論功，我們不愧為共和國最大的功臣、人民大眾最忠實的戰士。」

「最大的功臣！最忠實的戰士！」大家舉起酒杯歡呼著。

「可是，讓人遺憾的是，」女主人頓了一頓，轉換了感傷惋惜的腔調：「我們所爭取的，所憧憬的，所期盼的偉大的時代已經來臨，我們偉大的毛澤東同志已領導完成了人民政府，而面對著這劃時代的壯舉，這歷史上最輝煌的一頁，我們做為文藝工作者的卻反而沒有一部鉅作，一首長詩來謳歌，來頌讚，來表揚。我們實在太對不起栽培我們的毛澤東同志，扶植我們的人民大眾……。」

方才歡呼的人們真像痛心疾首般寂然無聲了，有的直視前面，有的望著酒杯，大家都聽出了話裡的弦外之音，大家都不想開口。這時忽然有一個不知趣的帶著深度近視眼的矮瘦個兒兀然揚言道：

「我們不都遵照毛主席同志的意思，在學習嗎？」

這不合時的話立刻換來了全體的冷眼，說話的人漲紅了臉低下頭去。

「對目前文壇的沉寂可以概括地納入一個原因。」還是寫〈史太林，親愛的鋼〉的大詩人站起來解圍：「這有個譬喻：就像三家村的鄉下人一旦衝進了最繁華的都市一樣，目瞪口呆，不知該怎樣好！我人遽然面臨著這氣象萬千、莊嚴偉大的局面，徒事瞻仰驚歎，卻不能迅速地吸收反映，把思想和感情馬上鎔鑄成鉅大的作品。——但是我相信在時間的陶鎔裡，不久的將來，一定會有更多心血的結晶，貢獻給人民，貢獻給高高在上的領導者。」

「心血的貢獻，好一個心血的貢獻！」

「擁護詩人同志的譬喻，我們為你乾杯！」赤色文士們一掃方才的嗒喪，立刻又歡騰喧嚷起來，杯子相碰，清脆的聲音混雜在囂譁中，僕孩恨不得多生出二隻手為他們開酒瓶，心中的堤防終究讓酒的浪潮沖潰、澆蝕，話流氾濫了。

「啊啊，乾杯！」
「啊啊，請了！」
「毛澤東同志萬歲！」
「人民共和國萬歲！」
酒精和脂肪填滿了這班前進文人的腸胃，強烈的酒精使他們逐漸脫去肅穆莊重的偽裝，露出了本來面目。舉止擺脫了無形的拘束，顯得粗野、卑鄙，談吐去掉了喉頭的桎梏，變得放肆，猖狂。
「啊，乾杯！」
「啊，請了！」
男同志若瘋若狂地鬧著酒，杯子魯莽地相撞，「砰！」猛烈的高加索酒驟雨般急瀉四濺。「哈哈哈！」馬上又暴發了放浪的笑聲。
「啊，請了！」
「啊，乾杯！」
女同志貴妃醉酒般扶著桌子搖搖晃晃地站起來，「拍達！」醇厚的葡萄酒傾倒了，赤紅的液體沿著狼藉的桌面四流。「嘻嘻嘻！」又是無意味的狂笑。瘋狂中，一個「風流才子」忘記了黨的禁令，又染上了「布爾喬亞」的「感情主義」，涎著臉向鄰座的女作曲家大吟其戀詩：

……在可愛的五月季節，當所有的嫩芽全開放時，愛情跳進了我的胸膛……我向妳表白了我的戀念、我的願望。

一個沒有調笑對象的黑胖子，歪溜著走去扭開了收音機，立刻一片鑼鼓喧天，粗俗鄙俚的秧歌調掩蓋狂浪的笑語喜謔。筵席上的男女同志騷動了，男同志聳著肩膀，女同志扭著腰，女主人第一個拎著塊手帕，盈盈地站起來，扭動著臀部走到屋子中間，邊扭邊唱。

太陽出來一點紅，東方出了個毛澤東……

哄然一響，所有尖聲尖氣、怪腔怪調的嗓子全接上了。接著椅子一片價推倒撞翻聲，赤色文士們像被串成一串的螃蟹般，斜著步子，一個銜接著一個，一起扭著腰肢，擺著臀部，從房子這端扭到那端。「咚咚狂，咚咚狂。咚咚狂，咚狂。」鑼鼓敲得越緊，扭得愈起勁，男同志眼睛裡閃著邪惡淫猥的紅光，女同志淫蕩地乜斜著眸子，把臀部扭得溜溜直轉。「咚咚狂，咚狂。咚咚狂，咚狂。」扭呀，扭呀，用勁地扭，瘋狂地扭，扭得眼中出火，心頭冒煙！突然，中間的一個女同志腳步一溜，一個踉蹌撲在前面的男同志身上，前面的給撲倒了，後面的也收不住腳。整個蟹串似的行列立刻七搭八撞地跌成一堆。「嘔！嘩啦！」嘴一張，一大堆魚翅、海參、葡萄美酒化成的穢物，如醍醐灌頂般噴射得左右的人滿頭滿身，一股酒精與脂肪發酵了的酸臭頓時瀰漫了全室。那像一種傳染性的毒氣，一竄進每人的鼻管，大家都覺得喉頭有什麼在往上竄，片刻間這裡「嘔，嘩！」哪裡「嘔，嘩！」惡臭的穢物流滿了漆得發亮的地面。侍候著的僕孩全掩上鼻子，皺著眉頭，像看見了腐肉臭蛆般，一個個逃避出去。起初還有人掙扎著想爬起來，但好容易撐起抖簌簌的腿肢，一踩上滑膩膩黏稀稀滿地淌來淌去的穢物，不是跌個狗吃屎，便是個元寶翻身。此起彼落，鬧了一陣子。力乏了，酒精的麻醉性迷失了他們最後一點靈性。那消一會兒，這些解放了的「革命才子」，這些以嚴肅作為幌子的「前進文人」，都像泥豬浸沉在泥潭裡般，你靠著我，我壓著他，就在惡濁腐臭的穢物裡，渾渾然做起「文章換高官」的白日夢來。

艾雯全集8

小說卷三

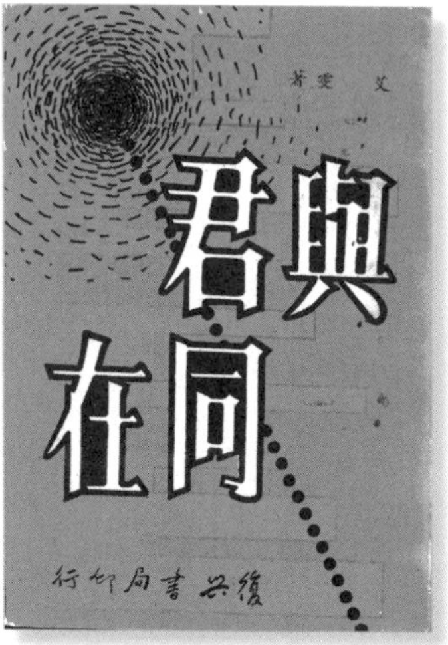

與君同在

與君同在：台北市，復興書局，一九六二年六月初版。三十二開，一九九頁。

◎復興書局版原目：

父子島、鄉下醫生、勇士、與君同在、花魂、彼岸、捐、復活的春天、孤女恨、藤簏裡的秘密、永恆的路、蘋果、明月千里、麻花老人、恩重如山。

◎說明：

本集據復興書局初版編入。

父子島

一

陽光像金色的液汁，從天空傾瀉到浩淼的海上，波光閃熠，在海天之間，瀰漫著一片渺茫迷離的霧雰。穹蒼和大海一同向前伸展，在那一線交合處，渾然分不清是天，是海。明朗的晴空是靜止的，光滑得像打磨過的青石。暗藍的海水是動盪的，重重的波浪連延起伏著。波浪推移到一帶參差錯綜的島嶼之間，忽然激盪起來。浪卷在岩石號上摔碎，迸出白閃閃的浪花，打了個迴旋，又洶湧地奔越過去了：正慢慢地趨於徐緩，卻又撞上第二個第三個島嶼。那些星羅棋布的島嶼，大小不一，透過迷濛的煙霧，遠遠看去，有似一群隱現在暮色中的黃昏星。東一顆，西一顆。看似挨得很近，卻往往離得相當遠。

這是澎湖列島。總共六十多個島嶼中，有三分之二是沒有人煙的荒島。

廣闊的海上有隻漁船。操舵的是一位壯健的青年，那裸露在外面的臂和腿，被常年累月的烈日和海風曬炙成深赭色，映著陽光，射出古銅的光彩。小船配合著波浪起伏的韻律，微微舉起，又輕輕滑下，以優美的姿勢向前行駛。

他顯得躁急不安。用力扳著舵，挺著腿，身子加強雙臂的力量直向後仰，雙腳一蹬，又把結實的胸脯頂過來。漁船迅疾地前進著，為了超越層疊的波浪，前翹後落，簸動得很厲害。他挺立著，有如桅杆。

漁船穿過兩個遙遙對峙的小島，向那籠罩在金色霧霏中一座更小的島逐漸臨近。這座小小的島，與別的荒島顯然不同，島上有用硓砧石砌造的小屋和矮牆，幾塊滿布綠色農作物的梯田。他正預備繞過凸出的巉岩，拐進天然形成的小灣，忽然一陣獷旱的海風斜刺裡撲捲過來，把小船往後吹退了好幾尺。他心裡在想著什麼事，沒提防，不禁手腳忙亂了一陣，費勁把穩了舵，才算把船弄進灣子。

「富郎，富郎，我來啦！」從小屋後面轉出一位老人來，一面欣慰地嚷著，一面喘著氣，快步走下沙灘。那花白的頭髮和皺紋重疊的臉，毫不掩飾地顯出歲月的斧痕：但敏捷的身手，依然看得出早年曾飽受一番磨練。

「阿爸。」那青年人親切地喚了一聲，便跳下水去推船，讓老人接著纜。

「風來得好蹺蹊，不曉得是颱風還是季風？」因為有風，富郎著實費了一番氣力。

「季風不會這麼早，只八月哩！」老人富有經驗地搖搖頭，熟練地把纜套在岩石上。做兒子的拖著兩條濕淋淋的腿跨上沙灘，一眼看見老人腳上沾滿黃泥，忍不住溫和地責怪道：

「阿爸，你又去翻那塊地了，告訴你讓我沒事的時候慢慢整。」

「反正閒著，練練筋骨也好。」老人對著兒子伸屈了兩下臂腕，詼諧地說道：「你怕我老了，廢了！」

「你餵鴨、澆水，也不閒散。」富郎吶吶地聲辯著，彎下了腰，開了艙板，掏出一掛豬肉，一袋米，像獻寶似地交給老人。

「富郎，你發瘋了！」老人望望手裡的肉和米袋，朝兒子嚷著：「幹嘛又是肉又是米？」

「天天吃地瓜，難得魚賣得好，孝敬孝敬你老人家。」富郎憨笑著，又摸出一個小小的紙包遞給老人，說道：「這是太平叔送你的煙絲。」

「噢，他們可好？」老人抓著紙包看著，嗅著，彷彿嗅到的不只是煙絲的香味。

「太平叔好得很呢，有一條機帆船了。」

「哦，一條機帆船，用馬達開動的？」老人激動地看著兒子，又轉過頭瞇著眼睛望著遠處，喃喃地說：「想了幾十年了，也是一生辛苦。」

「太平叔說是政府放領給他的。」

「什麼放領？」老人睜大了眼睛，無從理解這句話的意義。

「船是政府造的，漁民可以申請。先付一點錢，以後再一年一年的付。聽說還配好了漁具哩。」富郎把這樣一件大新聞三言兩語地說出來，顯得很高興。他怕老人不相信，補了一句：「白沙鄉的人都這麼說。」

「噢，有這樣的好事，從來沒有聽說過。」老人半信半疑。

富郎雙手托著頭，呆呆地望著父親，像是有很重的心思。忽然從喉嚨裡迸出了一聲：「阿爸！」

阿爸好像沒聽見，點著下頦，將迷茫的視線從遠遠的海那邊收回來。他用詢問的眼光停留在兒子的臉上。富郎漲紅了臉，像個脹滿的隨時要爆破的汽球，有很多要說的話都擠在口邊。氣球忽然走了氣，富郎又裂開嘴巴笑了笑。一陣風挾著沙礫從父子兩人中間掃過去，老人嗆咳著，彎下腰去。做兒子的慌忙過去，捏起拳頭在他背上輕輕捶著。

「唔，這風！」老人喘著挺起腰來，用手抹去沾在鬚上的口沫。「我去看看你媽那裡的榕樹，也許得加些土鎮著。」老人說起他的老伴，聲音便顯得特別溫和體貼。富郎的母親已死去十年，可是他父親說話的口氣，聽起來彷彿她還活著，同他們生活在一起。因為她生前常常懷念家鄉那株大榕樹，她死後，她丈夫便多方覓得一株榕樹苗，栽在她的墳前。

老人斷斷續續咳著，向屋後的土丘走去。富郎沒精打采地把漁網拽上沙灘，迎風抖開來，又走進屋子裡去拿了一根竹針和一紮麻線，蹲在地下，心不在焉地補綴著漁網。儘管他也縫過不少次，一枚細細的針拈在粗大的手指中總是彆彆扭扭的。他心裡想，「這原該是女人做的事。」他覺得很奇怪，「怎麼會想到這個問題呢？」

二

她坐在小凳上補漁網，一根粗針穿梭似的在網眼中穿來穿去。一雙黑亮的眼珠瞥了他一眼，馬上又垂下了眼皮，一排白牙向他微微一展，露著笑向他說：「只有你們父子住在那個小島上？」

「噢，就是我們父子倆。」富郎趁她低下頭，偷偷地打量著她，羞得她臉都紅了。

「你們一直住在那裡？」

「嗯。」

「那樣冷清，教我一天也待不下。」她轉著兩顆新剝的桂圓核——那雙黑得發亮的眼睛，天真地搖著頭。

富郎顯得有點慌亂。笨拙地回答道：「我們住慣了。」他不敢再看她，只覺得一雙手不知放在哪裡才好。她是太平叔的獨生女——阿翠。富郎逢上到大島白沙鄉來將魚和鴨交換雜物，有時也要去看看他父親幼時的遊伴。他也曾見過阿翠，可是在他眼中，她只是一個可愛的小女孩，躲在她父親腿後偷窺著來客。但就像小小的花蕾在春風麗日下倏忽間綻放了開來。今天他第一次發現，阿翠已經長成盈盈動人的少女了。

「你今天要趕回去吧？」阿翠瞟了他一眼，抿著嘴唇笑。

「要趕回去。」富郎發現自己癡呆地站在哪裡，好似生了根，一面窘迫地回答著，一面急急轉身就走，慌亂中，不提防絆上了網繩，一個踉蹌，魁梧的身軀直向前撲下去，好得動作靈活，左膝屈了屈，便霍地站直了。

阿翠噗嗤一聲，又急忙忍住笑，關切地問道：「摔痛了沒有？」

富郎搖著頭，窘得說不出話來，正巧這時太平叔同他的老夥伴阿宗一路走進來。太平叔親暱地在他背上重重拍了兩下。「小伙子，可真棒！看你提一簍魚就同空簍子似的，腳底下飛快。」說著，把富郎推開些，用一種激賞的神情從頭到腳打量著，捏捏他粗壯的胳膊。

「全白沙村的青年沒一個比得上你壯。」

「像條大牡牛。」阿宗附和著。

「富郎，你靠那條小船不會有多大出息，不如到我船上來。我置的這條新船上還少個好幫手。」太平叔誠懇的邀約，使富郎受寵若驚。機帆船對他是一種新奇的誘惑，但是興奮的神情像火光一閃，一剎那就消失了。他沮喪地搖著頭。「我不能撇下我爸一個人在那裡。」

「當然把他一起接出來。」

「他不會肯的。」

「跟他說說看，你媽去世十多年啦，這把年紀困在荒島上，實在沒意思。再說，也該為你打算打算，年輕人的日子可長著哩！」太平叔拍著他的肩頭，向瞪著一對眼睛的阿翠看了一眼。「回去勸勸老頭子，告訴他是我太平叔的意思。」

富郎吞吞吐吐應諾不來，但他知道要勸父親離開那座小島，比在大海裡撈珊瑚還要困難。這番話在他平靜的心裡掀起了漪漣。

阿翠收拾起補網的工具，咬著嘴唇，向富郎溜了一眼，隨著她父親走進內室去了。富郎怔怔地望著房門。他驀地裡一驚，阿宗叔在他肩上拍了一下，笑著朝門呶呶嘴。「都對你不錯嘛，我看太平叔有意思……」

「阿宗叔別開玩笑！」富郎從臉上一直紅到脖子。

阿宗拈著幾根花白鬍子直打哈哈，一會卻又一本正經地提醒他：「不是開玩笑，要離開那荒島就得抓住機會。你爸不肯離開哪裡，你又不肯離開你爸，哪有姑娘肯嫁到那無親無鄰的孤島上？再過上三、五十年，你們那個父子島可就要成為無人島了。」

三

獷悍的風彷彿產婦的陣痛，起初是颳一陣歇一歇，後來可越來越緊，也越來越強烈了。富郎用石頭壓著的魚網終於被吹得翻翻滾滾，簡直無法補綴。他只好把魚網捲起來，兀自坐在屋簷下，呆看著海。海水被狂風掀起白花花的排浪，沖激著岩岸，嘩地一聲摔碎了，濺起成排的水珠。水珠映在陽光下，就像阿翠微笑時露出的發亮的牙齒。

「富——郎，富——郎！」老人的叫喚聲，交雜在風浪聲中，顯得零零落落。

富郎連忙站起來，用手圈在嘴上大聲答應著。

「船……船……船……」富郎聽見他父親在說「船」，馬上想起船還有推上沙灘。這場風不知要颳多久，漁船要是給風吹起，或是在岩石上摔破了，那一家生活可就完了。他一面罵自己糊塗，一面迎風跑下海灘，解開纜，將船推上沙灘，找一個背風的地方覆好。

他正累得出一身汗，又聽見父親焦急地在喚他：「快攔住鴨子，鴨子！」

他三腳兩步跑上岩岸，一股風挾著沙礫直撲過來。他停下來，兩手抱著頭閃避了一下，等他睜開眼來，卻見父親正踉踉蹌蹌地趕著一群鴨子。牠們被風吹得驚惶地亂竄亂跑，老人手忙腳亂地攔著趕著，在風地裡不住的咳嗆。

「阿爸，等我來。」話還沒有說了，只見老人腳下一絆，猝然蹟倒在地上。

「別管我，快趕鴨子。」老人顯然跌得很不輕，一下子站不起來，但他拒絕兒子攙扶，催他先去照顧鴨子。

趕一群受驚的鴨子，就像掃集風地裡的落葉，好像展開一場驅逐戰。鴨的聒噪，人的吆喝，混合著風吼海嘯。好不容易將鴨子趕到一起，卻發現鴨棚已被風吹垮了，只得把牠們趕進人住的屋子，攔在一個角落裡。

老人也跟著一顛一跛拐進屋裡，關在笨重的木門外的不止是狂風，還有一簇簇箭似的雨。

「雨不小！」老人坐在算是牀鋪的一堆草上，用一雙粗手擦去沾在腳上的泥沙，腳踝上顯出紅腫。

「扭了筋，你歇著，燒點熱水敷一敷。」富郎揪了兩把草塞在屋角的土灶裡燒起來。幽暗低矮的小屋，立刻瀰漫著濃濁的煙霧。

老人斷續地咳嗽著，鴨子在屋角不安地騷動聒噪，富郎默默地蹲在灶前，火光映著他黧黑的臉。

老人兩腳洗得暖暖的，吃著地瓜加米煮成的粥糊，還有烤鹽魚。這頓晚餐在富郎父子算是很豐盛的了。灶裡的餘燼慢慢熄滅，小屋浸在黑暗中。富郎展開四肢，躺在鋪上，凝視著父親煙桿斗上的一點火，一亮一暗。勁風不住地震撼著門窗，富郎很心焦，歎了一口氣，對老人家說：「看樣子，明天怕不能下海了！」

「大概不能了。」老人把煙管在地上敲兩下，珍惜地踏滅了煙，屋子裡漆黑一片，屋子外也是黑漆一片。暴風瘋狂地撲擊著，大海掀起洶湧的浪濤，好像要把這座小島掀翻，沖沉。

四

一連幾天，風沒有停，雨也沒有歇。小屋裡充滿了鴨糞臭、旱煙味和霉氣。

老人蹲在臨時圍成的鴨圈旁，吧達吧達吸著煙。富郎兩手枕著頭，懶洋洋地靠在草鋪上。使慣了的氣力沒處使，勞動慣了的四肢閒散下來，不知如何安置是好。忽然一隻鴨子呷呷叫了幾聲，接著好幾著響應著。牠們好像在比嗓子。

「宰了你！」富郎喃喃地詛咒著。一欠身站了起來。走到門前，拔了閂，拉開了門，一股風捲著急雨，淋了他一頭一臉。

「媽的，這算是哪一路的風！」他恨恨地把門關上，回轉身來，伸手在臉上胡亂拭著。

「富郎，嘴裡別不乾不淨，別忘了我們是靠天吃飯的。」老人拔下嘴裡的煙桿，鄭重地告訴他。

富郎不作聲，提起茶壺來呷了幾口。

「不知你媽那裡的樹怎樣了？」老人又擔心地叨嘮著。

「田裡的花生怕不都給颳翻了。」富郎悻悻地說。

「那塊剛挖的山地，一定又給上面沖下來的石頭壓壞了。」

「讓石頭沖沖光，省得下了種又墜下來！」富郎自己調侃一番。鴨子又聒噪起來，他使氣地把一缽子拌好的飼料全擱在鴨圈裡。「去吃，去吃，吃光了別活啦！」

老人在坐著的石頭上敲著煙桿，歎了口氣。說道：「沒料到這一場風雨，糧食還沒儲備，再啃上兩天，人畜都得挨餓了。」

「阿爸，」富郎在心裡醞釀了幾天的話，忽然一下子衝口而出：「阿爸，別待在這孤島上擔心挨餓，搬到白沙鄉去算了。」

老人似乎猛然受了一震，手裡的煙桿震落在地上。但立刻強自鎮定地撿了起來，盯住兒子問道：「你什麼時候想起要去白沙鄉？」

「別人都這樣勸我，說是外島的漁民生活都比從前過得好，老待在這裡沒意思，」富郎避開父親的視線，局促地說：「太平叔要我到他機帆船上去。」

老人沉默了半天，彷彿極力在心裡調整一些攪亂的什麼東西似的。抓煙桿的手微微顫抖著，沉緩的、衰老的聲音，好像來自很遠的地方。「我知道遲早會有這一天，你要離開這座島，離開我。」

「不，我們一起去。」富郎惶急地解釋，但老人不聽他的，逕自說下去。

「我知道會有一天，你年輕，應該圖發展，應該成份家——我也一直盼望著這一天。那有姑娘像你媽，肯跟我跑到這荒島上來？你一定得離開這裡。」

富郎被父親說中了心事，不禁愧恧交集地說：「可是，阿爸，我要同你在一起！」

「說什麼也是廢話，你想你媽在這裡我能撇下她？當年你媽和我開闢這荒島，流了多少汗？費了多少力氣！她沒有離開我。她一直就在我左右……」

老人低聲訴說著。富郎蹲在父親對面，兩手托著下顎，默不作聲。

「你媽從小跟我一起玩。我十五歲那年，有一天你爺爺出海從此沒有回來，隔了不久你奶奶也急死了，撇下我窮光棍一個。除了一幢破屋什麼也沒有。你媽喜歡我，一點也不嫌。她不顧她家裡人反對，情願同我一起。我把破屋換了艘小船，便選了這個島，避開那些愛說閒話的人。這島又荒涼又貧瘠，起初我擔心你媽待不下去，沒料到她這一生再也沒有離開。」老人由於感傷而停頓了片刻。母親的印象清晰地浮上富郎的腦中，那時他還小，對這空漠無人的島有一種莫名的恐懼。他像條尾巴似的總是步步跟在母親後頭。她鋤地，她織網，有時會停下來凝眺著海那邊。幼小的富郎忍不住牽住她衣角問：「阿母，妳看什麼？」做母親的才恍惚驚醒過來，望著身畔的兒子，強笑著說：「我在盼望你阿爸哩！」但是他知道那並不是阿爸平常回家的時候。他現在才了解，她是怎樣的寂寞，怎樣的渴念著從小長大的故鄉。但是，她卻從來沒在丈夫面前洩露一絲一毫這樣的感情。

「是的，用我們兩雙手，從海底把一塊一塊的硓砧石打撈出來，砌成這座屋，這口灶。用我們兩雙手，一鋤一鋤的開墾了這些荒地。……她仍舊陪著我；她仍然在我身邊……」老人抬起頭來，乾澀的老眼顯得潤濕而柔和，望著兒子。接著用堅定的口氣說：「你要到外島去發達隨便你，我替你求神保佑。我呢，讓我一個人——噢，不，讓我和你媽留在這裡。你出海可以順便繞過來，每個月看我一兩次，替我補充點煙絲什麼的。我會活下去，活得很好……」老人的聲音雖然很決斷，可是越說越低沉，以致聽不清楚。老人將煙桿靠在牆腳，抖抖衣襟站起來，走過去拉開板門。勁風像一個覬候在門外的頑童，趁勢便呼的一聲竄進來。風裡還夾著很細的雨絲，灑在臉上癢癢的，像牛毛。雨已快停了，風勢也小了不少。老人當門站著，讓風吹了一會，忽然轉過身來順手在門邊牆上取了件簑衣，往身上一披，又揹了把鋤頭，顫巍巍地說了一聲：「風小了，我要去你媽那裡看看。」說著，迎風走了出去。

富郎發了一會怔，趕到門口拉開剛關下的門。

「阿爸！」他大聲喊著，但風卻把他的聲音吹散了，老人沒有聽見似的逕自向前走去。富郎望著那佝僂的背影，由於那天趕鴨扭了筋，右腳還有一點跛。

他也披了件簑衣走出屋子，只見田裡的地瓜全拔了出來，軟軟的葉子半埋在泥土中，落花生也沖掉的沖掉，翻在泥上的翻在泥上。「這下又得花一天的時間來整理哩。」他不禁在心裡疼惜地說。

富郎走到丘下時，遠遠望見父親正在丘上那座灰色的墳前，彎著腰，一伸一屈地在為那株小榕樹加泥。

「田裡的地瓜花生給沖了不少。榕樹沒損傷吧？」

「沒。」老人放下鋤頭，又用雙手在那株小榕樹根上的泥土上四周按著。「榕樹跟那些不同，榕樹的根扎得深，扎得結實。」他好像從自己這兩句話悟到了一些新道理，又加重語氣重複著：「嗯，根要扎得深，人也是一樣。在哪裡扎了根，就該在哪裡活下去。富郎媽，妳說可對？」他常常這樣說個半天，就像對手是真有生命的血肉之軀，可是他的聲音多少有點與平常不同。

「富郎媽，妳看清楚一點，站在面前的正是富郎，他已經長大了，不是嗎？他應該娶媳婦，替我們生孫子了。可是，妳知道，沒有一個姑娘會像妳那樣到這荒島上來。我們只有讓富郎出去，讓他到我們從前生長的大島上去……」

「阿爸，我剛才只是說說的，我不一定要去。」富郎不安地分辯著，心裡覺得很難受。

「你應該去，我不能阻擋你。」老人凝視著墳堆，不顧他的惶惑，還是緩緩地說：「你還年輕，你不像我們在這裡扎了根……」

「阿爸別說了！我不離開這裡。」富郎堅決而困惱地向父親說，順手撈起那支靠在墳旁的鋤頭，一轉身朝丘那邊很快地跑下去。

「富郎，你回來……」老人有氣無力地招呼著，枯萎無神的眼睛裡和著淚。

富郎已跑得很遠，沒有聽見。他跑到坡上一片新墾的梯田裡，脫下簑衣，搓搓手，抓起了鋤頭。

這片尚未完成的梯田，在他熟識的眼中，一眼就看出又加墾了二層，顯然是父親一個人開墾的。他們父子倆時時在這貧瘠多砂礫石塊的島上掘著，擴展著可以耕植的土地。這片背風的山坡是他倆老早看中了的，就憑他們兩雙手開鑿那些岩石，可真是椿十分艱鉅的工程。

大海環繞著山腳，遠遠地延展開去。這時風勢漸殺，浪濤緩緩地起伏著，灰暗的天空漸漸開朗。富郎一手支著鋤頭，佇立在濡濕的泥土上，呆望著大海的那邊。掠過他耳邊的風裡似乎摻著那些煽惑的聲音……你不覺寂寞嗎？……到我機帆船上來吧！……再過三、五十年，你們父子島香煙斷絕，可又成為荒島了。

撞擊在岩上的浪花，恍惚又幻作那露出白齒的笑靨。從丘上墜下的一塊石頭，滾在他腳邊，使他吃了一驚。他忽然像要甩脫什麼東西似的，俯身拾起那塊石頭，用力向海裡拋去，看也不看一眼。吐了口唾沫在長滿老繭的掌心裡，雙手搓了一會，便掄起鋤頭，在沒有開完的梯田上掘下去。鐵鋤擊在堅實的砂石上，鏘鏘作響。

老人倚著瘦弱的榕樹，正看著海，看著遠處的海。

大海把小島擁攬在懷裡，心情溫和時，輕輕地撫拍著，像慈母為她的嬰兒催眠；發怒時，瘋狂地撲擊著，似要將小島擊成碎石，捲沉海底。但小小的孤島總是靜靜地屹立在海裡，在煙雲渺茫中，與數十座相似的島嶼散布在台灣海峽，好似一群隱約閃現在薄暮中的黃昏星。

編註：本文原刊於《文學雜誌》第二卷第一期，一九五七年三月二十日，頁五十三～六十一。

鄉下醫生

一

鄭醫生從睡夢中掙扎著驚醒過來，兩手緊緊捏著兩把冷汗，睡衣也濡濕冰涼，黏貼在身上。喉頭卻是乾焦焦的，用舌頭四面舐，舐不到一星唾液。胸口又如同被一團濕棉絮堵塞著，使他感到難以忍受的窒息，彷彿周圍那深沉無底的黑暗像一副棺材板似的把他封閉在裡面。他不敢開燈，唯恐燈光驅走了怯生生的睡意，只是伸出右手，習慣地摸索牀頭櫃上的茶杯，但是杯剛接觸到嘴唇，咽喉裡一陣奇癢，好像有一支棕刷在刷著，忍不住咳嗆起來。間歇地咳了一陣又一陣，一頓子咳嗽過去，睡意完全唬跑，他捻亮電燈看看櫃上的鐘，四點還不到。

「總是老辰光！」他喃喃地歎了口氣，關熄燈，一手按撫著胸口，重又闔上倦澀的眼睛。

儘管他白天工作得怎樣精疲力竭，倦乏不堪，每天晚上差不多一到這時候總會自己醒來，而一醒便再難以入睡。他努力試著各種催眠法——數羊，數數目……但聽覺在這時偏特別敏銳，心臟卻又特別脆弱。哪怕只是極輕微的一點點聲響，都會使他驟然驚醒，出一身冷汗。那顆可憐的心更像要竄出心腔似的猛跳不止。如此一再反覆，只弄得他頭昏腦脹，滿心煩躁。一直輾轉到天快亮時，衰弱的神經才鬆弛下來，困瘁的意識也逐漸朦朧，但在迷糊中他又不由得怵然警惕：

「可不能睡晏了！……」

就在他的意識猶自游離於這種朦朧狀態中時，忽然有一個聲音彷彿來自很遠的海底、深淵，幽幽忽忽，在呼喚著一個人，他厭煩地想撩撥開去，而那聲音卻越來越近，越來越響……

「叔叔，叔叔！」

鄭醫生驀地睜開眼睛，看見站在牀前喊他的正是他那遠房侄子，也是他唯一的助手。護士、兼藥劑師——炳森。

「噢，睡過了頭、不早了？」他眨著痠澀的眼睛，看炳森打開窗子，陽光從窗戶中傾瀉進來。

「不算太晚，有四五個病人掛了號，我想讓你多睡一會，所以晏一點叫醒你。」

他對年輕的侄子那份體貼報以慵然一笑。

「沒有急診罷？」

「沒有，倒是有一個病人由他家裡人伴著，還是一早從蚵寮鄉趕來的哩。叔叔，連那麼遠還特地跑來找你，這附近鄉下的人全都很相信你嘛。」

「唔。」鄭醫生漫應著，他的思想這一刻好像跑到很遠的地方去了。

「你不高興嗎？」

「高興，當然。我更高興的不僅是鄉人對我的信任，而是如今他們已完全能夠接受科學的醫術。但這卻不是一朝一夕可以感化的事，想想看，十幾年了哩！」鄭醫生收回沉思的眼光，帶著點慨歎。儘管這麼說，他內心洋溢著激奮，完全忘記了隔宵失眠的困瘁，披衣起牀，便在窗口迎著陽光深深地呼吸了兩口新鮮空氣，再開始盥洗。就在他俯下身子去洗臉時，一陣昏眩突然襲擊著頭部，眼前一片漆黑，耳膜翕翕地鳴響著，那顆脆弱的心卻直往下墜——他連忙兩手挾住盥洗架，閉上眼，等這一陣暈眩過去。

「叔叔，你的臉色很不好看，又不舒服了嗎？」炳森驚惶地過來扶住他，他勉強帶著寬慰的微笑搖了搖頭。

「沒關係，歇一歇就好了。」

「你實在應該要停診些日子，休息休息。」

炳森還是擔憂地看著他，這個時候鄭醫生已逐漸平息下來，他對侄子的勸告只是嘲謔地露出一絲苦笑。

「可是，年輕人，時間可不像你口袋裡的鈔票。」

「我不懂。」

「當你知道口袋裡的鈔票已所剩無幾時，你可以省著用，或者乾脆保留著不用。但是時間卻不能留著慢慢的用，一天不用就等於白白損失了一天，一月不用，就等於白白損失了一月。因此，」鄭醫生頓了頓，譃嘲的聲音裡掩飾不住那一份沉痛與堅決。「我知自己剩下的日子不多，就更要加倍的使用。」

炳森感動地望著他的叔叔，覺得喉嚨被什麼梗塞著，沒有作聲，只是倒了杯開水，把醫生自己每天要服用的藥安排在桌上，便默默地退出去。

鄭醫生對著鏡子，舉起剃刀的手臂有一下逗留在空中，他彷彿是第一次才看見鏡子裡自己清癯蒼白的臉龐、深陷而無神的眼睛、鬆弛的皮膚上蛛網般布滿了灰暗的皺紋。以站在一個醫生的立場來診斷，他一定會諄諄勸告這樣的病人應該怎樣注意保重和休養，然而，那卻是他自己……他那拿著剃刀的手不自覺地微微一震，唇畔便割了一刀，望著隱隱滲透的血絲，他不禁憮然一笑，索性擲下剃刀，拿起毛巾浸著冷水胡亂洗擦了一陣，像是要把昨宵的困頓，和剛才引起的些微感傷，洗擦個一乾二淨似的。

二

每天，鄭醫生一跨出自己的房門，總是抬起眼睛，先向懸在候診室牆上的那塊黑底金字匾額親切地打一個招呼。

病人送他的匾自然不止這一塊，像「華陀再生」、「妙手回春」、「恩同再造」等等，大大小小點綴著這簡陋的小室，但是他最喜歡的永遠是這一塊。不是因為「濟世救人」那四個字足以炫耀他的醫術，而是由於那四個字正符合他行醫的初衷。多年來，他一直就讓它懸掛在最注目的地方，對自己寓有一種勉勵和督促的用意。

做為這個小醫院的候診室的，也只是進門處那一方空間，幾條長凳上已經有六七個人坐在那裡等著了。看見鄭醫生出來，有的在憔悴的臉上浮上誠摯的笑意，也有欠著身子尊敬地喚了一聲：「鄭醫生。」鄭醫生微笑答禮，一面匆匆穿過那些赤著腳、散發著泥土氣息的候診者，走進他那間小小的診療室，推開門，卻意外的發現一個小女孩佇立在門後。他一眼就認出那是他治好不久的小病人。

「嗨，全好了！」鄭醫生慈藹地摸摸她一頭烏黑的柔髮，「是不是要找我再給看看？」

「不要。」小女孩忸怩地搖搖頭，只是閃眨著那雙發亮的大眼睛，望著醫生把白外衣披上，又帶上了口罩。她那赤裸著的腳趾踢蹐地在地上扭動著，當她那羞澀的眼光接觸到鄭醫生溫和可親的眼光時，好像突然增加了勇氣，很快地將一直藏在背後的雙手伸出來，小手裡原來捧著一束紫色的草花，她直率地舉起手送到鄭醫生面前。

「給你。」

「哦，多美！妳把春天帶到病院裡來了。」鄭醫生欣然接過花來放在鼻子底下嗅嗅，又舉得遠些做出欣賞的神氣。

「是我自己從山上摘來的，你喜不喜歡？」小女孩仰起了圓圓的臉，帶著那種渴望贏得別人喜歡的神色。

「喜歡，當然喜歡。」鄭醫生立刻鄭重地宣稱，眼睛從花上移到小女孩臉上，「謝謝妳！」

小女孩笑了，喜悅浮漾在她眼中，再加上顯得眸子黑而亮，她不好意思的搖著那一頭短髮。

「不，不要謝謝。」說著倏地一轉身，兔子般敏捷地跳躍出去了。

鄭醫生目送著那輕盈活潑的背影消失在門口，不覺對留在手裡的花束感動地望了兩眼，他在一只空藥瓶裡注滿清水，把花插進去，然後坐下來，拿起安放在桌上的一疊病歷表，按著次序開始向外面喚著第一個病人的名字。

「醫生，這病會不會死的？」

「醫生，我這是幾十年的老毛病了，怕治不好。」

「醫生，這種針藥太貴了，能不能換便宜些的。」

一個緊接著一個，病人陸續地進出在鄭醫生的診療室中，那些質樸、憨直的鄉下人，有的是愚昧的，連自己身上哪一部分有病都弄不清楚，有些是固執的，他會堅持著自己的迷信，或對自己沒聽過的病名感到懷疑。對於前者，鄭醫生必須花費加倍的時間，耐心的給病人的身體來一番徹底的檢查，一面仔細的探詢，直到找出他所需要知道的病徵為止。對於後者，他必須不憚其煩的向病人解釋、開導，使他了解而欣然接受診治。因此，請鄭醫生醫治的病人雖然不能說個個是藥到病除，但由於他那真誠的關懷，親切的安慰，首先就袪除了精神上的疑慮和憂懼，而精神上的清朗，正是恢復健康的前奏——當鄭醫生這般把別人的痛苦引為自己的責任，專心一注地對付他的病人時，他總是暫時忘記了一切，也忘記了那個鏡子的病人。

等到把最後一個病人看完，鄭醫生一直勉強振作起來的精神，就像一支使勁扭緊了的舊發條，機鈕一鬆，又完全鬆弛了。他癱瘓在椅子裡，腦子裡是一片混混沌沌，連一個手指頭也不再想動一動，只想馬上把身子平放下來。他勉強收拾好桌上的東西，又除下了口罩和外衣，這才拖著痠硬的腿，走出診療室，卻見還有三四個病人正圍在對面那小小的窗洞口，顯然是在等候配藥。

「炳森這孩子，一天也盡夠他累的了。」他的心裡充滿了對侄子的憐惜和疚愧，不禁猶豫地收回了腳步，又顛頓地走向配藥處。

三

小室內四面都矗立著擺滿藥瓶的木架子，顯得擁擠卻不失整齊，除了炳森忙著配藥，另外還有一個正開始發胖的中年婦人聚精會神坐在藥櫃一角核對一疊表件。看見她，鄭醫生微微感到意外，在那深陷的眼睛裡流露出一抹溫柔的光輝，微笑向她走去，輕輕地問：

「什麼時候來的？」

「來了好半天了。」他的進來似乎不曾驚動她，聽見聲音，才抬起那張缺少表情的臉，似笑非笑地看了他一眼。

「噢，我都不曉得。」像要表示失迎的歉疚，又像是惱她不先來看他。

「我來時你正忙著哩。」她垂下眼簾，凝視著自己的指尖，「你那些病人都打發走了！」

「走了。」他不大喜歡她說起他的病人時那種不太尊敬的口吻，也用比較冷淡的聲音回答：「不走還能這樣清閒。」

她沒有接腔，他一時也無話可說，沉默像一重幕帷，降落在兩人之間，忽然鄭醫生覺得自己跟她隔得很疏遠，彷彿完全不像曾在一起那樣密切生活過，他眼睛裡那點溫柔的光輝消退了，默默地拿起一張處方單，從架上一個瓶子裡倒出一些藥粉在白紙上。

「叔叔，就只剩三兩張藥方了，讓我一個人來，你去休息吧。」炳森從眼角裡溜了一眼埋首在那疊收費單中的她，婉轉地說，似乎想打破那沉悶的氣氛。鄭醫生只是搖搖頭，舐了舐乾燥的嘴唇，覺得舌頭有點僵硬。

「孩子都好吧！」

「噢，都好。」回答他的還是那種沒有感情的聲音。「星期三那天，繼德參加作文比賽還得了第二名哩。」

「喔，那太好了！」沒有一件事比兒女贏得的榮譽，更使做父母的高興了。那份驕傲與欣喜，在鄭醫生蒼白的臉上升起陽光般的輝朗，「我一定要給他一件獎品獎勵獎勵。」

「我已經給買過了。」

「那，那我可以再買一份。」

「那又何必呢！太浪費。」

好像一盆冷水淋頭澆下，淋走了鄭醫生臉上的陽光，他沉住一口悶氣還沒處發洩，那裡又像發現了什麼劣跡似的，盛氣凌人地大聲責問著：

「瞧，這是怎麼回事？這二張藥方的醫藥費一半還不到，還有這打盤尼西林也沒有收費，是不是你算錯了？」

炳森偷偷望望他叔父，在那兩道責詢的眼光下畏縮的低下了頭，嚅嚅地欲言又止。

「炳森，你沒有聽見我的話嗎？」

鄭醫生忍不住替他的侄子開脫：

「是我叫他少收的，因為那幾個都是很窮苦的病人。」

「我猜到又是你。」她那冷酷的聲音像一支利鑽，鑽到聽的人心裡，「你今天同情這個，明天憐憫那個，少收別人的醫藥費，可是，你不想想，將來又有什麼人會同情你的兒女，少收他一頓飯錢，或是一筆學費？」

鄭醫生包著藥粉的手指不禁顫抖著，臉更蒼白了，顯得不能支持，半晌，才短促地說了一句：

「我想，我要進去休息一下了。」

他也不知自己怎樣走回寢室的，一挨著牀，便頹然倒下去，疲倦像浪潮般淹沒了他，連氣惱的一點勁力都沒有了。他虛弱的閉上眼睛，停止了思想，只有耳朵還能聽，隔了一會，便聽見她走進來的聲音，又聽見她拉開抽屜，數著錢放進皮包裡的聲音，接著腳步聲經過牀前，遲疑地停了下來。

「不舒服嗎？」她盡義務似地慰問著，但聲音比較柔和了些。

鄭醫生睜開眼睛苦笑了一下，微微搖頭。

「還不是老毛病。」

她的視線在他蒼白的臉上逗留了一會，慢慢地移向窗外，眸子中混雜著一種說不出是憐憫抑是憎厭的感情。忽然她舉起手來看了看錶，倉促地說：

「啊！我馬上得趕回城裡去，你休息休息吧，錢我已經拿了。」

「吃了晚飯再走不成？」鄭醫生情不自禁挽留著。儘管她冷淡無情，但還有使他比冷淡、無情感到更可怕的東西——孤獨。

「不成，孩子等著呢。」她已經挽起皮包，無動於衷地轉身向外走。

鄭醫生惶然四顧，彷彿已看見孤寂的黑影隨著暮色向他包圍攏來，趁他心靈最軟弱的時候向他襲擊……他忍不住迫切地喊了聲：

「秋英！」

這一聲近於絕望的喊聲就似一個被放逐在荒島上的人，呼喊著即將離他而去的、唯一寄有希望的小舟。她在門口驚愕地回過頭來，用疑問的目光望著他。

「我是說……我有好些日子沒有見到孩子們了，下次帶他們一起來吧。」他吶吶地，幾乎是懇求地說。

「你知道他們平常功課都很忙。」

「星期六下午或是星期日。」

「可是，你忘了孩子們最好……」她顯得面有難色，吞吞吐吐地暗示著什麼，他立刻從她的神態上領會到她的意思，臉上那份期待的熱忱像閃電一般地瞬刻即逝，代替的是一陣痛苦的痙攣，失色的嘴唇無力的牽動著，向她揮了揮手，淒涼地說：

「妳不用說了，我知道……我懂得妳的意思……」他把頭一側，朝向裡壁，極力與自己的悲傷掙扎著——他聽見一聲輕微的歎息，一陣遠去的足聲。突然，他完全失去了控制自己的力量，整個軟弱的、無依無助的心靈就像一塊石子般向寂寞、絕望、悲痛無底深淵沉下去……

四

那種無告的寂寞，無助的孤獨，憂鬱的心靈，比疾病的毒菌腐蝕人的肉體，更使人難以忍受。而鄭醫生卻必須忍受這種雙重的折磨。

他茫然打開眼睛，深淵裡是一片黑暗，屋子裡也是一片黑暗——已經是晚上了。黑暗是無岸無邊的，他的衰弱的心身沉溺在裡面，唯一能攀緣的，只是那一個回憶的浮圈，扶著他載浮載沉。

他永遠忘不掉在他十四歲時，他那唯一相依為命的寡母，連個什麼病都沒弄清楚，便遽然含恨離開了人世。他悲慟地對著母親的遺體，立下了將來一定要學醫的誓願。這以後他半工半讀，終究念完了醫科，在數年服務期間，他盡量自己刻苦，省吃儉用，一角一元的積起錢來。等積蓄到他預定的數目，便辭去待遇優厚的職務，本著學醫的初衷，回到家鄉為桑梓服務，他把祖遺的三間平房改修了一番，掛上行醫的牌子，粗具規模的小醫院就這樣成立了。但成立並不是成功，在偏僻而閉塞的鄉下，一些愚昧無知的鄉下人生了病向來習慣自然療法，或是求仙拜佛。懂得請醫生的也只能找那念過一本湯頭歌的草藥郎中，撮二味樹根草皮，熬碗苦水，捏住鼻子吞下去就算了。因此，一開始時，大家都用懷疑的眼光，好奇的打量這小小的醫院、年輕的醫生和他那些瓶瓶罐罐，卻沒有什麼人敢於登門求治，在那一段時期是他最慘澹的時期，但他毫不灰心，經常騎著腳踏車，提著出診箱，在後村巡視到前村，自動地救治那些孤苦貧窮的病人。事實的表現是最好的證明，加上他的親切、仁慈，慢慢地，鄉下人對他建立了信心，請求醫治的一天比一天增多時，他感到獨腳戲難唱，便去信曾服務醫院附設的護士學校，請他們介紹一位能吃苦耐勞，而又過得慣鄉下生活的護士，信去了許久，等他幾乎認為無望時，一封比任何答覆更具體的回信突然來臨，那便是護士小姐徐秋英本人。

鄭醫生依稀還記得徐秋英第一眼給他的印象是矜持、穩重、不苟言笑，有一種超年齡的冷靜，而渾身上下從服裝到臉部表情，都像才從熨斗底下熨出來的，平整、挺括，沒有一絲紋印。隔不多久，他就發覺她不僅精明能幹，而且善於支配一切。朝夕相處，不知不覺竟也支配了他的身心。一個單身醫生和他密切配合的護士小姐，這感情似乎發展得很自然，徐小姐變為鄭太太。而婚後不到三年，鄭太太又為他添了一雙小兒女。

那是他一生中的春天，最美麗、豐盈、充滿希望和生氣的時日，他感到自己已不再是求學創業時代那株在淒風苦雨中單獨奮鬥的、孤苦伶仃的小杉樹，而是一棵堅韌、茁壯在泥土裡扎下了深根、在枝桿上長滿了綠葉的榕樹，它欣然承受著烈日和風雨，讓那茂密的濃蔭，蔭覆著自己的親人，蔭覆著那些受病痛折磨的人。當垂死的在他手中重又獲得生命的活力，痛苦呻吟的經過他的手便告平復，一個感激的微笑，一句由衷的感謝，便是他最大的安慰。當他獲得片刻閒暇，與小兒女在一起盤桓、嬉戲，聽他們講些天真可愛的話，看他們的智慧和體格逐日生長，那便是他最大的幸福。他熱愛自己的家庭和生活，一如熱愛自己的事業。他沒有野心，也不求富貴，唯願長此以往，終老其中……。然而造物彷彿總妒嫉人間有完滿。他成天只記著要把病人的痛苦當作自己的責任，卻忽略了本身的健康。就在去年半年間，他一天比一天消瘦，好像一枝竹筍一層又一層地剝脫了殼，身體裡的機件似乎有什麼失靈了，精神很容易疲倦，他起先毫不在意，最後實在拖捱不過了，才去找專家醫生檢查，卻診斷是頗為嚴重的肺癌。

縱使在他自己診治中也曾經驗過不少危險的病症，驟然聽到這可怕名字，他的心臟至少也有一分鐘停止跳躍，多可怕的絕症！這名字就代表死亡，代表著生命的終止音符，他從未想到過死，他只知道自己還有許多事要做，每一個未來的日子他都將以工作和希望來填充。而這致命的打擊卻要粉碎他的一切——開頭有一陣子，他變得消沉、頹喪，躺在牀上整天憂慮著自己將再不能盡人生的責任。但當他一次又一次的聽見炳森在外面婉言辭卻登門求治的病人，再一想到那些在痛苦中求助的病人，是帶著怎樣的信賴，把全部希望寄託在他身上，把赤裸裸的生命交託在他手裡，不由得深深地感到歉疚不安。責任和良心那樣嚴厲的譴責著他，以致他再也憋不住，撇下自己的病，一面打針吃藥，勉強振作精神，跟病人周旋。就在他最最需要安慰與鼓勵，與病魔戰鬥下去時，徐秋英卻藉口為了孩子們的學業與健康，逕自同著孩子們到城裡賃屋住下，隔些時日單獨回來一次，取去醫院的收入。她就像一具壓榨機，哪怕是僅存的甘蔗老節，也得盡量榨取一點一滴的糖汁。

每次她這麼來了又去了，留給鄭醫生的是更難堪的寂寞與悲哀，而今天，他更被她那嵌刺的話，刺傷了脆弱的心靈。沒有溫情，沒有希望，更沒有安慰，生命究竟還剩下些什麼？他張眼環視，包圍著他的是視線穿不透的黑暗，一種被一切遺棄的感覺像一座冰山般浸透了他，他覺得自己像一頭受傷待斃的野獸，被遺棄在荒山裡——不，就是野獸也有同類會替牠舐傷口，而他只能淒涼地舐吮自己的創傷，膿血和著熱淚在自己肚裡嚥……

他忍不住呻吟著，藥性消退了，肉體上劇烈的痛苦又把他拉回現實。他才記起那瓶唯一憑恃的藥丸，下午服用時還留在診療室裡，現在必須自己掙扎起來去取。

五

「吃一粒是止痛，要吃上五粒十粒的話……」鄭醫生望著散布在桌上的一些藥丸，突然，一個念頭像一顆火星，在他昏噩噩、漆黑一團的腦子裡爆發：「這小小的一粒藥丸，就有這樣大的力量，只要多吃幾粒，不就一切痛苦和煩慮都解脫了！」那一星火花頃刻間便變得熾烈、頑強，所有的悲傷、痛苦全在助長它燃燎，霎時間已傳遞全身的神經。他為這意念所激動，全身都在顫抖著。那一堆傾倒出來的藥丸在向他閃著光澤，彷彿向他做著無言的誘惑。

「是的，生命對我還剩有什麼意義呢？再沒有作為，再沒有愛和安慰，一切都像浮雲流水，隨風而逝。還有什麼值得留戀——縱使有所留戀，也不允許了，倒不如早求解脫——人生也許就充滿了矛盾，我曾經使多少人重新獲得生之樂趣，使多少人從死亡的邊緣逃開！而如今，我又預備為自己做些什麼？哦！」又是一陣痛苦使他瘦弱的身子像一支弓一般彎縮攏來，他一手捫住胸口，咬著牙等痛苦過去，額上冒出一頭冷汗，眼睛裡迸射著淚光。悽楚地望了望岑寂的周圍，「沒有一個人——一個親切的聲音，一隻扶助的手……還是一個人走完這最後的一段路程吧！」

他堅決地伸出手指，從桌上拈起藥丸，放進掌心裡，一粒、兩粒、三粒……數到他需要的數目，另一隻手端起一杯開水，然後，黯然環顧四周，作最後訣別的一瞥。小室內涵滿陰影，檯燈柔弱的光擴大他的黑影遮蔽了半間屋，更顯得陰沉沉，黯慘慘，了無生意。在這間小屋裡，他曾消磨過生命中最可貴的十幾年歲月，貢獻出他的心血和精力。他的視線一一滑過隱蔽在陰暗中的家具雜物，那些都是他最熟悉的，一口櫥，一張檢查牀，一隻沙濾缸，一隻……彷彿烏雲裡閃出一抹陽光，他的目光忽然被桌子角上一個新鮮的色彩吸住，那是早上那小女孩送他的一束野花，經過清水的一番潤澤，在燈光下開得更鮮妍、美麗，生意盎然。他不禁繼續注視，恍惚間，那紫色的花朵凝聚成一簇，又逐漸盪漾開來，擁出一張嬌憨的臉蛋，一雙晶瑩的眼睛正天真地仰視著他，嫩紅的小嘴角上翹，浮著甜甜的憨笑……一絲溫暖有似一小注清泉，湲湲地注入他沙漠般枯竭死寂的心田。這活潑可愛的小生命，不正是他費了不少心力從死神手裡奪回來的?!她還不曾忘記他，這由她的小手摘來的，開自田野間極平凡的小花，在不善於用言詞表達感情的小心靈中，該揉合了多少感恩、親善和敬愛！也許，他還不是太孤獨的——

醫院的大門就在這時轟雷似的，被一隻迫切的手敲響著，一遍又一遍。他遲疑的端著茶杯，聽見炳森一路嘀咕著出去開門，接著同什麼人在說話。顯然有人來急診，炳森正在解釋並拒絕。那個請求著的女人聲音卻越來越高亢急促，在寂靜的夜空中清晰地傳進來：

「……請你讓我自己去見鄭醫生，他是好人，他不會見死不救……我一定要親自見他，求他救救我的丈夫。……你不要攔住我，讓進去，讓我嘛……」

似乎經過一陣拉扯，診療室的門猛然被撞開了。踉蹌闖進來的是一個神色倉皇的中年農婦，她粗忙地一手推開還打算阻攔她的炳森，直奔到鄭醫生面前，聲淚俱下的向他懇求著：

「鄭醫生，我丈夫病得快死了，求求你救他一條命……」

恍惚從一個惡夢中驚醒，鄭醫生帶著夢醒後的迷茫，望著她，沒有開口。

「千萬，千萬請你答應我去救他，萬一我丈夫活不了，我，還有那一群孩子，一定也活不下去……我求求你，跟你磕頭——」那婦人真想下跪，嚇得鄭醫生連忙勸阻她，腦子也清醒了。

「快不用這樣，妳先告訴我妳丈夫是什麼病？」

「他說肚子痛，又說胸口痛，渾身燒得像火炭似的，兩天未沾水米。剛才胡言亂語，連人都認不清了……我才急得摸黑趕來請你。」

「好吧，我就同妳去。」鄭醫生出人意外的一口爽直的答應。使站在一旁的炳森感到十分驚異，又不敢勸阻，只是著急地提醒他說：

「叔叔，你自己不是不很舒服嗎？而且又這麼晚了。」

「晚了？不，如果還能爭取時間做些對人有益的事，永遠不會太晚的。我不是容易投降的人，為了我的病人，我還得與死神周旋到底。」鄭醫生笑了笑，笑裡顯示著一種勇敢無我的犧牲精神，使他憔悴的臉發出光彩。「我支持不住的時候，還可以仰仗這個。」他一鬆手，把一直緊握在掌心裡的一把藥丸撒在桌上，又從容地一顆顆投入藥瓶中，蓋上蓋子。最後才將留下僅有的一顆投入嘴裡，用開水吞下。

炳森一直一眼不眨的瞪著他的一舉一動，看著他放好其他的藥丸，吞下了最後一粒，才從惶懼中喘過一口氣來。

「叔叔，剛才你？……」

「剛才我打了一仗，良知戰勝了惡魔。」鄭醫生望望那束小草花，輕描淡寫的說：「你幫我檢點一下出診箱，把應用的針藥全帶上。」

炳森只有默默地照著去做了。

那位焦灼憂傷的婦人一聽見鄭醫生肯扶病出診，不知怎樣表示衷心的感激，只是笨拙地重複這兩句：

「謝謝你，鄭醫生，你真是個好人，救命恩人。」

「不用謝，這原是我應該盡的責任。」他謙遜地回答，藥丸的效力已逐漸滅除了他本身的痛苦。他開始穿上外衣，帶上口罩，提著炳森遞給他的藥箱，跨出了診療室。

候診室裡，那塊年代悠久，已有點黯淡斑駁的黑漆匾上「濟世救人」四個金字在燈光下卻更顯得輝煌。鄭醫生放緩腳步，抬起眼睛，用親切虔敬的目光擁抱每一個金字，就像擁抱久別重逢的摯友。

他深深地吸了一口氣，隨著農婦，一步一步投入蒼茫的夜色中。

編註：本文原刊於《自由中國》第十七卷第四期，一九五七年八月十六日，頁二十四～二十八。

勇士

夜，寶島的秋夜，深邃的蒼穹顯得柔和而又神祕，晚風像一支清溪流過樹隙。樹巔盛開著簇簇小黃花，花朵在輕風裡悄悄地飄墜在樹底人家小小的園中。一抹幽淡的燈光透過窗簾，映著半樹黃花綠葉。一個溫柔的聲音溢出窗戶，像輕軟的清風拂過樹梢。

「……這就是說一個人容貌的美還在其次，而那些內蘊的心靈之美：正直、善良、寬恕、忍耐、勇敢，才是世上永恆無比的美——好了，今晚講到這裡，妳把藥吃下，該睡覺了。」

這時，一陣風掀開藍布窗簾，那說話的是個舉止安詳，體態優雅的中年婦人，正坐在牀前，用充滿熱愛的眼光，關切地看著牀上的女孩從一只杯子裡啜飲。

「媽，晚安！」女孩把杯子放在她手裡，帶著微笑安舒地闔上了眼睛。修長的睫毛在蒼白的臉上留下一道陰影。

「晚安。」她輕柔地回答，聲音裡洋溢著憐惜和祝福，輕輕地掖好被子，站起來，以同樣關切的眼光，望了一眼那靠在桌上，全副精神正傾注在書本裡的青年。然後，她走向窗前的縫紉機旁坐下，開始手腳並用的工作起來。

她在繡的是一條精緻華麗的牀單，這是極費眼力而需要耐心的工作。手按住布慢慢地移動，車針便在剜空的地方縱橫地繡出勻整的針腳，再一針一針湊成一個花樣——時間在針底一分一秒地劃去，也不知繡了多久。逐漸地，她覺得那些針腳變得模糊了，彷彿許多紅色的螞蟻在爬。「恐怕得配副眼鏡了。」她只得暫停工作，閉下眼睛在心裡跟自己說。

她靠著椅背，闔上疲澀發脹的眼睛，最近這些年的遭遇便像幻燈片般一一映上腦幕……她記起在大陸上因為不及撤退，那座苦心經營的小工廠被共匪劫收的慘痛情形，以及後來共匪終於把他們榨乾擠癟，才放鬆監視讓他們逃出鐵幕的那種驚險經過。在香港，他們住調景嶺，過著最艱苦的生活，愛華就在那時染上了輕微的肺病，最後總算來了台灣，不久他——孩子的爸周國棟由友人的介紹，在一座私人合資的建築工廠裡當工程師，他們才算從一連串流亡顛沛，受苦受難的生活中透過一口氣來，醒華繼續升學，愛華的病在她悉心調理下也漸有起色。而他自然是以全副熱忱從事工作，孜孜不倦。可是，一件意想不到的事又推翻了這剛建立起來的安定生活。那一幕清晰地印在她腦中，就像是昨天才發生——

那天下午，她正在廚房裡開始忙晚餐——這許多年來她早已放棄了她的音樂，而重複著一支永恆不變的家庭樂章，她願以自己的心力為所愛的人譜出和諧、溫暖、安詳的旋律，使緊張的得到鬆弛，疲倦的獲得安息。他們的貢獻也就是她的貢獻，他們的成就也將是她的成就——忽然外面一聲咳嗽，接著有一個男人提高嗓子打著問訊：

「請問周太太在家麼？」

她連忙放下菜刀迎出去，站在玄關裡的是一個短小精悍的中年人，她記得在某個婚禮中彷彿見過一面，卻想不起姓什麼。

「周太太您好！」那人以近於諂媚的殷勤向她致候，「您不記得了？敝姓李，跟周先生同事。」

「哦！李先生，有什麼事吧？請裡面坐。」

「您忙，我看不打攪了。除了專誠向您致候，這裡，」那人把帶來的兩盒點心遞給她，「順便帶來一點粗點心，請收下。」

「那怎麼好意思！多謝你的好意，我只有心領了。」

她覺得這禮送得很突兀，極力婉謝，那人卻一味堅持。最後他逕自把盒子放在地板上，搭訕著說聲再見，便匆匆走了。

她站在哪裡，感到滿腹狐疑。奇怪，那姓李的一向少來往，怎麼那樣突然送兩盒點心來？這裡面似乎有些蹊蹺——突然，一個意念電光般一閃，她抓起盒子急急褪下繩子，揭開盒蓋，裡面裝著的都是西點，只是寥寥數件薄薄地鋪了上面一層，中間還隔一層厚紙，一掀開底，卻是大半盒摺疊得整整齊齊的鈔票，兩盒一樣。

她怔住了，兩個極卑鄙的字從她心裡跳出來，重重地打著她：「賄賂！」她氣憤填膺，好像受了莫大的侮辱，「顯然是賄賂！」

她來不及把盒子捆上，便抱在手裡，拖著木屐，衝出了大門，巷裡已闃無一人，她又氣急敗壞地奔出巷子，見那姓李的喊了輛三輪車正坐上，她三腳兩步趕過去把禮盒重重地往車上一放。

「李先生，多謝你的盛意，這樣的重禮我們是絕對不能收的。」她冷冷地說，一眼也不看他，放下東西便掉頭走回家裡。

她猜疑而又不安地等著他回來，問一個清楚明白。但他卻偏連晚飯都沒有回來吃。一直到很晚才帶著幾分酒意和一臉沉重的心事回家。

「廠裡因為最近承攬了政府一批大工程，今晚先設慶功宴。」周先生幾乎是不耐煩地向她解釋沒回家吃飯的原因，接著便和衣往牀上一靠，默然不語。

「下午你們廠裡有個姓李的來過。」她故意淡淡地說，一面窺他的神色。他果然怵然一驚。

「他來做什麼？」

「他專誠送來兩盒點心。不過，那點心是鈔票做的餡子。」

「哼！他們果然做出來了！」周先生霍地從牀上跳起來，漲紅了臉，聲音直顫抖著：「那錢……那點心呢？」

「你知道我不會接受這種來歷不明的東西。」她生氣地回答，「你好像事先知道這回事，這究竟是什麼意思？」

他避開她責問的眼光，現出苦惱的神情，低頭俯視著地下。

「我看這絕對不是什麼正大光明的事，國棟，希望你快告訴我，不要讓我往壞處想——」她嚴厲的盯著他。

「就是剛才說的那件承辦的工程裡，有一部分是屬於我的，他們想……他們想要打通我，要點花樣。」周先生終於困難地說了。

「你答允了？」

「這兩天他們正包圍了我，不斷的向我遊說、誘引……」

「我問你究竟答允了沒有？」她岔斷他的話。

「沒有，當然沒有。」他望了她一眼，惶惑地。「我只是恨我怎麼竟沒有當面斥責他們，以致他們認為我可以……唉，真可恥！」

「我知道你不會跟他們通同舞弊。」她歉疚而諒解地望著他說，聲音放柔和了。「你一直是正直的，堅毅的，富貴不能淫，威武不能屈！」

「可是，靜嫻，我沒有當面斥責他們，因為，因為我不能不想到這幾年生活怎樣折磨著妳，還有愛華的病，那些不能工作的黯淡日子……」他的聲音低沉下去，愧恧地。

「國棟，我完全懂得你的心意，只是生存的目的不止於求溫飽，圖安樂；那最重要的該是人格的完整，和無愧的良心。貧困並不可恥，人格上若有污點才是一世洗不掉的恥辱，何況我們的國家都在受難中，個人的苦難又算得什麼！」她誠懇地望著他，把一隻手按在他手上，像要把她的信心從手掌流傳到他身上。「不要說我是在說教，其實這都是你教給我的，我想你一定不會忘記。」

「靜嫻！」他激動地握住她的那隻原是細膩柔軟，如今因操作變得粗糙的手，愧感交集，半晌才說出話來，「靜嫻，再堅強的都有他比較軟弱的一面；就像樹上的果子都有照不著陽光的一面。多虧妳在這面加上妳的力量，使我有更多勇氣擊敗醜惡，絕不妥協。」

一天的疑雲憂懼已消散，長空一碧，星月在天。第二天，周國棟去上班但不到半天就回來了。

「廠裡的事我已辭了。」他的聲音多少帶點悵惜，他曾一直全力傾注在他的本位工作中，想把它做好。「我既不能與他們同流合污，他們也不能容我。」

「你做得很對。」她給他鼓勵的一瞥。雖然她知道這時起，又將面臨著艱苦的現實。

「只是……」

「只要自己認為做得對，已經做了就別悔，別氣沮，慢慢找個工作總不會太難。」她安慰他說，「在人生任何戰鬥回合中，我永遠支持你，與你並肩作戰。我相信我們可以戰勝一切！」

但是，三個月、五個月過去了，周國棟一直沒有找到合適的工作，如他自己所說，像無根的浮萍，而生活的網捆纏著他們，卻是越收越緊。

尤其是周國棟，他只有一個目標，以全副熱忱把事情做好，而一旦失去了那寄託精神的工作，就像失了水的魚，幾個月的賦閒，使他逐漸變得消沉悒鬱，性情乖戾粗暴。不是悶悶地在窗口呆坐上一天，便是出去逛到很晚才回來。

「上帝助我，使我幫助他恢復信心！」她直暗暗地祈求著，努力著朝這個方向去試探。

驀地她從沉思中驚覺，夜涼如水，萬籟俱寂，輕風捲弄著窗簾，微有寒意。她只得從縫紉機旁站起來，掩上窗子，又過去輕輕地替孩子們掖好薄被。靜寂中，門外忽傳來輕輕的足音，輕得似風捲落葉，但她已轉身迅速地抽去縫紉機上那張正在替人繡的牀單，換上一件孩子要修補的衣服。

紙門悄悄地推開，垂頭喪氣，躡手躡腳進來的周國棟，看見了她，臉上不禁露出一抹微慍。

「為什麼妳還不睡？」他幾乎是譴責地衝著她說，一面粗暴地把自己擲在椅子裡。她了解他的心情，依然柔和地說：「你沒有回來，我睡不著。」

「我出去時告訴過妳，叫妳不要等我。」他還是怒氣沖沖的。她沒有作聲，只是從水瓶裡倒了杯開水放在他旁邊，以滲著溫和的責備，和無限柔情的眼光，默默地凝視他，兩人的眼光有片刻相遇，突然，他像負荷不住似的，避開她的注視，把頭深深地埋入手裡，身體發燒似地通過一陣震顫，從掌心裡迸發出來的聲音梗塞著：

「不要，不要待我這樣好，我消受不起……我是個最無用的人……我辜負了妳的期望，不值得妳這樣愛我。」

「不要這樣，國棟。」她把臉偎著他的頭髮，「我愛你，是愛本來的你，而不是愛你將成為怎樣的人。」

「靜嫻，妳不用為了安慰我而說違心之論，事實擺在面前，我空有滿腔熱忱，卻沒有人要我。」

「你這觀念根本就是錯誤的。問題是你因為上次那事，對自己對一切似乎都失去了信心。國家正需要你這樣的人才。只要你能拂除那陰影，從頭振作。」「從頭再振作？」他抬起頭來略帶嘲諷地，「妳且告訴我如何從頭？」

「想想你從前的奮鬥精神！不計較地位，不計較報酬，不計較得失，一心只為貢獻自己的能力而工作，從來不放棄每一個可供你實習，可供你發揮熱忱的機會。」

「可是，我現在是四十三歲，不是二十歲。」他苦笑著說。

「如果你仍舊保有那份工作熱忱，如果你還有創業的信心，年齡的增加只是經驗的累積，而不是心情的衰老。」靜嫻的話說得婉轉平靜，似幽谷清泉，滋潤那躁鬱的心田。他軟化了。

「靜嫻，多謝妳對我的信任，在鼓勵我的工作上，妳可以說已盡了最大的耐心。可是，縱使我能從頭再振作，機會也不會從天而降。」

她一轉身不知從抽屜裡拿了樣什麼，藏在背後，走到他面前要給不給，想了想，又慎重地說：

「我記得你說過，在神聖工作面前，只有責任的大小，沒有職位的高低。」

「嗯。」

周國棟急著想知道她藏著的是什麼，她一抬手卻拿出來一張報紙，隨著她所指，看見一則顯目的徵求啟事，內容是有某重要國防工程，徵求工程佐理人員，須自問能刻苦耐勞，不避艱辛，不畏危難者，可來函應徵或面洽……

起初，他漠然看著無動於衷。慢慢地她注意到他鬱結的濃眉漸漸舒坦，黯淡無神的眼睛炯炯地閃耀，下垂的嘴角因雙唇抿緊而顯得微微上翹——她熟悉這表情，是暗示他正為一件重大的事立下了堅毅的決心。

他緩緩地捲起報紙，在她手上輕敲一下。

「可以試試。」他說。聲音很輕，卻很肯定。

燦爛的陽光似一片金色的液體，氾濫了大地。蒼翠的椰樹大葉，梳理著掠過天空的三兩朵白雲。天藍得像海，海藍得像天。十月杪，秋已老去。不過靜嫻卻覺得這個秋天似乎比往年更充滿了春的氣氛。充滿了欣欣向榮的生氣。她在房裡編織他的背心，從小園裡不住傳來愛華嬌憨的笑聲，和她父親愉快的說話聲——父女倆正在台階上走跳棋。母親縝密的愛和大自然的陽光，是病人最好的療劑，下學期愛華又可以復學了。彷彿感染了他倆的愉快，她獨自微笑著——忽然，有腳踏車在門口停下來的聲音，她的心猛地向上一跳。她知道那是郵差，正是她迫切盼望著。她極力抑制著衝出去的欲念，屏息傾聽著，聽見他去門口，交換了簡短的問答，慌亂間編針在手上戳了一下。那片刻的等待，就像一個悠長的世紀，她幾乎忍不住要——

「靜嫻，」他持著一封拆開的信進來，聲音裡有抑制不住的興奮。「靜嫻，我錄取了。不是佐理員，而是工程師。」

「真的？」她丟下手裡的編織物，一把奪過那張信紙，那是一份××國防工程處的通知，措詞十分客氣：大意說根據那天面試的結果及他所繳驗的證件，一致認為他學識、經驗並優，目前尚有工程師名額，希望他屈就為國防工程盡一份責任等等。

「哦！國棟，我真高興！」她將那紙通知按在胸前，用那種最動人的音調叫起來：「我說過國家正需要你。恭喜你從此宏願得償……」

「從此浮萍有根。」他詼諧地接過去說。

「希望你這一次的根扎得更深，更堅固。」

「哦！哥哥，你真棒！」忽然愛華嬌憨的聲音在園裡歡呼著，接著腳步紛沓，兄妹二人同時出現在門口。醒華把腳跟用力一靠，舉手帽沿，行了個很神氣的軍禮。

「爸，媽，」他親切地喚了一聲，又把熱烈的眼光移注在他母親慈祥的臉上，亢奮而又急促地說：「媽，我記得妳告訴過我，『一個母親的最大的安慰與榮耀，莫過於能獻出自己的兒女給國家。』現在，我就要獻給妳這份安慰和榮耀——為了向我們偉大的總統祝壽效忠，剛才我已在慶祝大會上簽名從軍了。」

她先怔在哪裡，彷彿沒有準備的心，一下子不能接受這許多——接著，她漸漸聽懂了他話裡的意思，也看清了佩在他黃卡其布制服上的一根大紅緞帶，上面輝煌地貼著四個大金字「志願從軍」。

「噢，醒華，我的好兒子！」她激動地向他伸出雙手，醒華向前走了兩步，她緊緊地把他攬在懷裡，不住地愛撫著他的肩背。她想到自己疼愛的孩子已長大了，羽毛已豐滿了，正待振翼鵬飛——她又把他推開一些，從那光彩煥發的臉上，緩緩地移注到另一張相似的臉上。

「我的丈夫獻身艱鉅的建國工作，我的兒子又獻身莊嚴的革命陣營，啊！我，我應該是世界上最值得驕傲的女人了！」

她喃喃地說，眼眶裡卻已溢滿瑩然欲墜的淚水。

這時，遠遠傳來音樂和歡呼聲，醒華驚覺地立正傾聽。

「噢，我還得去參加遊行哩，爸媽一會兒見！」他整了整衣襟，一靠腳又行了個軍禮，然後向後轉，跑步出去，那欽慕他的妹妹一直跳躍著跟在他後面。靜嫻用充滿慈愛的眼光密密包圍著那個挺直的背影，直到消失在門口，才緩緩地轉過臉來，正遇上他也從門口收回視線。一剎那心靈與心靈的交會，彼此都從眼中體會到對方的亢奮、欣慶、激動……

遊行的隊伍顯然已越來越迫近了。那雄壯激昂的進行曲，響徹雲霄，振沛人心。音樂的節奏中更摻雜著群眾高喊：「偉大的蔣總統萬歲！」、「中華民國萬歲！」、「萬萬歲！」的歡呼，此起彼落，震天撼地，彷彿整個自由世界都在沸騰，在歡躍。

他倆默默相視，她感到他的手向她伸來，她緊緊地握著，體會到彼此的心在跳躍，血液在交流。這一會兒自己彷彿又恢復了年輕，充沛著新的活力，激動的心中有什麼在洋溢，在升漲——頰上涼涼的，那在眼眶裡滾動了許久的，喜悅的淚水，終於奪眶而出。

「妳自命為生活的勇士，但勇敢的戰士是不輕易流淚的。」他湊在她耳畔低低地說，她感到他的熱氣噴在她臉頰上，癢癢的，又忍不住笑了。

晶瑩的淚珠，燦爛的笑，在頰上輝映成美麗動人的畫面。她感到他柔情脈脈地凝視，把頭輕輕擱在他肩上。透過迷濛的淚光，她憧憬地向遠處矚望著：這世界是如此多難多災，這世界又如此美麗光輝！那一段最黑暗的惡夢已成過去，未來戰鬥的路程仍是漫長而艱辛的，但是一路上將有更堅定的信念，更多的勇氣，更大的希望和榮耀！

燦爛的陽光，蒼翠的樹木，海一般深邃的藍天，天一般蔚藍的海，這是自由中國不朽的春天，秋天裡的春天。

編註：本文原刊於《婦友》第二十七期，一九五六年十二月十日，頁二十六～二十八，原題〈不朽的春天〉。

與君同在

一

初秋的上午，天氣晴朗可愛。

方銳照例又埋坐在他那張臨窗的大藤椅裡，臉向著窗外，彷彿正斂神凝視那一片景色。可是，他雖然睜著眼睛，院裡的花影疏枝，麗日秋光，卻並沒反映在他那木然無光的眼球上，只是茫然瞠視著前面。——藍亮的天空是萬里無雲，而他的眼睛上卻像蒙了一層雲翳，這無形的障翳遮蔽了他靈魂的窗子，隔絕了光明的世界，整個美麗的宇宙，在他已只剩下了一片混沌未開的黑暗。

在一次光榮的任務中，他拾回了生命，但犧牲了眼睛。

雙目失明的方銳，與從前的他完全判若兩人。他變得乖戾而暴躁。別人的慰勉在他看來是可恥的憐憫，他更不能忍受同情，因此，他喜歡孤獨。不管陰晴風雨，常常便這般陰鬱地凝坐窗前，陷入那種無以自拔的、心智沮喪的折磨中。他看不見周圍，但他能感覺到天氣的睛好。柔和的氣流輕輕拂過他的身子，使他感到充沛的精力在皮膚下面升漲，血液迅速地迴流。這時正有一陣飛機聲掠過屋脊，他不由得緊握住椅子的扶手，所有的細胞立刻充血緊張。他忽然站立起來，本能地伸出手去，向前走了兩步。四周包圍著他的是一片黑暗，什麼也觸摸不到，渺渺茫茫，更不知身在何處。他魯莽地一個轉身又向左邊試了幾步，不提防腰部在一張桌子角上撞了一下，他記得這是放茶具的桌子，正感到心焦口渴，他在桌上摸索到一只杯子，用左手把它按住，右手拿起水瓶，比齊了杯口抖簌簌地往杯裡倒開水。開水滿滿地溢出來滴到地上，他趕緊停止，笨拙地放好水瓶時，不想衣袖又拂翻了滿杯的開水，燙痛了腳——在一連串慌亂笨拙的動作中，他絆著一張椅子傾倒了，一片玻璃和瓷器的碰撞聲，他彷彿又在失了控制的飛機中摔下去——

「燙了沒有？口渴，為什麼不叫我呢！」過來的不是救護車、擔架兵，而是他的妻——蘊如。她一面關切地慰問他，溫和地譴責他，一面伸手攙扶他起來。方銳心中陡地湧起一陣羞愧和悲憤，摔脫蘊如的攙扶，掙扎著踉蹌地跌進椅子，用絕望的聲音嘶喚：

「我還有什麼用？我是個廢物！為什麼不教我斷了腿，折了臂，偏教我瞎了眼睛。我的世界是黑暗的，我的靈魂是黑暗的，我看不見我所鍾愛的和我所仇恨的，人生對我失去了意義，我活著還有什麼意思！」

「銳，別這樣，你忘了活著就有希望……」

「不，不要用這樣空洞的話安慰我，我知道我活著毫無希望，活著只是別人的累贅，妳盡可以離開我，不要在這裡裝著布施憐憫——妳不要理我，我是廢物！一無用處的廢物。」方銳粗暴地截住蘊如的話，雙手不住捧頭抓著頭髮，失去理性地喊叫。那神情，彷彿一頭受傷的野獸關閉在籠中作無用的掙扎，發生痛苦的怒吼。

蘊如被方銳推拒在一旁，悽惶而無能為力地望著這俊偉強壯的男人，徒然地和自己的精神掙扎苦鬥。她不由得熱淚盈眶，無聲地悲泣，他看不見，他自己的眼淚流在心裡。

二

每次當感情上的暴風雨疾捲過方銳的心頭之後，留下的便是極端的衰弱和疲憊。他意識到自己的失常和無理性的憤怒，充滿了羞愧。此刻周圍是無比的寧靜，彷彿靜得連空氣都在凝結。他感到一種無告的孤獨，自己似乎正跌落在一個無邊無底的深淵裡，還不斷地往下沉，沉，沉……。他惶懼地伸出求援的手，發出無聲的呼救——就在這時，忽然像一朵瑞雲，一隻鴿子，輕輕停落在他的肩頭。一絲從掌心散發出來的溫暖透過衣服喚回了他的真實感——是蘊如，凡是每當他需要她的時候，她總是在他身畔。

「蘊如，」方銳緊握住那隻擱在他肩頭的手，感激而又愧赧。「蘊如，妳一直都在房裡。」

「嗯。」

「妳沒有生我的氣？」

「沒有。」

「那麼，也不恨我？」

「恨你！為什麼？」

「因為我變得喜怒無常，我怕我將成為妳的一個可厭的累贅，妨礙妳未來的幸福……。」

「不許你說這些。」蘊如佯嗔著，另一隻手繞過他的肩頭去掩他的嘴。方銳激動地抓起她的手從手背吻到掌心，一直吻到臂膀……忽然，他停止了這綿纏的動作，帶著十分驚詫，捏著她的胳膊，撫著她的臉頰：「妳瘦了，哪裡不舒服嗎？」

「沒有什麼不舒服。」蘊如淡淡地回答，但從那缺少光彩的眼睛裡，卻流露出顯然有所掩飾的神色。只是方銳看不見。

「別瞞我，妳瘦了很多，一定是讓我把妳拖累了。而我卻自私得從來不曾顧憐妳。我是世上最愚蠢最混蛋的人……」方銳愧疚地自譴自責。

「不要把罪名往自己身上栽，這根本不關你的事。瘦了一點對一個女人來說，並不是值得悲哀的事，這一來豈不顯得更苗條些嗎？」蘊如自己調侃著，好像怕聲音裡洩露出什麼，她忽然故意略帶誇張地提醒自己：「你看，纏了這半天，今天的報還不曾唸給你聽呢。看看今天有什麼好消息——噢，這裡有一篇關於一個剛從美國回來的眼科醫生訪問記，說是他攜回了新的移植眼睛的器械，能使盲者重見天日。哦！銳，這不是一個好消息，一個令人興奮的希望麼？」蘊如興奮的丟下報紙，緊擁住方銳的肩頭，馬上又拾起報紙如獲至寶般迫切而仔細地重唸一遍。

但方銳卻顯得不感興趣地聽蘊如唸著，一臉狐疑，執拗而不信的神情，絲毫不為所動。

三

方銳從一個惡夢中驚醒，睡神已離他遠去，他知道照例又要失眠了。於是他開始費勁地在各個記憶的角隅裡搜索著，追憶那些永遠也不能再見的事物——這是他在失眠之夜藉以溫習的課程。那些有的本是一些很小的，無關緊要的景象，但是，一旦失去後，竟成為世間最珍貴的東西。

「蘊如，妳醒著？」他試探著問。

「唔，」蘊如含糊地在鼻子裡答應，「你也睡不著？」

「白天和黑夜在我原來就沒有什麼差別。」方銳苦笑著。

「銳，有一件事我本來想明天告訴你，現在既然大家都睡不著，就跟你說了。」蘊如遲疑地頓了一頓，彷彿那要說的話扎著喉嚨，「昨天我接到表妹的信，說是姨母病得不輕，很想見見我……你知道我從十歲起就是她帶大的。」

「那妳就去吧。」方銳裝得很通人情，心裡卻很不自在。

「但是去一趟至少要耽擱三五天，我怕你感到不便。」

「有阿英給我弄飯吃，別的我曉得照料自己。」

「我又怕你太寂寞了，想得太多，又要跟自己生氣。」

「不會的，妳不在我身畔，我只是想著妳——」方銳費了很大的勁才把聲音弄得自然一點。

「你真的能這樣，那我就放心去了。」蘊如欣然地勾住方銳的頭頸，在他耳朵上輕柔地吻了一下。「不過在我去之前，你一定要答應我辦一樁事。」

「什麼事？」方銳已是十分不耐煩了。

「去達明眼科醫院檢查。」

「又提這件事！」方銳緊皺著眉，執拗地說，「我說過那種千萬分之一的僥倖是不可信的，我不想做人家實驗的活屍體——再說誰又肯死了捐贈自己的眼睛？」

「人原是活在希望和期待中的，為什麼不給自己一個希望呢？也許，碰巧遇上那千萬分之一的僥倖。再說那也不至於損失你什麼——銳，答應我，就算是我的請求！」

「好吧。」方銳遲疑了一會，很勉強的答應。「依妳。」

蘊如撫著他寬闊的肩膀，在他耳畔低低地說：「銳，現在你看不見我，可還記得我的模樣？」

「妳就活在我心裡。」

「永遠，永遠？」

「永遠，永遠。——咦！蘊如，妳怎麼哭了！」方銳湊過臉去依貼著，卻接觸到濡濕的一片，他用手在蘊如臉上摸索著。溫熱的淚水沿著他手指往下滴。

「不，不要管我，我只是有點傻。」蘊如喃喃地說，聲音在喉頭梗塞著，激動地緊摟住方銳，彷彿要把自己整個地融入他生命中。「吻我，不要停……一直到永遠，永遠……」

四

是蘊如走了第三天的上午，方銳照例又埋坐那張椅子裡，被陰鬱的情緒所覆沒。忽然，他驚覺地屏息諦聽，有開門和腳聲，他的心往上一提，希望是蘊如回來了，但那腳聲卻十分陌生，而且很快就衝進了屋子。

「這位想必就是方先生！」那是一個跟腳聲一樣完全陌生的聲音，很急促地說。

「正是，你是？」方銳覺得奇怪。

「我是達明眼科醫院章大夫叫我來通知，請你到醫院去一次。」

「去醫院，幹什麼？」

「這個，大夫沒有說，反正你去了就知道，而且章大夫說越快越好。」

方銳滿腹狐疑，卻也就隨著那陌生人去了。

「方先生，你還記得上次我告訴你，你的眼睛只是眼角膜受傷，眼神經並沒有壞。」方銳聽得出是上次替他檢查眼睛的章大夫。他點點頭隨口答應：「我沒忘記。」

「所以如果能找到眼睛角膜給你換上，就有復明的希望。現在有人捐給醫院一雙眼睛，我預備給你配上。」

那一剎那，方銳雖然聽見了章大夫的話，這幾乎不是他那久懷絕望的心情所能接受的。慢慢地，那話裡的意義才浸入他的內心，頓時他又覺得他一個人承受不起這突如其來的轉機，就如當初他承受不起失明的絕望一樣，他要一個親人來分負這情緒上的突變：

「大夫，」方銳終於開口了，聲音很微弱，「真有這樣的事？」

「的的確確。」

「那麼，先請替我拍個電報給我妻子，我要她回來伴著我……」

「來不及了，移植手術一定要在死者死後二十四小時以內完成，現在馬上就要準備動手術。」大夫拍拍他的肩膀，口氣比較溫和了點，「等你完全看得見了，讓你太太驚喜一下。」

……方銳糊裡糊塗地被擺布著，也不知過了多少時候，他意識自己躺在一張陌生的牀上，呼吸中滲入一股病房中特有的酒精氣味。眼睛被包紮在繃帶裡，那感覺彷彿是被風吹了一粒砂子進去給用力揉了出來，滯澀而瘦脹。章大夫的聲音在他旁邊告訴他：手術經過良好，有百分之九十的希望。現在必須保持安靜，不要多想，極力避免眼睛的運動。

「人可以做各式各樣的夢，但人總不能創造神蹟？」方銳唯恐希望幻成泡影，帶來更大的絕望，想到最後，自己總是這般自譬自解。他耐住性子躺在牀上，希望著，懷疑著，等待著。

五

那一個日子終於來臨了，到了拆繃帶的那一天，方銳覺得那是命運被判決的時辰；死刑，或者是無罪赦免。

「別緊張，沒有什麼可怕的。」章大夫十分謹慎地剪開了縫線，一面緩緩地解開繃帶，一面柔聲地叮嚀。方銳口裡答應著，卻抑制不住心臟劇烈的跳動。他屏住了呼吸，感到眼上的壓力逐漸減輕，終於透現出一層曙光似的灰白色。

「現在，只當你睡了一覺醒來，慢慢地睜開眼睛。」大夫拍拍他的肩膀，退後了兩步。

方銳緩緩地試著睜開眼睛，第一個映入他眼中的便是穿著白衣服的醫生，這剎那間在他心裡湧起了一個強烈的衝動；他想擁抱，擁抱醫生，擁抱這世界上的一切。但他卻雙唇抖慄著，興奮得講不出一句話，他動著自己的手指半天才激動地說：

「我看得見了！章大夫，我當真又完全看得見了！你是再造我的上帝，你創造了造物所不能創造的奇蹟。從今天起，你使我重新獲得了生存的勇氣，生命的價值。」方銳緊緊握住醫生的手，抑制不住興奮過度的情緒，而熱淚盈眶。「我不知道怎樣說出我的感激！而你在許多候選人中，卻單單賜給我這半生的幸福。」

「不要謝我，這只是做醫生的應盡責任，創造神蹟的不是我，」章大夫矜持地回答，他微微吟思了一下，又莊嚴地說：「至於你提到關於單單選中了你動手術這一點，我要告訴你，原是那位捐贈者遺囑中指定了捐贈給你的。」

「啊！」方銳愕然一怔，感激之餘，復肅然起敬，迫切地追問：「請告訴我那位好心而慷慨的施主是誰？」

「暫時，捐賜者的姓名還要保守祕密。」

「為什麼？我只是想向我的恩人致敬致謝，告慰他在天之靈，我將用他的眼睛辨明善惡，認清恩仇。這其間似乎並無祕密可言，章大夫，請告訴我吧。」

「來日方長，你已經太興奮了，目前你還需要休養，不能受刺激，也不能太勞累。」醫生顯然拒絕正面作答，做了個要他休息的手勢，然後退了出去。

六

醫生為方銳的眼睛做了最後一次縝密的診察，放下診察器向方銳表示許可的頷首。

「今天可以出院了。」

方銳聽說如此，不由地立刻自椅上站起來說了聲「謝謝」，便回病房換衣服。準備出院，嘴裡自然地哼起那首校歌：「得遂凌雲願，空際任迴旋，報國懷壯志，正好乘風飛去……。」

「今天天氣真不錯！」他發覺醫生一直看著他，覺得應該向他說說話，便一面扣著扣子，一面興高采烈地向醫生搭訕著：「章大夫，我遵照你的囑咐，還沒有把這樁大事告訴我太太。前天我已寫信要她回來，她要看到我眼睛好了。怕不要高興瘋了！……哦，大夫，有什麼不對勁的地方嗎？」他一眼瞥見醫生肅穆的神情，手裡的動作不禁緩滯下來。

「那天你問我的問題，我現在答覆你。」醫生走過來，慎重地從口袋裡摸出一封信，「這答覆對你是一件很不幸的消息，但我希望你能拿出勇氣來接受。」

方銳一眼就看出信封上蘊如的筆跡，心知有異，一顆心禁不住地怦怦直跳，忙不迭接過來，抖慄著抽出了信箋。

銳：

當我想到你會用你的新生的眼睛來讀我這封信時，我不禁高興得流下淚來。那些黯淡無光的日子，終於成為過去，成為一場消失了的惡夢。從此，展現在你前面的將是無限更燦爛的前程。銳，請先接受我虔誠的祝福！

壯志未償，而身已殘廢，銳，在你失明的那段時日，我完全了解你內心的痛苦，和無告的絕望，眼看你一天天消沉沮喪，我為你憂心如焚，而最使我悲哀的是縱使你最親愛的妻子，卻無法分承你的痛苦，我唯有日夜祈禱，但願上帝俯鑑我一片誠摯的愛心，讓我以身代替。——直到那天，章大夫診斷你受傷的眼角膜，視神經並未損壞。這不啻從愁雲慘霧中透射了一線陽光，終於讓我發掘到一線希望，我知道，唯有使你恢復視力，也就恢復了自信。我選擇了自認為最妥善的路子——把我的眼睛給你。我完全信賴醫術高強的章大夫會替我完成這樁心願。

銳，別為我悲傷，我這樣做完全是由於愛的驅使，我愛你至深，怎忍眼見你日趨毀滅？而我所捐棄的亦並非健康完善之身。我一直瞞著你，癌症已蔓延在我胃裡，縱使苟延殘喘，醫生說頂多不過一年半載，而你正當青春盛年，有如朝日初升，雄志宏願正待舒展，多難的祖國更需要你！

勇敢些，親愛的銳，肉身雖毀，唯愛永存。何況我倆已揉合在一起，凡你所能看見的，我亦如同親眼目睹。不要流淚，不要悲痛，而應該放眼縱目，去看那長空萬里，看那錦繡河山。一如你過去所說：要眼看著摘下勝利的碩果！要看著青天白日旗幟招展在祖國的土地上，記著，我永遠與你在一起，我會看見這一切，盼善自珍重！

你的蘊如

方銳費了幾番努力，勉強把信看完。只感到眼前一陣昏黑，像一塊沒有知覺的石頭般跌坐下去，手裡的信紙像落葉般飄墜在地上。那種冰冷窒息的黑暗又攫住了他，不是眼睛的瞎盲，而是心靈的失常；從此，不再有愛情的光輝照耀他，燭引他，鼓勵他，他心靈中的太陽下墜了，遺留他孤獨一人在無底的深淵裡……

「為什麼要這樣！我寧願瞎一輩子，過一輩子暗無天日的生活，我不能沒有妳！我的生命中不能一天離開妳！蘊如，啊啊，蘊如，還妳眼睛，我要妳，我要的是妳……」方銳淒厲地嘶喊著，握著拳頭跳起來，瘋狂地捶著自己的胸脯，拉著頭髮！又頹然跌下，把頭埋入手掌裡，盡情地慟哭著。

天昏地黑，世界彷彿已瀕臨末日。

「夠了，青年人。」章大夫站在一旁等方銳痛哭了半天，已經哭得聲嘶力竭，才過來撫住他的肩頭緩緩地勸說：「尊夫人這種為愛情而犧牲的精神是太偉大了，你應該體念她那番成全你的苦心，而稍稍節哀，她所期望於你的更不能讓她感到失望。」

方銳勉強抑制了哽咽，從手掌裡抬起淚痕斑斑的臉，呆望了一會窗外，於是俯下身去撿起信紙，小心地摺疊了放進口袋，像個衰弱的老人般緩緩地站起來。

「大夫，謝謝你！」他無力地說，又向護士點點頭，他看見了護士眼中同情的淚光，幾乎又忍不住熱淚迸流。忙低下頭轉過身子，在醫生和看護的注視下，挪著沉重的腳步，一步一步走完長廊，走出醫院的大門。輝煌奪目的陽光熱烈地包圍住他，他感到有點昏眩，停了腳步，調整了一會眼睛，茫然抬眼望去，展延在他頭上的是一望無際、蔚藍明朗的長空，太陽正放射著無比的熱力，他彷彿聽見一個親切的聲音來自空中，又似乎發自內心，悄悄地喚著他的名字：「凡你所能看見的我亦如同親眼目睹——我仍舊與你在一起，永遠，永遠……。」他不禁噙著滿眶熱淚，肅穆地向空中凝視頃刻，於是邁開踏實的腳步，朝大路上走去。

編註：本文原刊於蕭銅主編《六十名家小說選集・上集》台北：台北書局，一九五六年十二月初版，頁一一一～一二一。

花魂

柳柯拿起朋友的來信，又重讀了一遍：

柯，鳳凰鎮沒有辜負它那美麗的名字，這幾天滿鎮的鳳凰木開得正盛，那一片錦繡，映紅了藍天，映紅了小鎮，映紅了鎮上每個人的臉和心！但是，柯，花朵的春天短促得就像人們的春夢一樣：夢醒了，花也就謝了，誰留得住呢？文字在這時是最笨拙而太抽象了，只有你多彩的畫筆，才能留住不凋的花朵，不逝的春天——來吧！我正掃榻恭候著你呢……。

友人信上這一段富有誘惑性的描繪，堅定了柳柯去鳳凰鎮小住寫生的決心。於是，他開始收拾畫箱和畫具。

小鎮果然一如朋友所說的美麗可愛，恬靜可喜。鎮上幾乎家家園裡都栽上一兩株鳳凰木，綴著滿枝耀眼奪目的花朵，從矮圍牆裡像把巨大的火傘直矗上半空：尤其是那條潔淨的街道，兩邊排列著對稱的鳳凰木樹，枝葉相接，花蕚交輝，人們在樹下往來，彷彿穿過一道絢爛莊麗的拱門，一座深邃幽寂的拱洞，或者在一條彩虹下面行走。

柳柯搬來了小鎮三天，卻不曾打開畫箱。

清晨，黃昏，他同友人漫步在花徑上，白天，他便獨坐在小窗前——他像一個善飲的人貪婪地啜吸著醇酒，他攝取著花魂。

「你還不動筆嗎？」

「我陶醉了，我的心靈在沉酣中哩！」柳柯回答友人的催促。

直到第四天，柳柯才開畫箱，調好顏料，開始作畫了。他先從窗前畫起，繼之鎮裡鎮外，一星期內他畫了好幾張風景。有一天他在鄉下跑了個把鐘頭沒有找到一幅理想的畫面，而驕陽卻把他烤炙的汗流浹背了。他揀了一棵樹蔭坐下來喘喘氣，打開帶來的水瓶，就在他一轉臉時，左側那一幅動人的景致立刻攝住了他的視線，在一株龐大而姿勢優美的鳳凰木下，一個十三、四歲的牧童正雙手枕著頭，靠著樹根躺在濃蔭下，褲腿捲得高高的，笠帽半遮著臉，身上有好幾瓣落下的鳳凰木花，那樣子舒適自在而帶著點粗野和不在乎，旁邊不遠有一頭黃牛，正悠閒地啃著青草，襯著藍天白雲和一抹隱約的遠山——柳柯顧不得休息，便立刻支起畫架，對著畫起來，正畫了一半時，忽然那牧童醒了，伸了伸懶腰，把腳一收，就要轉身起來，急得柳柯連忙向他打招呼：

「小哥，我正在畫你哩，請你照老樣子躺著好嗎？」

那牧童略一猶疑，又照原來的樣子躺了下去。

「小哥，謝謝你。你明天還能不能再來？」天晚了，柳柯一面收拾畫具，一面問那牧童，那牧童只遙向他點頭作答，便牽著牛先走了。

第二天柳柯去時，那牧童果然已裝著昨天的姿勢躺在哪裡，柳柯暗喜這牧童十分識趣，他把該補色的補全了，自覺連日畫的都不及這張滿意，便高興地喚牧童道：

「畫好了哩，要不要過來看看！」

那牧童輕捷地一躍而起，向柳柯跑來，蹲在那張畫面前諦視了好一會，才用充滿讚美的聲音說：

「畫得真好！可真把我畫成了一個男孩子！」

「畫成了一個男孩子？」柳柯詫異的側臉看他，只見他把笠帽戴得低低的遮住了半截臉，只看到一個挺直的鼻子，和輪廓柔和豐潤，略帶著稚氣的雙唇。「為什麼是畫成一個男孩子？」他追問著。

「你明天還來不來？」牧童故意避開正面作答，一面問他說。

「來，在這裡我還要畫兩張——告訴我，你剛才怎麼說是我把你畫成一個男孩子呢？難道畫錯了嗎？」

「先不告訴你。」牧童低下頭掀了掀柔和的嘴唇，笑得很神祕，用赤著腳的腳趾夾起地上的一塊小石子，頑皮的向上一丟，便旋轉身子牽著那頭黃牛，踏著夕陽走了。

第三天柳柯又去了那裡，只見那頭牛仍舊在草地上吃草，卻不見牧童，他選了個角度調整畫架坐下來開始畫另一幅風景，忽然覺得眼角有什麼一閃，有一個村姑模樣的女孩子正打從草地後面的樹叢裡走出來，淺藍長褲，淺粉短衫，笠帽下垂著兩支辮子，辮梢上戴著鮮豔的鳳凰木花，當她輕盈的跳過田溝時，辮子便一前一後地跳盪著，像兩隻紅蝴蝶在追逐飛舞……她筆直地走到柳柯面前，除下了笠帽，望著他微笑，柳柯不禁一下子怔住了，只見她不住的用笠帽搧著風，微黑的臉上泛起淡淡的紅暈，一綹短髮被汗水黏在額上，那雙黑而明澈的眸子狡黠而帶著點忸怩地望著他，他馬上由那挺直的鼻子和豐潤的嘴唇認出她是誰來，她這一換裝束，卻比昨天長大了兩三歲。

「不認識了麼！你昨天不是把我畫成了一個男孩子？」她笑著問他。

「乍然一眼真有點認不出來。」他驚喜地說，望著她黑亮的眼睛，輪廓柔和的嘴唇，纖秀合適的身材和微微隆起的胸脯，像欣賞一件藝術品似的。「妳很漂亮，昨天那身衣服完全把妳遮掩了。妳為什麼喜歡穿那種男孩子的裝束？」

「方便嘛！」她被他的凝視弄得有點不安，垂下眼簾去旋轉著手裡的笠帽。

「可是也真俏皮極了，還帶著點野氣——妳今年不到十四歲吧？」

「人家都十六了。」

「天天要放牛？」

「嗯，我哥哥去當兵，弟弟得上學，家裡就是我一個人閒。」她頓了一頓，央求地說：「為什麼不畫了，我很想看著你畫哩。」

柳柯蘸了一筆鮮明的丹紅，便在畫布上渲染著鳳凰木，她悠閒地抱著膝蓋蹲坐在一旁，眼睛跟著畫筆迅起疾落，露出一片崇拜愛慕的神情，彷彿在她面前那個瀟灑的畫家不是一個人，而是神，她全副樸實無邪的心靈，已完全被神的才藝所震懾而膺服——他這時已畫好了一株姿勢矯捷、繁花滿枝的鳳凰木。

「這株鳳凰木比真的還好看！」她不由得大聲讚歎著。「你好像特別喜歡我們這裡的鳳凰木？」

「你們這裡的鳳凰木就像你們這裡的女孩子特別使人迷戀。」柳柯一面揮筆，一面用他平常那種調侃的口吻說。但這句話似乎給了那女孩子很大的激動，她迅速而迷亂地瞥了他一眼，輕咬著下唇，默不作聲——她的眼睛再沒有離開過畫筆，一直到他完成的時候。

「你還會來這裡畫嗎？」她望著他折疊畫架，收拾畫具，睜大了眼睛問他。

「說不定。如果沒有什麼好畫的便要到別處去。」柳柯向四周環顧著，當收回眼光來時，正碰著她熱切盼待的眼光，他覺得有這麼一個小小崇拜者十分有趣，便問她：「妳曉不曉得附近哪裡還有好風景？」

女孩子眨了兩眨眼睛，忽然射出喜悅的光芒說：

「這裡有個翠湖，翠湖的鳳凰木開得最美了，不知你去過沒有？」

「翠湖！這名字很有詩意，明天妳……噯，我不能再叫妳——小哥吧？」

「我叫阿慧。」

「那麼，阿慧，明天請妳帶我去翠湖好麼？」

阿慧點點頭，把辮子拋過肩頭，側著臉小聲說：

「我就叫你先生麼？」

「我叫柳柯。」

「那就叫你柳先生。」

那天阿慧又換上了她那身牧童裝，把辮子盤在笠帽裡，一跳一蹦的一副頑皮、粗野的牧牛孩子模樣，背後還牽著那頭黃牛，帶領柳柯去翠湖。剛穿過一帶疏朗的林子，柳柯便瞥見那個湖——像一面古銅鏡，鑲嵌在一片嫣紅濃綠之中，岸上盛開著如錦如火的鳳凰木花，把暗綠的湖水都映紅了，靠近湖面坡岸上是一片蔥翠的青草，和蔓延著的藤蘿，星星似的開滿了小白花和紫色的喇叭花，湖裡浮著青萍，襯著鳳凰木上墜下的花瓣，還有三五隻白鵝悠然盪漾著，環繞湖濱的是一排茂鬱的樹林，周圍靜寂無聲，只有風吹過林隙，輕輕打著唿哨，摻和著清脆細碎的鳥語，不時從樹上飄落一兩瓣鮮紅的落花。

「啊，啊！這裡太美了，簡直是人間仙境。」柳柯喜不自禁，放下畫具便一伸手臂，緊緊攬住了阿慧圓削的雙肩，高聲讚歎著，不知是樹上的花朵渲染，抑是湖裡的花瓣相映，阿慧微黑的臉上陡然湧起一層紅暈，纖小的身體微微起了陣顫慄，但柳柯沒有注意這些，他只是攬住她的雙肩，以莊穆的神情，默默欣賞展示在眼前的美景。

「妳常來這裡嗎？」

「有時來。我愛這地方，因為這些鳳凰木使我看得入迷。」

「一個人來看？」

「不，同另外一個人，他叫榮生。」說著，不知為什麼她的臉更紅了。

柳柯選擇了一個角度，開始作畫，阿慧仍舊採取昨天的姿勢，蹲坐在一邊，柳柯不問她時，她很少先講話，默默地、謹慎地留心著自己的舉動。彷彿怕擾亂了他的情緒似的，蹲在那裡就像一隻小鹿瞪著好奇的黑眼睛看著。那天柳柯畫到夕陽西下，阿慧也跟著看到底。

第二天，柳柯一早便出發到翠湖去，還帶著乾糧，預備在那裡消磨一天，早晨的翠湖比中午的更幽美，更靜穆，涼沁而新鮮的空氣，給人精神上一種振奮和澄清的感覺，但柳柯架起畫架畫了不到兩小時，覺得畫筆有點滯澀，揮撥不開，畫意也不太濃厚，於是他休息了一會，吃過帶來的乾糧，便懶洋洋的靠在樹幹上，提不起興來。他平常原是愛靜靜的作畫，今天卻感到湖畔那份靜寂，彷彿一團濃密的烏雲，籠罩著他的心靈，他鬱鬱地凝望著湖畔的鳳凰木，恍惚那些紅花幻作一大朵紅雲，冉冉上升，他的意識隨著上升而迷糊——迷糊中，似有輕微的悉索聲來自身後，他略一凝神，回頭看時，只見阿慧正躡手躡腳向他走來，看見他醒來，便站定了笑盈盈地望著他說：

「我以為你在做夢哩！」

「可是妳卻闖進了我的夢裡——妳這樣子真像森林裡的小精靈。」柳柯高興地望著她說。

「精靈是什麼？」

「精靈就像妳一樣：既調皮，又可愛，來去飄忽，走路沒有一點聲音。」

阿慧抿著花瓣似的嘴一笑，笑時帶著那種嬰孩似的甜蜜，她走到畫架前端詳著。

「噯！已經畫了這麼多，你今天一早就來了？」

「一早，我好像已經畫了一百年似的。」柳柯從樹下站起來，伸展著腰肢，好像重又獲得了興趣和精力，他拿起吹乾了的畫筆在顏料裡慢慢浸軟，「妳到這裡來放牛不很遠麼？」

「這裡的青草嫩嘛。」她嬌憨地說，拔起一根青草來含在嘴裡，看他在畫布上抹上一筆又一筆的油彩。

柳柯每天在翠湖寫生，阿慧也每天在翠湖放牛，他畫畫時，她總是從不厭倦地坐在一旁，帶著那種依戀和崇敬，默默地諦視著，她成為他最好的友伴，她解除了他的寂寞，成了他最好的欣賞和鼓勵者，然而她只是默默地欣賞，從不喋喋弄舌。她那凝集在他畫上的眼光是如此熱切而充滿著崇敬，使接觸這眼光的人感到有一種無形的力量鼓舞著他。但柳柯始終只把她看作一個調皮可愛的牧牛童子，一個善解人意的小精靈，卻忽視了她在旁邊一天比一天變得沉靜，這沉靜是屬於懷春的少女。

紅、紅、紅，鳳凰木的花紅得像一團團耀眼的火焰，鳳凰木的花更紅，太陽也更灼人，有一天阿慧從烈日中走來，將牛放了，自己便伏身在綠草芊綿的坡岸上，用手掬起湖水洗臉，岸上的柳柯像發現了奇蹟似地歡呼起來：

「妳這姿勢真美極了，可是這衣服真彆扭，明天換上妳自己的衣服，讓我畫一張！」

第二天阿慧換上自己的粉色衫褲，在柳柯的指點下伏在坡岸上，柳柯叫她把辮子拆散了，鬆軟的頭髮瀑布似的從肩背一直披到胸前，透過樹隙的陽光在髮上灑下斑爛的金色迴紋，柳柯又採了些白色的小花，隨著編成花環戴在她頭上，她一手支著下頷，一手浸在水裡，伸向一朵紫色的小花，眼睛半開半闔，一副嬌憨而慵懶的神情，鳳凰木的紅光映照在她臉上。

柳柯深深地諦視著，鄭重的在潔白的畫布上抹上第一筆油彩——當他畫到她眼睛時，卻不禁愕然了，是的，他熟悉那對漆黑明澈的眼睛，但此刻看來又顯得有些陌生，因為它射著一種神奇的光彩，一種少女對某些不可知的事物的憧憬，和那種熱烈的渴慕的神情，那種夢一般神祕的目光完全掩蓋了她臉上原有的雅氣，變為嬌豔煥發，彷彿她一下子突然長成了。

「妳這副神氣不像森林裡的小精靈，倒像森林的女神！」柳柯迷惑地望著她說，小心翼翼的，把那眼神描繪到畫上。

阿慧似乎因為自己成為柳柯注意的中心而感到亢奮，她以那種陶醉於幸福的迷戀，讓自己浸沉在柳柯的一瞥一眺，一番凝視，一番端詳中，像一顆樹生長在地上，一株藤蔓在湖畔，她保持著那個姿勢俯伏在坡岸，鳳凰木的花瓣散落在她身上——當第三天柳柯告訴她已畫好了時，她才恍惚從夢中驚醒：

「就畫好了？」

「還嫌快嗎？我怕妳不耐煩哩。」

阿慧沒有作聲，只是默默地抬起頭來呆望著湖邊那一排鳳凰木，那神情似乎說：「我唯願是那些鳳凰木，任你盡畫畫不完！」

有一次柳柯貪畫著天際絢麗的晚霞，一直畫到太陽西下，阿慧傍著他坐在草地上，也沒有走的意思，一樹樹嫣紅的鳳凰木被夕陽的餘輝渲染得燦爛奪目，暮靄似一片煙霧，悄然在湖的四周升起。這時，一個沙啞正在變換音帶的聲音，高喚著「慧姑，慧姑」。像一支尖錐，一下刺破了四周近於凝結的靜寂。

阿慧望望柳柯，彷彿不願這份靜謐被人打擾，沒有回答，不一會跟著重重的腳音，一個

十七、八歲十分結壯的男孩子從林子裡走出來，一眼看見阿慧，便大聲責怪著說：

「原來妳躲在這裡！人家喚妳半天都不睬。」

「人家在畫畫哩。」阿慧向他點點頭，指指柳柯，示意他不要嚷，男孩子走過來不經意的瞥了一眼畫，倒瞅了柳柯兩眼，放著他自以為輕的聲音問阿慧：

「這就是妳說給妳畫像的那個人麼？」

「榮生你怎麼啦？」阿慧皺皺眉頭，不高興地瞪了他一眼，「什麼這個人那個人的，人家是畫家柳先生。」

「我不問妳這些，是大娘說天晚了，叫我來找妳回家。」男孩子窘迫地漲紅了臉，他又盯了柳柯一眼，一轉身便逕自去草原地上牽了牛，頭也不回地朝原路走去。

阿慧望望柳柯又望望男孩的背影，懶懶地提著笠帽立起來，跟了走上去，到林邊，她才回過頭來向柳柯揮揮帽子，說了聲：「柳先生，明天見！」接著兩個背影便同時消失在林裡。

火焰熱到最高度開始降落，花朵紅到了頂端也開始褪蝕，鳳凰木的花逐漸凋謝了，一陣風過，起初只是一兩朵，最後竟是一串一串的紅淚，紛紛下墜，枝頭稀了，薄了，根卻厚了，湖裡也灑滿了落花，彷彿鋪了一層猩紅織錦緞氈，但陽光的熱度反一天比一天強烈了，縱是蔥蘢的林中，偶或吹過一陣風，可是總帶著一股大地被烤炙著不得發散的熱氣，使人感到困倦，那天柳柯畫完了最後一張畫上最後一筆，便把筆一撒，靠著樹根伸開四肢坐下來，帶著些微悒鬱，環顧四周。阿慧摘下了些鳳凰木花在手裡，把花瓣放在嘴裡像泡泡糖似地吹著，吹得鼓起來了，便用手指一捏，「啪」的一聲，裂了，又拿起第二個來吹——

「阿慧，你們這裡我一輩子也住不厭哩。」柳柯便望著零落的花朵，聲音裡帶著淡淡的憂鬱和惆悵。

「那你就住一輩子嘛。」阿慧直率的說，望了他一眼，她望著他的眼光中永遠蘊藏著無限敬愛。

「這翠湖，這鳳凰木我也一輩子畫不厭。」

「那你也畫一輩子好了。」

柳柯收回眼光來，望著她笑了，但笑裡依然摻著那份淡淡的憂鬱。

「小精靈，妳對於人生，了解得太少了，我問妳：妳願意放一輩子牛嗎？」

「我不知道，可是我喜歡看你畫畫，永遠看不厭。」

「我若在這裡畫一輩子，妳也放一輩子牛？」

阿慧羞澀地捲弄著衣角，沒有作聲。

「我若是明天就不畫了呢？」

阿慧聽說猛然一驚，用懷疑詢問的眼光緊盯住柳柯，盯得柳柯只得老實告訴她說：

「明天我就要離開鳳凰鎮，回城裡去了。」

阿慧似乎驚呆了，瞪著他說不出一句話。

「我有點捨不得離開這湖，這些美麗的樹，還有妳，阿慧，我有這些收獲，真要謝謝妳哩。」柳柯伸過手去握住阿慧的手，忽然阿慧猝然把手一摔，立起來奔到坡岸上，便疾速地撲了下去，把臉浸在暗綠的湖水裡，半天都沒有動一動——明天，是的，她認為這實在太冷酷了，明天離開，這時才告訴她，她用湖水掩飾自己的熱淚，但柳柯卻為自己的事煩惱，疏忽了她在做什麼，他沉思著明天就要離開這清靜的地方，又要捲入無盡的世俗中——落紅一點一點黯然離枝飄墜，飄得夕陽也為之失色。

「阿慧，盡在湖邊發什麼呆，不幫我收拾嗎？」柳柯懶懶地站起來，下意識地捏起一瓣落在身上的鳳凰木花，用手指揉著擠出一些絳紅的色汁，摔了，開始拆摺畫架。

阿慧用衣襟擦乾臉上的水漬——不知是淚水是湖水，蹣跚地垂著頭過來，每天他畫完後幫他收拾畫具，已成為她的習慣，她把這工作認為是一種榮譽而總是做得興奮而敏捷，但今天卻彷彿想藉此延緩些時光似的，她遲緩地一件一件檢點著。

「阿慧，妳是不是有點捨不得我離開？」柳柯發現她的沉默，輕輕地拍著她的肩背，像一個大人愛撫他喜歡的孩子一樣，阿慧默不作聲，半晌才用抑制的聲音淒然問：

「你當真要走了？」

「嗯，明天清早。」柳柯挾著畫板，提起畫箱顛了顛。

「那麼，你走了還會不會來？」阿慧這才抬起眼睛來，充滿著依戀的看著他。

「會的，就在明年鳳凰木開花的時候。」

「明年一定會來嗎？」

「唔，一定會的。」柳柯隨口答應著。

柳柯離去不久，太陽落在林子後面，黃昏近了，林裡暮靄四合，湖面煙霧迷濛，一個纖小的身影像一株幼小伶仃的杉樹，兀自凝立湖邊，片片落紅，紛紛飄墜在她身畔。

第二天清晨開赴城裡的列車中有一個年輕人伏在窗口，用眷戀的眼色，望著被列車拋在後面的小鎮，鳳凰木……

花落花開，又是一年。

第二年鳳凰木又開花的時候，柳柯卻正為將要開的畫展而忙個不了，為了這次畫展，他計畫了八年，耗費了不少心血。

畫展在一個多月以後開幕了，柳柯博得不少的稱讚頌揚，出他意料之外的，展出作品中最受人推崇的，卻是他為阿慧在湖畔畫的那張森林的女神，來參觀的人都被畫中恬美的氣氛與柔和的情調所吸引了，在畫前瞻仰觀摩，留戀不忍去，一位前輩畫家在報上作文評介時，還特意將那幅畫大大地讚揚了一番，譽柳柯是當代的達文奇——這次畫展確定了柳柯在畫壇的地位，他成功了，畫展竟一連開了十天。

由於那幅畫的成功，柳柯想起了小鎮，想起了翠湖，想起了林中的小精靈——阿慧，他想等畫展結束後，去一趟小鎮，縱使鳳凰木已凋萎零落了，翠湖也許仍不失那份幽美。不知阿慧比去年看見時是否長大了些。他驀然記起：去年他走時她顯得十分依戀不捨，儘管她裝束成男孩子，像個頑皮、野氣的牧童，但女孩子還是女孩子，他不禁笑了。

畫展圓滿結束了，那天傍晚柳柯帶著輕鬆愉快的心情，去會場卸除畫幅，他剛踏上台階，一個陌生的聲音攔住了喚他：

「你是畫家柳先生嗎？」

柳柯一看，跟他說話的是一個青年，從他的打扮和發散著陽光氣息的身上，可以看出他是來自鄉間。柳柯想不起在哪裡見過他。

「我是榮生，住在鳳凰鎮，去年夏天鳳凰木開花時……」

「噢，我記起來了，你是阿慧的朋友，阿慧好麼？她是不是還是打扮成牧童樣子？湖畔的鳳凰木都謝了嗎？……」柳柯像看見了老朋友似的，岔斷榮生的話，興奮地問了一連串問題，但榮生沒有馬上答覆，他沉緩地從褲袋裡摸出紙捲著的一根細棍子遞給柳柯，像執行一個命令似的，莊嚴地說：

「這是慧姑叫我交還給你，是她替你收拾畫具時留下的。」

柳柯撕開紙包，原來是一枝他用熟了的舊畫筆，自己也不知什麼時候遺失了的，但榮生莊嚴的口吻，使他預感到發生了什麼不幸。

「阿慧她好嗎？」

榮生低下頭去，從齒縫裡迸出聲音來說：

「她死了。」

「什麼？死了？」柳柯猛然一震，不禁抓住榮生的肩膀震撼著，像要從他的體內搖出否定的答覆來，但榮生只微微動了動下頷。

「什麼時候死的？又怎麼會死的？」

「是一個多月以前的事。」榮生痛苦地回憶著，顫抖的聲音裡隱藏著一把眼淚：「鳳凰木正開得繁盛，可是慧姑在那些日子早便有點悒悒悶悶的，每天跑老遠的路去翠湖放牛。有一天，就是那難忘的一天下午，我照例到翠湖去接她，但只看見牛在吃草，不見慧姑，我大聲叫喚，到處尋找，都沒有蹤影，最後，我忽然發現湖的下流，有一大塊白的……哦！」榮生兩手掩著臉，聲音梗塞了。頓了一頓，才順過氣來。「那白色東西正是慧姑。不知怎地給倒在湖面的大樹卡住了——她浮在水面的那樣子真像一位仙子，那天她穿著她最好的一套粉色衫褲，辮子拆散了，長長的頭髮披散在兩肩，還戴著小白花，眼睛緊閉著完全像在睡覺……我當時就跳下去把她抱起來，她的胸口還是暖的。」

「後來呢？」

「我把她救醒了，但比一片落葉還軟弱，我揹她回家裡，她只是流眼淚，叫她母親忘記她這個女兒，也叫我忘記她，最後，她指指枕下，讓我摸出那支畫筆，叫我見到你時還你，還要我折些鳳凰木花給她，可是當我把花送進去時，她已嚥了最後一口氣——」榮生講到這裡，已忍不住嗚咽出聲。柳柯的眼睛也潤濕了，勾起他翠湖畔的情景，溫柔的回憶，一一如在眼前，想著一縷香魂，一片冰心，如今已溘然長逝。他追尋榮生的敘述，阿慧墜翠湖時的裝束，正吻合他為她作畫時所穿的一般。他忽然有所感觸。

「榮生，慧姑跟你一向很好嗎？」

「我們從小就是一起長大的，」榮生抬起頭來。悲慟的語氣中忽然滲入了些敵意，望著柳柯正色道，「我們一直玩得很好，在你來為她畫像以前。」

柳柯避開他的敵視，柔和地說：

「那麼你願意看看我為她畫的像嗎？」

榮生的眼睛亮了一亮。「那原是我希望的。」

柳柯伴同榮生進入會場，廣闊的大廳此刻沒有一個人影，顯得十分莊嚴靜穆，柳柯把榮生帶到他第一次畫的牧童面前，榮生顯得為那生動熟悉的身影所激動，幾乎想伸出手去觸摸。

「就是她，慧姑，即使笠帽全遮住她的臉，我也可以從她的樣子認得出她來！」他激動地喊著，熾熱的情感燃亮了他的眼睛，他幾乎黏住在那張畫面前，最後還是柳柯把他拖開，帶他去看第二張「森林的女神」。

在第二張畫面前，榮生反沒有剛才的激動、喊叫，他是整個心靈被畫像懾住了，他瞪大著眼，半張著嘴，石像似地木立在畫前，許久，許久，才深深地吸了口氣，回過頭來望著柳柯，冷峻的像一個法官下判決似地說：

「慧姑是被你殺死的。」

「我？我殺了她？」柳柯茫然重複著。

「看這眼睛！你把她的靈魂攝來了。」

是的，柳柯不用看也記得這對眼睛，那天在翠湖畔，那對眼睛射著一種新奇美麗的光彩，閃熠著那樣強烈渴慕的情緒，她為什麼忽然會放射美麗的光彩，她所深深渴慕憧憬的又是什麼？她在他心中難道不只是一個牧童，一個小精靈。

「是我殺了她嗎？」他呢喃地問，沒有聽到回答，定神看時，才知道榮生已不知何時悄悄地走了。會場裡闃然無聲，一抹夕陽從對面圓拱形的長窗中射進來，正映在那幅畫上，在畫中人聖潔的臉上罩上一層柔和的光影，更顯得煥發嬌豔，夢似的眼睛凝集在空間的一點，眸子深處有什麼在閃著，火熾著，比夕陽明亮，比鳳凰木花灼熱。柳柯怔怔的凝視著，凝視著，忽然，那點亮，那點熱，逐漸擴大模糊而幻作兩朵鳳凰木花，又幻作四朵、八朵而至無數朵……畫面在鮮紅的花下隱匿了，只剩了一片紅，使人目眩神迷的紅，驟然間那片紅晃搖著，波動著，又變成滿樹凋零的落花，紛紛飛散，飄墜……柳柯覺得自己惶亂的心也像落花似的飄墜，飄墜……他驀地掩住了臉，深深地俯下頭去，像一個罪孽深重，在聖像前懺悔的叛徒。

編註：本文原刊於《暢流》第十一卷第三期，一九五五年三月十六日，頁二十四～二十九。

彼岸

謝謝上帝！總算已經成為過去了，感情上那一番掙扎、決鬥，像一陣兇猛的暴風雨，橫掃疾捲而過，心撕裂成片片，靈魂失去歸依。但我終於戰勝了感情。如今，剩下的是風暴摧殘過的寂滅，我衰弱地軟癱在椅中，茫然凝視著對面鏡中映出我陰沉的容貌，正一秒一分地老去。

一股寒冷的感覺從心坎涼到指頭。我覺得自己又成為一片離枝的落葉，孤獨、寂寞、無傍無依。從此，再沒有人傾聽我的細訴；再沒有人關心我、安慰我，我失掉這些就像樹葉失去滋養它的枝幹，將憔悴而至枯萎，被春風揚棄，化入塵土。但我自甘如此，我既不能承受建築在別人痛苦上的歡樂，那麼，就讓我一個人嚼這枚苦果罷。

此刻，感情的狂瀾已告平靜，但我的心臟卻仍是急促地跳躍，彷彿即將從喉際躍出，又似乎遽然間即將停止跳動。也許我的心臟病又要復發了。但此刻我一無所懼，要來的都來吧，縱使生命轉瞬間幻滅，我也一無所戀。只是上一次病發的事，彷彿如同近在眼前，又彷佛已經很遠很遠，像相隔了一世紀那麼悠久。不過有的印象轉瞬即忘，有的記憶卻是時間所不能湮沒的，只要一息尚存，又焉能忘情？

那是我的生命史中最可怕的一天，一個不祥的日子，我正忙著打字，一紙香港的來信，帶給我留在大陸上的母親的耗音。

有人活著是為享受人生，有人孜孜地工作是為一個理想，但我活著，我孜孜地工作都只為秉承母親的意志。母親是軸心，我只是那繞著她轉的磨子；母親是根，我只是附著她生長的花枝。雖然我在寶島，母親羈留鐵幕，相隔何止千百里！我感到母親的愛心依然縈迴在我左右，母親的照拂依然不離我前後。息息相通，豈是山海所能阻隔？血肉相連，又豈是鐵幕所能截斷？雖然有人告訴我鐵幕裡種種殘暴，但我總不信暴行會加諸一個守寡多年的善良老婦——儘管鐵證擺在我面前，我一時不能接受這事實，我的感情拒絕接受這耗音。我接著信，茫然離開辦公室，自己也不知要去哪裡。……恍惚間只見地面在我面前陷下，牆壁門窗全搖搖欲墜。一腳彷彿踩入了無底深淵，失卻抑制的身體像石頭般下沉、沉、沉……

醒來，我發覺睡在一間白色的病房裡，牀前站著醫生、護士、還有他。

我感到自己衰弱得連手指都舉不起來，氣息微微，而神智卻似洗刷過那樣清晰。我記起那耗音，心絞縮著，但欲哭無聲，只是熱淚噴泉般湧出眼眶，濕透了枕頭、鬢髮——有一隻手輕輕地為我拭去淚水，一拭再拭，我半睜開模糊的淚眼，那是他。

「死者已不能復生，活著的應該更堅強的活下去。這才能告慰在天之靈。再說，您自己心臟病還不曾脫離危險，更應該節哀才是。」一個低沉而誠懇的聲音在我耳畔勸慰，那聲音有磁性，聽來很和順。我哽咽著睜眼環顧，又是他。

我與他同事兩載，友誼只止於見面時微笑點頭。奇怪的是他又怎麼在我悲慟欲絕，孤苦無告時來陪伴我，安慰我？直到後來他才告訴我，那天他正要下樓，與樓上下來的我擦臂而過，看見我臉容慘白，神色有異，他想問我有什麼不舒服又不便啟口，上了幾級樓梯，不放心又回過頭來，卻見我搖搖欲墜，還有三級樓梯就仆倒下去，他不思索跳下來抱起陷入昏迷中的我，急忙跑進一輛歇在門口的汽車，送來醫院，——誰知就是這一番相救，兩人的生命便挽了個結，難以解開。

在我心神沮喪，對人生失卻樂趣的那段日子，他一直設法安慰我、鼓勵我，慢慢地使我重建起生存的信心，他巧妙地用友誼的軟膏，敷潤著我心靈的創傷。我失去了世上唯一相依的母親，卻意外的獲得了一位親切、誠懇，善體人意的大哥。

我那時說他是大哥，一點也不矯飾，他比我大十五歲，我知道他結過婚，太太因為生孩子慢了一步便羈留在大陸，來不及出來了。來台灣的有他的母親和一個十四歲的兒子——文華，我還清晰地記得第一次去他家留下的印象：他母親待人慈祥和藹，是個熱心腸的老太太。文華很像他。所不同的是那雙眼睛，他坦率的視線，看起人來顯得誠懇而又信任，文華的眼睛卻深邃、蘊藉，閃熠著智慧的光芒，據說像母親，他的功課很好，懂得的東西不少，對祖母也很孝順，但我總覺得這孩子有點早熟的憂鬱。

我從未對一個人如同對他那樣，毫不隱瞞地訴說著我的身世，我的好惡，我的哀樂，我生活中的瑣事，和我一些可笑而幼稚的思想，他也坦率地告訴我他的抱負，他的遭遇，他的家庭。說起事業，他往往流露出令人欽佩的熱忱和信心，談起家人，他那種對母親的孝思，對太太的眷念，對孩子的關切，不覺溢於言外。

在我們坦誠相處的那一段時日，正如《約翰・克利斯多夫》集中描寫的一段：「我有一個朋友，找到了一顆靈魂，使你在苦惱中有所偎倚。找到一所溫柔而安全的託身之地，使你在驚魂未定之時，得以喘息一會。這是何等甘美的滋味……得一知己，把你整個生命交託在他手裡，他也把整個生命交託在你手裡，……快樂的是傾心相許，剖腹相視，一生為自己所左右。……」

我萬分願意永遠維持著這樣的關係。但是，男女間的感情太微妙了，它的發展往往悄悄地滑出理智的軌道，而在事前不給人一點警告。

這是我們交遊以來第一個除夕，我知道他為避免我一人觸景生情，獨自傷感，早兩日便來邀我說是他母親弄了幾樣家鄉菜，希望我能去湊湊熱鬧，共度一個除夕。我答允了。

那天，他母親弄了一桌很豐盛的年夜飯，室內明亮的電燈，還燃了一對紅燭，燭影搖紅，香煙繚繞，平添不少年節的氣氛。席間，他母親坐上首，我與他對面，下面坐著文華，四人剛好一桌。老太太當我孩子看待，不住殷勤地勸酒送菜，那些菜她說來都有個吉祥名字，一面送一面就笑吟吟地一連串唸下去。

「節節高、年年如意、安安樂樂、團團圓圓……」她唸到最後一句，我心裡一怔，似有所感觸，不禁低下頭去。

「嘉瑜！」他喚著我的名字向我舉杯邀請：「為母親的祝福，乾一杯！」

我一杯酒下肚，只覺得血液迅速的流轉，一股熱流從心底泛上臉頰，我已經有了九分暈意，那搖曳的燭光，那特有的氣氛，更使我眩然如醉，忽然我覺得那多像一個美滿的家庭在歡度佳節！老人，兩夫婦，同著一個孩子——我沒來由地感到兩頰發燒，偷偷地看對面的他時，不想他也正凝視著我，那含笑不語的眼光好像告訴我，他完全了解我所感受的，他也有同感，我忙避開他的視線，直熱到耳朵後邊——就在這剎那間，我心中升起一種渴望，我需要一個屬於自己的家。

「來台灣六年了，只有今年這個除夕還有過年的氣氛，我將永遠不忘。」我第一次聽出他那充滿感情的聲音有弦外之音，就像剛才我的視線和他的眼光相觸時，好像裡面有什麼特殊意義使我閃避時一樣。我微微感到局促不安。

「文華，你怎麼不吃菜呢？」老太太關切的聲音，引起了大家注意這半晌一直被冷落在一旁的文華，只見他默默地坐著，面前碟子中堆滿了雞肉、蛋餃等，簡直沒有動過筷。

「文華，該你敬黃阿姨的酒了！」他笑著向文華敦促。文華顯得有點遲疑，我先向他舉起了杯子。

「來，稍微喝一點表示表示，祝你學業進步，快樂健康！」我微微呷了一點便放下杯子，卻見文華一聲不響站起來仰著脖子便喝，待我攔阻時，他已喝完了一滿杯，不久臉上泛上紅暈，兩眼水波盈盈，默默地坐在哪裡。

「怎麼一口氣就喝那麼多？要醉哩！」老太太溫和地譴責著，果然不多一會他便說有點頭暈，要下去歇一會。隔不多久，老太太大概不放心孩子，也離席而去，桌上只剩下了我與他。我感到些許歉疚不安。但他卻顯出少有的興奮，不盡自斟自飲，灼灼的目光迫視得我不敢正視。

「過了六七年飄泊異地的生涯，這除夕是美麗而值得懷念的。」他又喃喃地說。

「剛才你已經說過了。」我提醒他。

「是的，我說過還要說，但願能留住此情此景，年復一年。」

「也許，明年這時已在大陸過年。」

「那時買棹同返，不該更加倍慶祝？」

「人生聚散無常，那時各有各的前程，焉知不天南地北？」我強調各奔各的前程，暗示地說，這話似乎正觸著他痛處，那煥發的臉上，立刻掠過一陣陰影，他深深地望了我一眼，隨即默默地端起杯子，杯子是空的，他索性舉起酒瓶引頸豪飲——我伸過手去按住他的瓶子。

「今天你已經喝了不少了。時間不早，我也該告辭了。」

在送我回去的路上，一反往日的談笑風生，彼此都緘默著。勉強榨出幾句不關痛癢的說話，也像街頭斷續的爆竹一樣，被風吹得零零落落。心事是沉重的，腳步也是沉重的。到達我住的宿舍門口，他忽然伸出手來那樣緊緊地握住我的手，激動地望入我眼中。

「嘉瑜……」他欲言又止，微微顫抖的聲音中蘊蓄著如許豐富的感情。

那聲音震撼著我，而一股熱力從掌心布及全身，那灼人的目光直透入我的靈魂深處，一剎那我如同觸電般，不禁也心旌搖搖，連忙強自鎮定著，坦然微笑地說。

「讓我們握別今年，祝你有一個快樂的新年！」我抽回手來，很快地跑進屋子。

但我紊亂複雜的情緒卻一時無法平靜。這時我那小小的心窩顯得特別空虛、淒涼，我強烈地感覺到需要一個家，平時我認為結婚便是一個女人自由生活的結束，我愛自由，故我處處迴避，如今我忽然覺得十分疲乏，十分厭倦，渴望著身心的休息，渴望著溫暖的愛撫，一個屬於自己的家，不是分享別人的溫暖，不是羼入別人的幸福中，我想起了他今晚反常的神態，他的眼睛已經告訴了我很多他未曾說出來的話，是的，我敬愛他一如最親切的大哥，我們彼此了解最深。但我從未料想到我們會墜入情網，他有他的兒子和留在大陸上賢惠的太太，我有我自己的理想，我需要的是完整不分的愛。萬一他——我想我在形跡上似乎應該與他疏遠些，儘管出於萬分不願，但寧可防患於未然。當我作了這樣的決定後，翻騰了半夜的思潮逐漸平靜，心神交瘁而迷糊入睡。

接連三天春假，我除了去他家拜了一次年，其他的時間便同別的同事作短途旅行，或參加家庭派對——但我雖然強自振作著同他們玩在一起，總覺得意興索然，全無樂趣。夜深回寓，更感到精神恍惚，若有所失，極力想忘掉什麼而忘不掉，想拂除什麼而拂除不走，心頭壅塞著陰翳，忽然間他的一句話，一個微笑電擊般閃現在腦際。

「莫不是已經遲了？」我驀地驚覺，不禁推被坐起，心裡充滿疑懼、惶惑，茫然環顧四周，彷彿自己已身陷泥沼，而周圍卻無援無攀，回答我的是自己一片急促的心跳。已經遲了。我軟弱地癱瘓在牀上，男女間愛情和友誼的界限原是極狹窄的，事前未曾設防，不知不覺間便已潛越了界限。

但我猶自努力著試作解脫。像一個游泳的人努力掙脫絆纏著他的水藻。

那晚，我倦遊歸來，跨上樓梯，旁邊忽然站起一個黑影。

「嘉瑜，好像一世紀沒有見到妳了。」那是他的聲音，幽幽地。

「嚇，原來是你，倒把我嚇了一跳！」我打開門讓他進去，擰開燈，我看見他神情落寞，腮上黑隱隱的大概有兩天沒修臉，彷彿一下子老了好幾年。

「這幾天玩得痛快！」聲音裡好像有點酸酸的。

「嗯。」我點點頭，裝得愉快而又忙碌的換上拖鞋，又開始做頭髮，「你呢？」

「我參了三天禪。」他拿起我一支口紅蓋上又打開，也裝出很不在意地，「同哪些人玩？」

「還不是金和陳他們。」我說，在鏡子裡瞥了他一眼，金和陳都有追求我的企圖。我想利用他們疏淡他。他的手微微一震，口紅跌落在桌上，他凝視著鏡中的我。

「妳這兩天似乎清癯了一點。」

「也許是累了。」我躲開他的眼光，低著頭假裝找夾叉，但他忽然握住我的肩膀用力搖撼，痛苦地說。

「不要瞞我，我知道妳在躲避我。」

「躲避你，為什麼？」我咯咯地發笑，「怕你吃掉我嗎？」

「不是怕我吃掉妳，是怕感情的氾濫淹沒了妳。」

他已經說了出來，我再裝傻未免太蠢了。我擺脫他的手，轉過身來，嚴峻地說：

「你既然知道，你就應該防止氾濫。免成災害。」

「遲了，已經遲了，我建立的心堤已被沖垮。我知道我也許不配，但我壓制不住——」

「這不是配不配的問題，而是不可能。」我斬釘截鐵地攔住他往下訴說。但他哀戚憂傷的臉上反露出一線希望。

「如果不是不配，事情並不是不可能。妳知道，法律規定，如三年中斷音訊，單方面可以提出離婚。」他很困難地說出最後兩個字。

「那只是法律上的手續。難道你能忘記道義上的責任，良心上的不安，感情上的……？」

「不，請不要這樣責備我，這不是我個人的過程，這是戰爭造成的。戰爭使多少人浪費了感情，多少人蹧蹋了感情。也許，我的前妻早就被共匪配給了。這幾年，我一直忍受著無邊的寂寞和苦惱，在生存的搏鬥中，沒有一個伴侶與我並肩奮鬥，在人生的途程上，沒有一個伴侶與我攜手同行，事業的創造中沒有鞭策，理想的追求中沒有鼓舞……我已深深地感到心灰意冷，精疲力竭。我們的認識是我生命中的一大轉捩，我又恢復了信心，我又充沛了生命力，妳不知道這都是妳無形中賜給我的。」他低沉有力的聲音像一支熱流滲入我心坎，衝進我封閉的心扉，我想起了過去我們那深深的默契，心靈間相互密切的偎依，感情似熔岩般沖瀉地奔流。

「我們本來不就是好朋友？這深厚的友誼盡可以永遠持續，我一直都把你看作我親切的大哥。」我猶自抑制著不讓聲音裡洩露出內心感情，但方寸已亂，我怕我難再堅持。

「別再自欺欺人了，嘉瑜。」他握著我的手懇求著，「果然我們友誼的出發點是很純正的、我們感情的發展也是十分自然，但是妳知道男女間是無法永遠維持深切的友誼的，我們彼此相知已深，我們從彼此的鼓舞中獲得信心，從彼此的了解中獲得安慰，那我們為什麼不能進一步更密切地生活在一起？嘉瑜……」他扳轉我的肩頭，那熱情熾熠的眼睛凝視著我，我默默無語，只感到自己在他凝視下像餳糖一般，軟化，溶解……是他一隻有力的手臂箍住了我的腰肢，我旋即陷入一陣幸福的暈眩。只聽得溫柔的喚著我的名字在耳朵喃喃地說：

「嘉瑜，就讓我們永久這樣，別再分離。」一剎那世界彷彿重換了一個世界，季節彷彿重轉了一個季節。生命的春天，愛情的花朵正在怒放。

「這不是夢麼？」我嬌羞地偎在他的肩上，撫弄著他胸前的鈕扣。

「是最真實的夢，做不完的夢。」他用下頦摩著我的頭髮。

「但夢總要醒的。」

「醒了仍舊睜著眼做夢。」

「那不成白日夢！」我笑了出來。「不知你母親贊成不贊成！」

「妳還看不出來，我母親早就喜歡妳了。」

「還有文華。」說起文華，我便記起那孩子見著我總是恭而敬之的一鞠躬，喚一聲，便退出去或是默默地看他的書，心裡不由的掠過一抹陰影。

「小孩子只要妳待他好，他也會對妳親熱。」

「他似乎有著早熟的憂鬱，他對我一直是敬而遠之——」

「那是妳的看法，他一定是依順的。」「我不相信妳不能用真情征服一個孩子。別忘了他只是一個孩子，一個需要著關切和愛撫的孩子。」

他略帶嘲笑地看著我，但立刻又用熱吻阻止了我要說的話。

我像一片飄零的浮萍，又生長了新根。我像一隻失巢的孤燕，又找到了歸宿，友誼的力量是偉大的，而愛情的力量更是神奇，我與他由友誼進入熱戀這一段時期，生命綻放出從未有過的光輝。

我去他家時，他母親似乎已知道我們的戀愛，對我比以前更親切關懷，從她的一舉一動中可以看出她對兒子這件事的默許和祝福，但當我試著和文華接近時，我感到自己的笨拙和無能，任何時我看到他，他總是埋首書本中或是全神貫注地做著習題，顯得十分忙碌，好像面臨一個繁重的考試，我覺得他似乎是故意在這中間築起一道疏遠的籬笆，不給別人有跟他親近的機會。

他——文華的父親三番四次地來催促我解決我們之間的事，但我不知為了什麼老是把這件事延宕著。他要先辦好離婚的手續，可是我要他緩一緩再說。是的，我愛他，他已成為我生命的一部分。但在這最後身心一致，精神與人格最高結合的一個階段，我卻猶豫不決，說不上是有所疑懼有所顧慮，抑是有所畏縮，心裡總彷彿有那麼一點捉摸不到的，蛛網似的陰影。

他出差台東，有半個月的耽擱。臨走，他擁著我低訴。

「嘉瑜，我不懂妳為什麼一味的延宕，這實在是精神上的一種損失。人生幾何？卻白白地讓幸福和歡樂隨便在指隙縫裡漏去。聽我說，嘉瑜，不管怎樣，這次出差回來我一定要辦我們的事。」

日子在等待盼望中慢慢地過去，他已經去了半個月，這天是星期日，星期一晚上他就要回來了，我準備了一件使他們高興的事，不是豐盛的酒席為他接風，而是他渴望獲得解答的一個問題

這是個晴朗的日子，美好的假日，上午我洗好頭髮，懷著愉快的心情，上他家去陪老太太隨便聊聊。我推開虛掩著的大門，院子裡靜悄悄的，走進屋子只見文華一個人抱著膝蓋，靠著窗扇坐在走廊上，身旁散布著書本、簿冊、鉛筆、棒球、口琴等許多東西。他仰望著雲天，似有所思。臉上流露出一抹寂寞和憂戚的神情。

「文華，就你一個人在家？」

文華聞聲吃了一驚，還露出一點不耐，好像有不相干的人擅自闖入了他思想的聖地，及至看清是我，他勉強喚了聲：「黃阿姨」，便把膝上一張什麼鄭重地藏入口袋裡，又撿起地

上的畫冊棒球站起來，像平時一樣預備退出去，我喚住了他。

「奶奶呢？」

「在隔壁，我去叫她。」

「不用叫她，我們兩人談談不好麼？」我用最柔和的聲音跟他說，他猶豫了一下，顯得無可奈何地停下來，倚在窗畔，低著頭不住地把棒球從左手丟到右手。

「你喜歡打棒球？」我想用他歡喜的話題引起他的興趣。

「有一點。」他只是淡淡地回答。

「我猜你一定打得很好。」

「不太好。」

我感到有點燥熱，望望那一排敞開的長窗外，晴空一角，澄藍無雲，黃燦燦的陽光灑滿一地。

「今天天氣真好！像這樣的天氣，邀三五個同學去旅行該是最愜意的事了。你喜不喜歡旅行？」

「喜歡，但我寧願一個人待在家裡。」他有點粗莽地說，忽然抬起眼睛，帶著些微警告示威的意味向我看了一眼，「我願意靜靜地在家裡和媽單獨相處。」

「你母親？」我驚愕地望著他，疑心他是否在夢囈？

「是的，我母親。」他敬崇地說著那兩個字，眼睛裡閃熠著奇異的光彩，使他年輕的雙頰美麗煥發。接著他用充滿感情的聲音滔滔不絕地說下去，完全豁脫了平時的沉默矜持。「母親曾經告訴我，相愛的人心與心之間是聯繫著的，彼此永遠是念念相通，息息相感。所以不管隔著多遠，當我在思念她時，一定會引起她對我的思念，她在我思念中便同在我面前一般，我總覺得媽是同我們在一起。當我貪玩而懶怠時，彷彿聽見她溫和的聲音說：『華，你的功課是不是做完了？』當我做功課到了夜深時，又彷彿聽見她親切的聲音說：『華，晏了呢，該去休息了。求學問不是一朝一日的事。』母親的督促、鼓勵、愛撫和關切，幾乎時刻都迴繞在我周圍，無論我做什麼事，總會想到不知這樣做，會不會使母親失望！這樣做，母親一定很高興……」

「你真是個孝順的孩子！」我被他真摯的感情所感動，我想起自己的母親。我完全了解他這種思念，這種感覺。

「不是我孝順，是母愛的深厚。」文華莊重地聲明，生怕掠奪了母親的美德。「爸爸也跟我一樣，無時不思念著母親。他也常常對我說，你母親這樣，你母親那樣，有時他就不說出來，我也知道他心裡想的什麼。在對母親的懷念中，我們父子倆的心是緊緊地合成一顆，有時星期日，爸爸帶我出去旅行野餐，我們會覺得照在身上那溫暖的陽光便是母親的愛撫，有時爸爸同我出去釣魚，我們會覺得那輕拂過身畔的和風便是母親的呼吸。我們常常默默地一坐半天不開口，心裡充滿了懷念。就是在家裡，母親的氣息也如同空氣一樣，無處不在。」文華仰靠在窗上，絮絮地訴說著，完全浸沉在自己熱狂的憶念中，彷彿忘卻了我這個人的存在。但我卻沒有忘記自己的存在，他越滔滔不絕地說下去，我越覺得自己存在這屋子裡是多餘的，這屋子裡有著另一個女人的手澤，另一個女人的氣質，另一個女人的影子和另一個女人的愛。她的形影雖然不在這裡，她的精神卻無處不在，我又怎能插身其間？又怎能忍受那種精神上的威脅？我想阻止他再說，趕快離開這裡。但那孩子彷彿被一股激情所驅使，無法控制自己，又說了下去。

「我一直把對母親的懷念以及她無處不在的精神，看作十分神聖，不許有一點不敬的意念瀆犯，我把它叫作『精神的原動力』。可是最近爸爸……」他的聲音低沉下去，卻銳利地瞥了我一眼，在那一瞥中，我看見了蘊藏在淚光閃閃的眼珠中，那無告的怨恨，那深沉的悲憤，那惴惴的惶惑，不是一個孩子的心靈所能載負的痛苦。「也許，我不該恨爸爸，他不會忘懷母親，而是不甘寂寞。但我不能忍受對我敬愛的母親有一點褻瀆，母親在我心裡的地位是不能由任何人或事物代替的。爸爸自己教過我忠貞，媽教給我愛的完整，我相信媽一定忍苦受難日夜盼望著我們回去，萬一爸爸一定要勉強我接受什麼，那我就，我就……哦！媽……」文華突然跪下去把頭埋在掌中，聲音梗塞了。

我呆望著文華好一會，心裡充滿了愧疚、惶惑、窘困，捏著兩手冷汗，虛弱地癱坐椅子裡，我覺得自己在這個純潔真誠的孩子面前成了一個罪人，犯了侵占、掠奪、破壞的罪，我摘在手裡的幸福之果，原來沾有別人心靈的血淚，我又焉能享受？我掙扎著起來，過去拍著文華的肩頭，誠懇地告訴他：

「孩子，別難過，沒有人能侵犯你思念的聖地，也沒有人能占奪你心中最尊敬的位置。」

他抬起頭來，淚花模糊的眼中閃著一絲希望。

「真的這樣？黃阿姨！」但那一絲閃光旋即黯淡下去，充滿了疑懼不安，囁嚅地說：「但如果真的這樣，爸爸一定會很寂寞，很難過。」

「有你給爸爸作伴，安慰他，取悅他，他是不會寂寞的，不久你們便可以恢復過去那種和睦的生活，在對你母親的懷念中，使你們父子倆的心緊緊地合成一顆。」

「黃阿姨，妳真好！」文華仰起淚痕斑斑的臉感激地望著我，「噢！黃阿姨，妳的臉色怎麼這樣難看？妳的手又這樣冷？……妳不是……是不是我的話有使妳生氣的地方？」他驚訝地拉著我的手，顯得無限悔慚和惶恐。

「我沒有什麼，你的話更沒有使我生氣的地方。」我極力抑制著我的感情，強作歡笑地安慰他，覺得自己的聲音已失去了鎮靜而微微顫抖，「別把我們這番話意告訴你爸爸，我也會忘記它——再見了！」我拿下他的手，便頭也不回地轉身踉蹌地走出屋子。走出門口，我感到我已再無法支持自己的力氣，便跨上一輛三輪車，回到宿舍，我把門鎖上，把自己擲在牀上，這時，緊張的神經已告鬆弛，可是積壓著的複雜感情就脫羈奔騰，再也無法控制了。

我的確有好半天被感情的狂瀾覆沒，沖盪得昏天黑地，及至等我再抓住理智的舵盤，細細地分析自己，發現我由於不夠堅強，犯下了生平最大錯誤。當我發覺交情潛越友誼未能立即抑止，卻反任憑其放縱，以致造成今日心靈的負創，咎由自取，我不能怪他。

是的，在任何人的心目中，母親是神聖而崇高的，沒有什麼可以替代她的位置，我又豈能因一己的私情，而傷害一顆稚弱純潔的心靈，摧殘一棵正在成長向上的嫩苗。

是的，若是完整的愛，不會由於時間的變化空間的限制而變質，縱使他現在移愛於我，焉知他不是「不甘寂寞」？以後他難免不受良心的責備，而深感痛苦。而在未來的生活中處處散布著另一個女人的存在的氣質，這種精神上的威脅定將在任何歡樂上蒙上一層陰影。我更不願讓別人以為我使他破壞了堅貞。

熟思再三，唯有及早揮動慧劍，斬破情網。

儘管他在我生命中是那樣重要，儘管我對他情深如海，儘管一想到失去他我就柔腸百結，心慌意亂，但我必須離開他。

不僅離開他，還須離開這城市。我自知性情柔弱，他若哀求纏繞，我一定會軟化，我必須在他回來之前，離開這裡，給機關上個辭呈，給他留封信。

可是離開這裡，我又將何去何從？挾著一顆一再負創的心靈，又如何安頓？

我抹去頰上殘留的淚痕，茫然四顧，一片寂寞，只有微風透過小窗掀起枕畔一卷書頁。幾行用紅筆勾劃過的字句赫然映入眼底：

「孩子，我要告訴你人生的目的，不在獲得什麼，而只是把你的生命力貢獻出來！」

「人們的一切活動方式，都不外是一種貢獻生命力量的場所。」

「人本有各種生命活動，但人可以終身專注於一種精神性的活動方式。因為重要的事，不是方式本身，而在生命力之貢獻。所以孩子，你不要以為只有愛情才是人們所必需的。」

我若有所悟，這句話彷彿是專對我說的。

也許，我應該貢獻出我剩餘的生命力，專注於一種精神性的活動方式；從事一種有意義的工作。

現在我唯一祈求的是我的心臟別再那樣急速地跳，給我足夠的力量支撐，從河心撐持到彼岸。

●

在台北一家旅社中安頓下來。行裝甫卸，我打開藤篋，在雜誌下發現一本綠皮封面的小冊子。

我依稀看過這本小冊子，卻不是我的。於是我在追憶中檢點白天那一段漫長的旅程。那是一列北上的列車，不太擠，因此我得以一個人擁有一個車座，悠舒地靠在窗口欣賞那一片田園風光。約莫經過了二三個小站，悄悄地像一片落葉飄然墜下，我對面的座位上坐下了另一個乘客，一身黑色的裝束，黑眼鏡下是一張蒼白年輕的臉，淡而薄的雙唇抿得緊緊地，一種冷峻的神情使臉上那些柔和的線條變得僵硬，她十分矜持地端坐著，不看人也不望一眼窗外，若不是胸脯隨著呼吸而起伏，令人想起了一尊石膏像。

她特別的神情吸引了我的注意，當我再從眼角打量她時，她已卸下了黑眼鏡，全神貫注在一本小冊中，當秀美的眸子流轉之際，在那淺鎖的眉鋒之間，流露出一種難以言宣的沉鬱。她看一會又沉思一會，似乎無視於身外的一切。最後，她顯得十分疲乏地闔上本子，擱在膝上，身子便仰靠著椅背，閉著眼睛。我忽然發覺在那低垂的睫毛上，盈著兩顆欲墜的淚珠。這時列車正駛出一個很長的隧道，一時來不及關窗。一陣煤煙撲進來，薰得近窗的乘客不敢呼吸，等到火車駛出隧道，我不經意的向對面瞥了一眼，卻不由得吃了一驚，只見她臉色白裡泛青，雙目緊閉，整個身軀沿著椅背癱軟了下去。我跳起來一把挾住隨著一聲驚喚，驚動了左右的乘客，接著服務生和憲兵也喚來了。

她被幾個人扶持起來，半靠在椅子上，依然呼吸沉沉，毫無知覺。

憲兵檢查她的皮包，找她的車票想知道她從哪裡下車，但沒有找著，車上沒有醫生，顯然地，車行的震顫對一個昏迷中的病人是極不相宜的，會商結果決定在下一個站上把她抬去送醫院。

我想起來我那只藤篋原是放在茶几底下的，那女人也是靠茶几坐著，準是當她剛失去知覺時，從几上落下來，便落入藤篋中。下車時我匆匆地把雜誌塞在面上，以致未曾發覺。

我好奇地打開冊子，裡面筆跡潦草，不是日記，也不是情書，便是上面那一篇記敘，凝結著一個人心靈的血滴和崇高而又絕望的愛。

一個星期後，我乘車南返，便在那小站下車，向車站探詢後，很快的便找到了那個醫院，我向一個護士問起，她說有這麼一個病人，可是昨天已經出院了。

那護士看出我絕望的神情，又補充地告訴我那實在是一個孤僻倔強的病人，她的心臟病很厲害，那天抬來就跟死人一樣，大夫把她急救過來，告訴她必須多多靜養，誰知她昨天還是走了，沒有留地址，也沒有說上哪兒去。

我不得要領地在醫院門口木立半天，我只得怏怏地踅回車站，趕上另一班南下的列車。

如今，我撫弄著這本小冊子，卻不知如何交待？唯有默默地祝福，祝福那陌生的旅伴已安然到達她所選擇的彼岸！

編註：本文原刊於《海風》第一卷第五期，一九五六年六月五日，頁十九～二十三。

捐

一

女高音獨唱的演出正在進行中——

台上燈光輝煌，台下鴉雀無聲。那抑揚疾徐的旋律，像一隻隻輕柔如絲絨的纖指，扣著聽眾的心弦。

當一曲度罷，歌聲戛然終止。周圍立刻轟雷般爆發起一陣掌聲，震撼著穹拱形的屋頂，於是，玉立在舞台上在聚光的水銀燈照耀下那雍容華貴的歌者，露出驕矜而嫵媚的笑容，玫紅的指尖捻起白緞袍服的長裙，儀態萬千地向台下彎腰答謝。這一來就似在燃燒著的火上潑下了油，掌聲更熱烈而近於瘋狂了。

做為聽眾之一的于琛自然也不例外，眼睛盯著台上那動人的身影，兩隻手掌像鴨子撲翅般拍得正起勁哩。卻不防右臂被什麼一拉，回過頭去，只見太太羅明正對他說什麼，他便湊過耳朵去。

「走啦！」簡短的語句卻有著不容違抗的堅決。于琛愕然一怔，但不等他有詢問的機會，羅明已站起來側著身子從座位間擠出去。他只得跟在後面，走出會場。羅明一聲不響地跳上三輪車。等車子踏動了，于琛這才詫異的望著羅明說：

「才只演唱一半哩，為什麼便急著回去，時間也不太遲嘛。」

羅明默不作聲，車子拐進一條僻靜的小街，稀遠的幾盞路燈照出滿街昏暗的陰影。于琛看不清太太臉色，兀自嘮叨著：

「我真不懂，平時妳總抱怨連音樂都沒有機會欣賞，今天難得有機會，妳又不欣賞了。」

「我不想聽就不聽了，這又有什麼值得嚕嗦的！」羅明把外套裹緊緊，十分不耐煩的。

「可是妳跟徐清韻是同學，同學怎麼好意思不捧捧場。」

「同學，是的。我們是同學。」羅明酸酸的聲音裡忽然充滿了無限委屈，牢騷滿腹的，「我比她高一班，我在學校裡被譽為『東方之鶯』時，她的名字還沒有被人提過。可是看看現在，人家又是怎樣的成就、榮譽、聲望，就像一輪明月，到處放射光輝，到處有人崇拜和讚美，而我，只是你們于家門裡微不足道的管家婆。一個台上，一個台下，相差又何止天壤！」

「管家婆也不錯嘛，擁有一個溫存的丈夫，兩個可愛的寶寶；享有家庭的溫暖和天倫之樂，幸福的價值勝過於藝術，這才是生命的真諦。」只要羅明一提到她被生活束縛了的藝術生命，于琛心裡總感到十分愧疚，只得這麼半真半假地用調侃的口吻寬慰她。

「說得好聽，自我麻醉罷了。」

「依我看，徐小姐那樣孑然一身，儘管占盡光榮，在感情上卻未必也獲得了滿足。魚與熊掌，兩者原不能兼嘛。」

「兩者怎麼不能兼？你們男人不就一方面儘管戀愛、結婚、生孩子；一方面又可以按照自己的志趣去謀發展麼？為什麼女人一旦做了感情的俘虜就不能做事業的主人？為什麼女人就必須要犧牲？」

也許這問題太重大了，于琛答不上也不能答，羅明憤激的語聲迴盪在沉寂的小街上，隨著三輪車在石子路上顛簸過去，終於消散在夜的渺茫中。

回到家裡，在會場中感受到的那股莫名的壓力，仍舊使羅明煩躁困惱。夜已深沉，兩個孩子發出均勻的鼾息，于琛催了她兩次也自睡熟了。她兀自雙手支頤，坐在妝台前對著鏡子發怔——她一回來就這麼坐著，也不知坐了多久。望著鏡子裡映出來自己的影子，無限傷懷。

生活與理想永遠像兩匹背道而馳的駑馬，儘管她怎樣努力想使它們並駕齊驅，結果卻發覺越離越遠了。

二

天賦她一副值得驕傲的歌喉，在逝去的歲月中，羅明有著一串光輝的日子。

念小時，她就是校中傑出的歌唱選手，是參加全縣獨唱比賽的冠軍。

念完中學時，校中開什麼紀念會總少不掉她的獨唱節目，已博得「雲雀」、「夜鶯」的稱譽。

最後，她進了國內著名的××音專，她的歌喉馬上又獲得那位權威音樂教授的賞識，成為他的得意高足。自然，羅明對自己也自許甚高，她計畫畢業後還預備出國深造，她一直夢想著有那麼一天，自己像一顆新的彗星，光芒萬丈，驟然閃耀在天際，引得萬眾瞻仰。

為著這個願望，她練就了冷酷無情，不屑一顧向她獻殷勤的男人，為了這個野心，她在自己心的周圍，用理智築起了堅固的防線。

然而，再堅強的鋼鐵也有被火熔化的時候，再鞏固的防線也有軟弱的一角。于琛便用他熱情如火的火海戰術熔化了她鋼鐵的意志；用猛烈而迂迴的攻勢，攻陷了防線軟弱的一角——未來的彗星，終於先做了愛情的俘虜。不過于琛婚前保證婚後絕不妨礙她的學業，而且保證將來達到她出國深造的志願。那時于琛的父親在當地辦實業，家境很富裕。

婚後不久，羅明也還照舊去上音樂課，練嗓子，孜孜不倦。可是三個月後，她發覺自己懷孕了。別說不能放開嗓子高唱，就是能，也老不下臉皮挺著個大肚子去展覽出醜，開始蟄居在家裡那一段日子，羅明心情惡劣透了。虧著于琛處處想法子安慰她，為她解悶，為她購置了最名貴的鋼琴，為她搜羅了各種音樂唱片，百般勸解她說：「好歹只不過幾個月的事，等孩子生下來一交給奶媽，還不是一個自由身體！」

但是，這「自由」兩字卻從此便抵押了。誰也沒想到第一個楨兒生下來不到半年，時局日形惡化，城市驟然間陷入匪手。于琛父親一手創辦的產業，絲毫搶救不了。老人家不忍拋棄半生心血，便留下來，只叫他們小倆口帶著孩子，倉卒地逃到台灣。

一到台灣，于琛工作尚沒有下落，帶來有限的一點積蓄究竟不是金窖，處處只能省吃省用。料理家務，帶孩子，羅明無形中便疏隔了音樂。彈鋼琴的手也只得學習生煤爐、燒飯、洗衣服；珠圓玉潤的嗓子，也只用來與菜販討價還價，哄孩子，頂多哼哼催眠曲。等生活慢慢安定習慣下來，卻又添了第二個桓兒。

在那一長串單調、苦悶的日子裡，在繁瑣的家務重壓下。她那日形枯渴的心靈也更渴望著音樂潤澤，她那被抑制著的欲望也曾躍然欲試：她想試試歌喉，但沒有鋼琴伴奏；她想練練音階，但他們一直住的是房舍鱗次櫛比的眷區，鄰居若不當她神經病也會橫加干涉。她很想找個工作寄託精神，一面也藉此減輕于琛的負擔，但學的是音樂，而小城裡僅有的一座中學只要一個音樂教員——她有時感到恨，恨自己當初為什麼不學了經濟，隨便哪裡可以當會計；為什麼不學了英文，到處吃香賺美金；為什麼不學了文學，就是躲在家裡也可以寫寫文章換稿費……學別的什麼都好，面對現實生活，百無一用是音樂，尤其是聲學！

楨兒七歲，桓兒也五歲了。七年間與生活的周旋已使她認了命。不想這次聽了老同學徐清韻的演奏，又激發起她對往事的回憶，喚起了她青春的熱情，喚醒所有掩埋了的渴望和痛苦，以及那已失去的信心。

「我當真這輩子就認命了嗎？就讓生活把自己無聲無息埋葬了嗎？……不，不，我還年輕，我還有學習的勇氣，我要做最後一次嘗試和努力。」羅明對著鏡子裡的自己呢喃著，將熄滅的灰燼裡又爆出了一點火花，她忽然記起徐清韻告訴她陸教授——也就是她從前的老師會來這裡同她一路去C城演奏，一個新的決定燃亮了她的眼睛。

「一定，我一定去試試這唯一的機會。」

三

「這位羅小姐過去也是××音專傑出的高材生。」

「能夠認識我們傑出的音樂家，真是太榮幸了。」

「羅小姐就住在K城麼，我們真是消息太不靈通了。」

「羅小姐幾時能開次演奏會，也給這小城添些光彩。」

在陸教授房裡，那些記者先生獲得了需要採訪的新聞資料，像叮飽了糖的蒼蠅一樣一哄散去，被專任訪問的徐小姐也回到自己房間檢理行裝。而羅明耳畔卻兀自響著介紹時記者先生對她說的幾句恭維話，心裡熱烘烘的，像空肚子裡喝下了一杯熱牛奶。她依稀回憶七年前從一次光耀的客串中回到後台的情形，更加強了她拾回的信心，但也不無慚恧的感覺。她癡立在房中，直到陸教授招呼她坐下才恍然如夢初醒。

「我早便聽說妳來了台灣，為什麼一直不跟我聯絡？」

羅明感到陸教授銳利仍不減當年的目光正諦視自己，不禁愧恧的低下了頭，吶吶地說：

「我，我實在是因為，因為……」

「因為妳放棄了對藝術生命的追求，因此也連同忘記了妳的老師？」溫和的責任更增添了羅明的愧疚，顯得惶恐而又委曲。

「我實在是不好意思再叫你老師，我是你最沒出息的學生，完全辜負了你的苦心教誨。」羅明斷斷續續向陸教授傾吐出幾年來鬱積的痛苦，語音為之梗塞。「……老師，結婚進行曲當真便是一個女人的藝術生命的葬曲麼！」

陸教授一直默默地抽著板煙，聽她說完了，這才拔出煙斗來緩緩地說：

「其實像妳這樣為盡一個賢妻良母的責任，間疏了藝術，這還情有可宥。最痛心的是那失去了靈魂，污衊藝術、蹧蹋藝術的人——妳還記得俞曼娜麼！」

「記得。」在學校時，她是羅明的勁敵。

「她如今恐怕為著娛樂那些匪魔，正唱秧歌唱得起勁哩。」陸教授的聲音是沉痛的。說完，他茫然凝視窗外，羅明望著他蒼白的兩鬢，分嘗到這位老音樂家的悲哀。他一直孑然一身，把生命和精神全寄託在音樂上，但辛勤栽培的兩個得意門生，一個是消沉了，一個更叛變了——羅明這時忽然感到有了勇氣。

「老師，平常一把刀生了鏽，我們不總是再琢磨一番，使它重新恢復失去的鋒利？」

「嗯，如果鏽蝕得不太厲害。」

「那麼人呢？一個上了鏽的人是不是還能琢磨？」

「妳是說？……」

「我想再跟老師從頭學起，不知老師還肯不肯琢磨我這生了鏽的頑鐵？」羅明終於費勁地說出了自己的心意，感到兩頰在發燒。

陸教授似乎感到意外，疑惑地審視著她。

「行嗎？妳不是有孩子和家務羈絆？」

「這個我昨晚已考慮過了，大的孩子已上小學，可以留在家裡或寄到他姑母家去，小的我帶去台北，讓他進托兒所。只是我必須再找一份兼差。」

「于先生會同意妳這樣的安排？」

「我想他會。我已經為他犧牲太多了。」羅明仰望著陸教授，眼睛裡流露出堅決和懇求的神情，「老師，我一切都已想過，現在就等你為我作主。」

陸教授敲著煙斗沉思了一會，然後帶著讚許的神色向羅明點了點頭。

「好吧，難得妳還有這份雄心，等等機會，我一定成全妳。」

「老師，你真好，你真好……」羅明像個孩子般的狂喜地跳起來，兩手抓住陸教授的手臂不住搖撼，幾乎想投入他懷裡去，嘴唇顫抖著，卻又說不出話來。

四

陸教授的一個允諾，成了羅明生活上的轉捩點，她變得興趣融融，生氣勃勃，好像重又恢復到數年前黃金時代，顯得年輕而充滿了青春的熱情。不久陸教授果然來了信，告訴她已替她在一座省立中學找得一個音樂教員的位置，鐘點不多，足有時間供她自己練習，只等秋季開學，便可以到職。這一來羅明就同一個盼待婚期的少女那樣，更滿懷憧憬，處處為未來的幻景計畫著，安排著。主婦是一個家的柱石，一旦柱石挪移，要把一個家化整為零。事實上自然存在著許多的麻煩和困難，但她對未來的熱望已使她的全部智慧發酵成一種很頑強的毅力，她告訴自己必須緊緊把握這個機會，也許是最後的機會。這是生活的泥淖中唯一可資拯救的梯階，如不再緊緊抓住，怕就只有永遠沉淪，做一個庸俗平凡的生活的奴隸了。因此，儘管于琛萬分不願意，也拗不過她的意志來。

日子一天一天在羅明期待中過去，她也彷彿一天比一天更接近那將投身進去燦爛的光圈，感觸到那幅射出來的光和熱。暑假已快過完了，可是，一片現實的陰影，驟然遮蔽了幻景中的光和熱——羅明又懷孕了。

當醫生一證實這消息時，一剎那羅明完全忘記了腹中是自己的骨肉，是愛的結晶，她只模糊地看見面前湧起一重障礙，正阻攔在通向理想大道的中間，她毫不考慮的便決心要鏟除這障礙。

為了小生命的去留，羅明和于琛兩人之間展開了一番激烈的爭執。于琛先是勸說，懇求她生下了這個再說，羅明卻無論如何堅持不讓，她說她不願再作犧牲，她罵于琛自私，只顧後嗣卻不顧毀滅她的前途，最後兩人終於決裂了。這是他們結婚以來最厲害的一次鬧意氣，于琛一個人氣憤地睡在書室裡，一晚不理羅明，第二天一早他便一個人悶聲不響地出去上班了。

羅明並不因此而挫折，還是按照自己的計畫，進了那家接洽好的私立產科醫院，她自己親手在動手術的志願書上簽下了名。

護士作完了動手術的清理工作，退出去讓羅明一個人悄悄地躺在候診室裡。她望望空洞潔白的四壁，忽然感到一陣恐懼，彷彿自己正被放逐在沙漠中，瀕臨生死邊緣，四周卻無援無助。幾天來，她一直被那強烈的、壓倒一切的願望支配著，從未仔細想一想，此刻寧靜下來，理智澄清了，她開始第一次想到腹中那塊骨肉，不知是男的還是女的，像父親還是像母親！如果竟是一個女孩子，她不是一直盼望有個小女孩嗎？當懷桓兒在肚裡時她就盼望著，一個活潑文雅的小女孩，打扮的像洋娃娃似的，小鳥依人般偎依在膝前，該有多美、多甜；——突然，由於這個意志，她那被願望堵住的母愛，那世上最溫柔縝密的感情，一剎那像決了堤的激流般，從心坎中湧上來，氾濫了全身。

「可是我現在在做什麼，我不是正預備戕殺這未知的小生命麼？」她恐懼的想，下意識地把手按在肚子上，彷彿當真感到手掌下有個生命在微微的跳躍。「我這樣做不太自私和殘忍了麼，為了自己的願望，便親手殺害自己的血肉，這無辜的小生命……可是，誰叫他投生得不是時候，誰叫他要成為我的障礙，若不犧牲他，就得犧牲我自己——我的前途，是的，我還年輕，還重來得及為自己創造一個光輝的前程……」

矛盾，兩種矛盾的意念在她內心交戰、衝突，她深深地陷入痛苦的紛亂中。這時，護士進來喚她去手術室。

羅明一腳跨進手術室，首先就嗅到一陣令人窒息的、濃烈的酒精混合劑的氣味，白熱的燈光亮得刺眼，披著白色手術衣的醫生正在準備帶上橡皮手套，手術台旁兩盆金屬的器械在燈光下閃射著慘白的光，那緊張的氣氛先在羅明心上加上一重威脅，她只覺得一身軟癱了，像匹待宰的羔羊般由護士攙扶著躺上手術台，蒙上白布閉上眼睛，屏住呼吸，冷汗涔涔地從手心滲出，鼻際如飲酒般吹來一股哥羅芳的氣味，護士囑咐她數一二三四，耳畔傳來金屬器械移動和撞擊的聲音，接著有什麼在腹部按摸著，她驚懼地想起自己馬上就要承受那些鋒利的剪刀、鉗子的宰割——不，不，被宰割的是腹中那無辜的小生命，兇手不是醫生，而是自己。是自己借醫生的手去戕殺——驟然間，她只覺得心臟緊緊收縮，渾身一陣顫慄，彷彿才從一個恐怖驚險的夢魘中掙扎過來，她猛然用力彎起上身，從喉際迸射出尖銳而迫切的喊聲：

「停止，馬上停止！我不動手術了！」

就在這時，手術室的門砰然推開，門口站著一個神色倉皇的人，憂急的望了一眼室內，正碰上羅明迫切求助的視線。

「羅明！」他短促而寬慰地喚了一聲，彷彿跑畢萬米賽奪得錦標，卻已無力支持自己，兩手便扶在門框上急促地喘著氣——那是于琛。

五

……也許妳會嘲笑我沒出息，因為我又不得不放棄了理想，終止了藝術生命的追求。也許做母親的總是幸福的，值得驕傲的。可是，這其間又有誰了解一個做母親的那心底神聖的痛苦和眼淚，那無限的犧牲、忍耐和抑制，創造了一個生命，卻遠離了整個世界……

羅明慵懶地靠在枕上給一個朋友寫著信，房裡靜悄悄的，只有落筆聲沙沙。

……想想看，幾千年來做女人的多少雄心，多少壯志，多少天才和理想，就這樣默默地犧牲了、埋葬了，誰知道這犧牲、這捐獻，還將延續多少世紀；男士們擁有事業的光輝，仍舊也享有愛情的溫馨，可是女人，女人若獻身於愛，便只能無盡期的服役，無限止的捐獻，我這一輩子大概就算捐了，在整個青春進行曲中，我只成了一個休止符號。但那是我沒有出息，我不想上進嗎？……

寫到這裡，羅明感到眼睛有點痠澀，放下筆寫不下去了。

她悵望著窗外，窗外是早春的天氣，但她感到自己已不會再做春天的夢，就像青春的熱情不會再復熾一樣。歎一口氣，收回悵恨的視線，又停留在身畔那緋色的襁褓上，露在綾被外的是一張熟睡中的嬰兒的臉，她不禁深深地諦視著那蘋果似的雙頰，那秀長的睫毛，那柔軟的黑髮——在她凝視中那秀長的睫毛彷彿在閃動著，那點漆般而黑亮的眼睛睜開了，那薄薄的小嘴掀動著，微露出珍珠似的牙齒，小辮上結著紅緞結，勻襯的小腿上套著舞鞋，蹬著腳尖在地上旋轉、跳躍，柔軟的身肢也隨著輕盈的搖擺、轉動，像一朵嬌小潔白的水蓮隨風漫舞——一晃眼：那嬌小的水蓮又變成四月的薔薇，花一般嬌媚的少女，微曲的短髮，凝思的眼神，盈盈的微笑，十隻纖細靈巧的手指像驟雨般滑過鋼琴的鍵盤，青春的樂章潮一般湧出——再一晃眼，她已風度不凡，儀態萬千，披著長及腳踵的繡金白緞禮服，高貴而端莊的玉立在穹拱形的台上，台下有萬千屏息凝神的聽眾，台後伴奏著是最負盛名的交響樂團，鋼琴大家……「哦，蓓蓓，我的小蓓蓓，快快長大，媽媽這一生都為你們捐獻了，只有把希望完全寄託在妳身上。希望媽媽的理想在妳身上實現，讓媽媽在妳光輝的生活中重新生活——快長大，我的小蓓蓓……」羅明俯下頭去，吻著嬰兒的臉，一面喃喃地自語，她的眼眶潮潤了，忽然，一滴熱淚，接著又是一個——該是揉合了多少的悲哀、委屈、怨尤，以及希望和愛的淚，沿著羅明蒼白的臉頰，滾墜到嬰兒蘋果似的頰上。

編註：本文原刊於《中華婦女》第五卷第十一期，一九五五年七月，頁二十～二十三。

復活的春天

終於又回到一別二十年的家園了。林銘永立在那間曾經是他與哥哥的寢室，而消磨了他二十一年青春的房間裡，環視著那殘缺不全的紙門，泥堊剝落的牆，灰暗破舊的榻榻米……這荒涼頹圮的一切，似熟悉卻又陌生，完全不像他記憶中的家。再加上一進門三叔公就告訴他的噩音——父親和哥哥都已去世了。那份抵家的興奮，像沸滾的水在零度下的冷氣中很快地冷卻下來。他黯然靠在窗口，半晌無語。

三叔公幫他解開行囊，為他在榻榻米上鋪好被褥，他沒有回答便向榻榻米上一倒，一閉上眼身子就虛飄飄的，頭裡昏昏暈暈，不知是因為許久沒睡榻榻米，還是這裡的一切使他心中難受，他不斷地翻覆輾轉，不能入睡。

他想起自己當年遠離家鄉，一半果然由於忍受不住日本侵略者的欺壓，一半卻全為著愛情上的刺激，氣憤之下，便甘冒著生命的危險，偷偷地渡海到了祖國。他發誓要忘卻那第一次最純潔真誠的愛情的付出，一到繁榮的上海，便帶著那近於報復的、自暴自棄的心理，糾纏在女人堆裡——直到最後一個女人與他結束了關係，他對愛情——應該說是對女人完全厭倦了。當抗戰爆發之後，他忧然地警覺，覺得自己應該為祖國做點什麼，經過多少次嘗試和失敗，勝利前二年，他已在戰時首都重慶辦了一家稍具規模的紡織廠，經他苦心經營，二年來產量大增，業務蒸蒸日上。但勝利一來臨，他卻毫不考慮的將自己一番心血，半送半賣的奉讓給別人，自己便束裝回台灣。

葉落歸根，他也許急於要回家園與骨肉團聚，或是參加本省的建設工作；但是，另外一個模糊的意念比這些更強烈地催促他回來，他要回來追尋點什麼。

究竟追尋點什麼？他自己也答不上來，這個問題就像一片潮濕的濃霧，四面八方聚攏來堵住他的腦筋，撩撥不開。

一

「啊……噓……」一個大噴嚏把銘永從瞌睡中打醒，他茫然睜眼四顧，只見西斜的太陽正照在鮮豔的鳳凰木上，相映成輝，耀得林子裡紅光燦爛，身上也落紅片片，原來自己靠在樹幹上睡了一覺。

背後有嗤嗤的笑聲，摻在風吹樹葉聲中。

「我知道準是妳惡作劇，還不快出來向我賠禮。我可不會輕易放過妳。」

回答他的依然是風聲，若有若無抑制著笑聲。

他一個豁虎跳跳起來撲向樹後，隨著一聲尖喊，一個穿著淺粉色衫裙的女子從樹這邊逃出來，銘永一把抓住了她，緊緊挾住她掙扎著的手臂，就勢在她白嫩的臉頰上吻一下。

「這就算罰妳。」他帶著勝利的歡笑鬆開了手。

「你這個人怎麼這樣不講理！」她羞紅著臉，半惱怒地嬌嗔著，一面整理被揉亂了的衣裙。

「看看是誰先不講理？」

「人家可是一片好心，看你睡得這麼沉，怕山豬吃了你。」

「還說哩，從二點鐘等到了四點鐘，等得人真是心煩意懶。」銘永抱怨著。

「這也不能怪我，家裡有客，媽不叫走嘛。」她一臉的委屈。

「什麼了不起的客？要妳巴結這半天，卻撇下我一個人盡在這裡悶得發慌。」

她那明豔如花的臉上掠過一道陰影，低下頭輕輕地說：

「現在不談這些——回頭再說吧。」

「讓我們坐下來談吧。」銘永挽著她坐在草地上，讓肩膀承著她嬌小的頭顱。「看這些鳳凰花開得多燦爛，多美麗！那顏色紅的教人看了心裡發慌，紅得就像……」他的眼光在她臉上搜索著，停留在花苞似的嘴上。「就像妳的嘴唇。」

「別又不正經。」她的聲音裡有點憂鬱。但興高采烈的銘永沒有覺察。

「我最喜歡這種明豔的色彩，它象徵著青年人火一般的熱情。噢，明秀，等我們結婚的時候，就用鳳凰花瓣鋪成一條又厚又長的氈子，我們挽著手從上面走過去，妳說好不好？」

「好，可是，我怕世界上不會有這麼一天。」明秀的聲音微微顫抖著。

「為什麼？」銘永吃驚地問，用手指托起她的下頦，卻見她臉色慘白，兩眼已溢出盈盈熱淚，「怎麼了，妳？」他問。

明秀帶淚望著他，梗塞地說：

「家裡已決定答應鄧家，下個月就要過聘。」

銘永彷彿猝然受了悶雷一擊，頹然塌下手臂，半晌才問：

「是不是他父親替日本人當走狗的那個小子？」

明秀默默點頭。

「妳沒有拒絕？」

「我再三表示不願意，可是，阿爸和阿媽都堅決主張這樣辦，我一個人又怎麼違抗？」

「好吧，下個月一過聘妳就是鄧家的人了。」銘永氣極，不禁冷冷地譏笑著：「我還應該向妳道喜呢。」

「我求你別這樣地挖苦我。」明秀掩著臉，淚水像斷了線的珠子般落下來。「我何嘗願意！你知道，我心中只有你……」

「如果妳心裡當真只有我，那眼前還有兩條路好走，就看妳有沒有決心。」銘永的口氣又溫和下來，半激動半誘惑地說。

「哪兩條路？」明秀抬起眼睛望著他，透過晶瑩的淚光又閃爍著希望。

「第一條路，就是我們兩人一同出走。」銘永斬釘截鐵的說：「走到祖國，走到香港，走得遠遠的地方。」

「出走！我們兩人走得遠遠的！」明秀喃喃地覆誦著，帶淚的臉上浮起一抹喜悅，但馬上又被憂慮沖散，顯得猶豫而又惶惑：「那我走了，我母親呢？你知道她身體一向不健康，我父親娶了小的又待她不好，她全部希望只寄託在我身上，我又怎忍撇下她遠走高飛？……你說第二條罷。」

「第二條路就更需要勇氣了。」銘永鎮定地望入她眼中說：「一同服毒，或是一同投河，生既不能共衾，但求死能同穴。」

「哦！」明秀咬著嘴唇，很困難地說：「勇氣我倒有，只是我要是死了，我母親一定也會傷心而死的。」

「嘿！我早就料到妳不會有決心。」銘永冷笑著陡地站起來，眼睛裡噴射著憤恨的烈焰，直視著明秀，像要把她灼熔。「什麼心裡只有我，都是騙人的話，妳一直都在欺騙我，他們鄧家可以仗狗勢壓人，他們鄧家有百姓身上刮來的錢，妳乖乖地去做鄧家的少奶奶吧！我發誓不要再見妳一面，我一個人走，走得遠遠的，遠遠的……」說完，連一眼也不多看明秀，恨恨地掉頭便走。

「銘永！銘永！你聽我說……」明秀在後面痛苦地呼喚著。

銘永連頭也不回。

「銘永，銘永……」聲音是帶著哭的懇求。

銘永卻加緊腳步走得更快，像逃避瘟疫般跑出樹林，一不提防一腳踢著塊石頭，重重的一絆。

恍然驚醒，朝陽透過龍眼樹的枝葉，正斑爛地射在他帳子上。

只是一個夢。

他自以為這一切早被遺忘，不想事隔一、二十年，回家來的第一夜，就做了這樣一個歷歷如在眼前的夢，多荒唐，又多可笑！

他嘲笑著荒謬的夢，也嘲笑著自己。但是，卻拂除不了心頭新添一份莫名的惆悵。

二

林銘永慢條斯理地刮著鬍鬚，刮完了，用手摸摸，再刮一遍，這才對著鏡子仔細端詳，繞著嘴一圈刮得光光的白裡泛青，果然比下船時三天沒剃鬍子於思於思的樣子要年輕些。但是，修剃不掉的是兩鬢的白髮，額上的皺紋，和眉宇間飽經憂患的痕印——他不禁聳聳肩頭，對鏡子裡的自己做了個苦笑。

向三叔公探詢了一些親友的情形，便開始分頭去拜訪。有不少他想看的人都不在了，不少人卻一時認不出來。等他說明了自己是誰，立刻便受到了熱烈的歡迎。

離開了親友家，他一個人在街頭閒逛著，覺得有點口渴，便推開路旁一家咖啡館的玻璃門走了進去。問服務生要了一杯咖啡，一面悠暇地啜飲，一面打量著室內淡藍色的牆，淡藍色的燈光，襯著綠色的棕葉婆娑舞影，幽美的音樂輕妙優雅。這情調足使從紛擾的外面進來小坐的人，獲得一份恬淡寧靜的心襟。可是，當林銘永的眼光接觸到斜對面那櫃台後面剛轉身過來的白衣少女時，他那點寧靜立刻給攪得粉碎，被眼前的事實驚愕得目定口呆。那深邃的眸子，濃黑的眉毛，挺直的鼻子和豐滿的嘴唇不正是昨夜夢中的女郎！他一下衝動想跑過去喊出來，就在他起來的剎那，在她身後的大鏡子裡瞥見了自己的影子；少女如果是昨夜夢中的少女，自己卻已經不是夢中的自己，他不禁又頹然地坐了下去。究竟是事實抑是幻夢？是真還是假？他凝視著那少女的一舉一動，無法再把視線從她身上移開。在這一群花枝招展的女服務生中，穿一身白衫裙的她像一枝出水的白蓮，在她身上散發著一種純潔稚真的美，她只管理收帳和換唱片，當顧客去付帳時，她微笑著說聲「謝謝」，那種莊矜而又禮貌的態度，就使輕薄的顧客也不好意思對她存狎邪的念頭。林銘永終於忍不住向他的夢中女郎走去，他用了極大的努力壓制著自己激動，輕輕問：

「小姐，有沒有〈夢中情人〉這張唱片？」

「有。」她安詳的回答向他望了一眼，他在她的一望中全身通過一陣顫慄，心臟彷彿在一剎那停止了。

「請妳放一遍好麼？」

「好的。」

他沒有理由再逗留在櫃台前，當他走回座位時，那支音樂的旋律已繞著他迴旋，像是無數隻柔軟的手指，按撫著他迷惑不安的神經。

隔著幾排座位，隔著一座櫃台，像是隔了一片海、一幢山。林銘永啜著第三杯咖啡，便這般遙遠地隔著山和海凝望。

世界上沒有兩粒完全相同的砂礫，更沒有兩根完全相仿的羽毛，但造物卻創造了兩個這樣相似的人。

多麼熟悉，又多麼陌生！

當女服務生過來問他再需要點什麼時，他才發覺室內已燈光闌珊，樂聲杳然，座位空空，自己是最後一位留著的顧客了。

走出咖啡館，他回頭再瞻望一眼，堆雪似的飾花中嵌著「銀宮」兩個大字。

夜將深，街上行人稀少，成為繁華都市靈魂的店鋪，都已關門打烊，林銘永獨自一個人踽踽地走在路上。感到有點夜涼，望望那些低垂著的窗裡透射出粉紅的、淡綠的燈光。忽然間他感到寂寞、孤獨，像一葉孤零零飄浮在滄海中的扁舟，一種強烈的渴慕溫暖，以及這一類不能捉摸的事物模糊地渴慕湧起在心頭。自然，也有觸及埋葬在心頭深處的夢境的悵惘——他跳上一輛經過他身畔的三輪車，疾馳回家。

這一晚，他完全浸沉在回到故鄉第一夜的那點迷惘中，一夜間似睡非睡，似夢似幻，夢是斷斷續續、零零碎碎的，彷彿是記憶之湖裡掀起的一朵朵漣漪，只要一閉上眼，那少女便幻作各種姿態出現在他眼前。

三

第二天，一整天，林銘永心神恍惚，坐立不安，心裡面好似打了一個結，難以解脫。他嘲諷自己想把生活的輪子倒退回去，他譴責自己荒唐，但他卻不由自主地趕到銀宮去。

這天不是休假，座上極少顧客，兩三個女服務生聚在一堆「吱吱喳喳」的談笑，她依舊一個人守在櫃台裡，閒暇地看著一本小說。

他照例要了咖啡，壓抑著自己坐了片刻，再走到櫃台前喚了聲：

「小姐……」

「是不是要放一張〈夢中情人〉？」她不等他說完便從書本上抬起頭來從容地接著說：「噢！是的，」林銘永感到驚喜萬分，「妳的記憶力真好！」

「那是因為你本地話說得真好。」她淡淡地婉辭他的誇讚，他先是愣然，繼之釋然一笑，故意誇大地說：

「妳太誇獎了。妳說得比我更好。」

「?!」她錯愕地望了他一眼，從鼻子裡嗤笑著：「當然囉，我是本省人。」

「能夠有妳這樣的同鄉，在我真是太榮幸了。」

「同鄉？你會是本省人？」她掀起那一排長長的睫毛，懷疑地重新打量著他，然後很天真的搖搖頭，「我不相信，你的神氣跟許多大陸來的人很像。」

「那是因為我在祖國待了一、二十年的緣故。」他解釋著。

「啊，那一定很有意思！」她輕輕地喊一聲，雙目閃爍著，顯得十分稚氣，「你去過哪些著名的大都市，像上海、南京、北平？……」她像小學生背地理課本一樣，很快地背了一大串地名。

「都去過。」他笑著回答。

「他們說那裡的每一寸地方都是美麗的、豐饒的，是嗎？……噢謝謝！」她很感興趣地追問著，一面點收了一個顧客付的錢。

「當然，美麗、豐饒、廣袤——簡直敘述不盡。」

「那麼，你怎又捨得離開？」

「葉落歸根，不管外面多好，對自己生長的地方總是特別依戀。」林銘永幽幽地說，手指不經意地攪著櫃台上的算盤。還有一句話他留在舌上：「尤其是最初的愛情萌芽的地方。」

「可是我一直渴望著將來能夠去祖國開開眼界哩。」她顯出十分嚮往的神情，望著燈光，憧憬地說：「我想去看看繁華的上海，恬靜的西湖，莊嚴的首都……噢，如果讓我選擇住的地方，我一定挑選故都北平。春天裡騎匹駿馬在大草原上馳騁，夏天裡上頤和園避暑，秋天裡去西山看紅葉，冬天裡去北海溜冰？日子該過得多美！」

「妳怎麼對大陸這樣熟悉？好像妳曾經去過似的。」林銘永不禁驚訝地問她。

「是一個朋友告訴我的。」她回答著，似有點羞澀。

「不是同我一樣從大陸來的本地人吧？」他有點酸意。

「不，他是道地的北平人——謝謝！不過我還是喜歡聽你講，有個比較——一共五元八角，謝謝。——噢，對不起，我要照顧生意了。下次有機會我們再談。」她歉疚地向他笑了笑，便低下頭忙著撥算盤了。

林銘永退回自己座位上，心裡像剛剛被暖熱的熨斗熨過，平貼、舒適、興奮，他沒有料到一下子便能談的這樣親切，這夢中的女郎比他記憶中的那個更坦率、大方，莊矜下掩蓋著一份尚未泯滅的稚真，他覺得自己與她在一起談話時，心情也彷彿變年輕了。

音樂一支支更番播送下去，他知道那都是兩隻纖秀的小手在換替，不知是陶醉在悠揚的旋律中，還是耽迷在自己的遐想裡，他又是最後一個離座的顧客，到櫃台上去付帳時，她看了一疊帳單，噗嗤一笑。

「嘿，一個人喝了四杯咖啡！」

「我喜歡把自己浸沉在咖啡裡……」他望著她黑亮的眼睛，卻把底下一句「就像喜歡浸沉在海水一般深邃的眼波裡一樣。」吞了下去。他感到對純潔的她說任何含有挑逗的話，都是一種褻瀆。「噢，小姐，我還沒有請教妳芳名呢？」他把話頭輕輕一帶。

「我叫慧子。」

「有濃厚的日本味，尊姓呢？」

慧子矜持著，似乎對姓氏有所隱諱，旋即笑笑說：

「人家都叫我慧子，你也叫我慧子就行了。」

「那麼，慧子小姐，虔誠地祝妳晚安！」

「晚安！」

這晚，夜一樣的深，路上一樣的靜寂，林銘永卻有著與昨晚完全不同的心情，他用詩意的眼光一路端詳著疏朗的樹影，用欣賞的眼光注意紗窗裡透出粉紅或淺綠的燈光。他覺得自己在現實中扣著那夢的邊緣，也可以說他將把夢扯進生活的現實——他輕飄飄像在雲裡行走，合著腳步的拍子，低低地哼起一支遺忘了十幾年的小夜曲。

四

每次去「銀宮」已成為林銘永生活中最重要的一課。

他常常挑顧客最少的時候去，那時他可以逗留在櫃台畔的唱機前面，像一個音樂迷似的，自己挑選了唱片播送，一面便同慧子搭訕。他知道自己的外貌儀表十足是一個正派的中年紳士。一個女孩子是不太會顧忌和懷疑他的。慧子更不像一般女孩子那樣，喜歡裝腔作勢，忸怩作態。恰如其名一樣，她敏慧好學。她的國語說得不太正確，她孜孜不倦地練習著，要他替她糾正，而對祖國的一切，她有似一個好奇的孩子一般，更是百問不厭，常常提出一連串的問題，像：

「有人說上海是個遍地黃金的城市，連路都是金子鋪的，是不是？」

「你去過萬里長城沒有？究竟有多長？」

「蘇州和杭州真的像天堂嗎？為什麼？」

「……」

「……」

有好些問題常常使林銘永忍俊不住，也有使他難以解答的。但他喜歡她問，因為他最喜歡看她一問起祖國如何時，那雙深邃的眸子閃耀著一種奇異的亮光，使她嬌嫩端秀的臉龐被上一層煥發的光彩，有似站在雲端裡的聖女。這使他憶起那一個相似的，神采煥發，眼睛裡閃爍著渴望的光輝的臉。——那是當「她」提起「他們」未來的幸福農莊時，「他們」要有一座栽滿名種的果子和花樹，養滿各種家畜和小動物的農莊。一幢白色爬滿薔薇的小屋，屋前架著葡萄棚，周圍栽滿了玫瑰。——相處比較熟了，他更發覺慧子有不少微妙的小動作和神態，是他所恍惚熟悉，但也有不少舉止和習慣是他所陌生的。那熟悉的更加深了他的憶念，使他感到親切和依戀；那陌生的對他有一種新的吸力，使他產生了渴慕和傾心。這舊和新的揉合，像兩股被搓成一根堅固的繩，凝成一股磁力般吸住他的強大的力量。這力量足以支配他的心靈，左右他的意志。

他一直把自己看成一座死滅了的火山，想不到這座死滅了的火山，如今竟又驟然被震醒，埋在灰石下的火岩重又燃燒起來。但儘管熔岩在裡面沸騰，他總是強自抑止著，不敢讓它噴發，他寧願自己燃燒成透明的真空，只怕一滴熔岩灼傷了她，因為在他面前她是太年輕，太純潔了。

年輕的慧子，像一隻純美的白鴿，只在他夢的領域翱翔迴旋，談笑絮語，他怕伸出手去，將她驚走，為著他復活的青春和戀情。

有好幾次，他也曾十分小心的，謹慎地露出一點愛情的觸角。他邀請慧子去看電影、去郊遊，但回答總是微笑和搖頭，「我不能離開工作。」

他幾次要送她回家，也總是被婉謝。

「我一個人走慣了，不喜歡有人送。」

他再三堅持，她更堅持。

「我母親不高興我有男朋友伴送。」

他對她的家庭有點諱莫如深，只知道她有個管教很嚴的寡母。

他與她見面、談話，永遠只限於「銀宮」的櫃台旁，他與她之間的距離也永遠隔著一座櫃台，也像隔著一道不能僭越的鐵網，一條不能飛渡的河流。

在櫃台外面的他，日益為愛情而萎頹，為相思而憔悴，一座壓制著不能爆發的燃燒著的火山——一度又一度燃燒過的火山，終將因內部的熔蝕空虛而陷落，而崩潰。

在櫃台裡面貞靜的她會知道、會了解這封鎖著的戀情麼？看她那純潔無邪的目光，那坦率溫雅的微笑，那爽朗清脆的聲音，她不會知道，不會了解。縱使他已在夢裡向她訴說過千百次，呼喚過千百次。

但是，有一天，彷彿皎潔的月亮上蒙上了一片陰影，他在她開朗的眉宇間發現了憂慮的痕跡，起初只是隱約一現，慢慢地日益加深，她變得更沉默，更抑鬱。她也不再絮絮探問內地的這樣那樣，常常一個人凝視著前面，落入深思中，直到顧客來驚醒，她微笑時顯得勉強，她說謝謝時再沒有那樣真切，林銘永驚訝的發覺她一天一天在變，變得更長大了。

「慧子小姐，妳在想什麼？」

「不想什麼。」她側著臉避開他的視線。

「慧子小姐，妳好像有什麼心事？」

「沒有心事。」她垂下眼簾，他看不見她明澈無邪的眼睛。

但她掩飾不住的神態明明說出她有心事，且是沉重的心事，使她稚弱的心靈載負不起，而像一朵纖嫩的承受不住強烈陽光炙焚的蓓蕾般顯得憔悴了。

慧子的憔悴，比林銘永自己的禁錮的感情更使他憂心如焚，那天，他忍不住懇切的勸問她說：

「憂傷殺人比刀還厲害，妳不知道妳這一陣清癯了多少！慧子小姐，妳若肯把我當作一個忠實的朋友，就請把那使妳不安的事情告訴我。如果憂傷可以分擔的話，我願全力擔負，甚至粉身碎骨。」

慧子似乎被他誠懇的聲音感動了。她默默地望了他一會——一個完整靈魂赤誠地袒裸在她眼中，於是，她低下頭悄然說：

「那麼，明天下午，請你在植物園等我，我有一件事要告訴你。」

五

盛夏已近尾聲了。植物園裡的鳳凰木開過又凋謝，如今是枝葉茂密，一片蔥翠。林銘永在綠蔭覆蓋的水泥路上激動不安的徘徊著，不知多少次向園門口探望，也不知多少次抬起手錶來看，這是第一次，他們兩人真正單獨相處，她將告訴他什麼事呢？噢，她近來是那樣的深沉，那樣的蒼白，那樣心神不屬、神思恍惚……忽然間他不由得罵了一聲自己笨蛋，過來人可以看出來，這不正是一個人在被愛情苦惱時的跡象！莫非她也墮入了愛情的網裡？莫非她要告訴自己的便是這個！——林銘永想到這裡幾乎高興得跳起來。他亢奮地向四面環顧著，似乎有誰分享他獲得的祕密，停了一會，他又堅決地跟自己說：

「不管她是不是告訴我這個，我無論如何要抓住這個時機告訴她，坦率地告訴她：她活在我心裡比她一生時間還要長，她早便是我生命的一部分，二十年前我失去了她，憤而出走，二十年後回來卻又尋獲了，尋獲的不只是愛，還有青春的復活、新生，從今以後，但願永不分開……」

「林先生，」低低的一聲呼喚，慧子已悄然立在他背後，他倏地回轉身去，怔住了。淺粉色！那一身淺粉色的衣裙，竟會如此的巧合，難道是上帝抑或愛神的安排？

「林先生……」慧子拘謹地離開林銘永一截，坐在石凳一端，低頭玩弄著手提袋，羞澀地想說什麼又吞吞吐吐，「林先生……」

「叫我銘永，慧子。」林銘永溫柔地說。

「不，叫慣了還是叫先生好，林先生，我問你，一個人最初的戀愛是不是最純潔、最可貴的？」慧子終於鼓足勇氣提出了這樣一個問題。林銘永不禁怦然心跳，忙不迭接著回答：

「當然。」

「那麼這純潔可貴的感情是不是應該被珍視的？」

「是的，像珍視生命一樣。」

「如果另外有種力量要摧毀它，排斥它呢？」

「不惜用行動來反抗，用生命來衛護。」銘永激昂的說，揮手作勢，大有全力以赴的勇士氣概。

慧子忽然勇敢地抬起眼睛，用那種充滿了期待和信賴的眼色望著他，熱誠的聲音裡揉合著感激和懇求。

「林先生，你是最關切我的，你說過你是我忠實的朋友，我一直也把你當我的叔叔伯伯看待，有一個困難的問題我想請你替我拿個主意，就是——我愛著一個青年。」

當慧子說到把他當叔伯看待，林銘永就彷彿被當頭澆了盆冷水，聽完她最後一句，他只覺得瞬那間地面在他面前崩裂了。

「他是個誠懇而正直的青年，我們認識已經有一年多了。你也許沒有注意，他也曾到銀宮來過幾次，剪一個平頂頭，有一雙深黑的大眼睛，——他去年才從工專畢業，一直是半工半讀的，很知道上進，他有一個宏大的志願：就是獻身工業，為人類和社會謀福利求進步，他常常跟我談起他未來的計畫，他聰明，有毅力，能吃苦。他，嗯，他對我很親切。林先生，你說他好嗎？怎麼！你不舒服，林先生？」慧子繼續絮絮地說。

「不，沒有什麼。」林銘永已極力從絕望的苦惱中掙扎出來，接觸到慧子期待而信賴的眼光，不覺感到一點慚恧。他避開她的注視，枯澀的聲音彷彿梗塞在喉頭，困難地說：「妳說的，他很好。」

「只是，他是外省人，就是我上次跟你說起過的北平人。」慧子似乎不勝悒悒。

「愛情原是不分種族，不限省籍的。如果真是彼此相愛，外省人與本省人又有什麼分別。」林銘永已恢復了冷靜，以他中年人的理智抑制著內心的妒嫉。

「問題就在這裡，我母親不喜歡外省人。」

「妳可以慢慢地向她解說。」

「她連提都不許提，一提她就生氣。」

「好在妳現在還很年輕，時間可以改變一切，也許可以改變妳母親的成見。」林銘永耐著性子勸慰著。

「可是，她現在就要我跟他絕交，她說要是讓她知道我仍跟他有來往，她甚至可以不要我這個女兒。」慧子的聲音哽咽著，眼睛裡已是熱淚盈眶，委婉地傾訴著：「母親平常一直都很疼我，她只有我這麼一個女兒，我是她一手撫養大的。雖然我十歲那年父親才死，但卻等於生下來就沒有了父親，因為據我所知，我母親就從來沒有喜歡過父親，父親對母親也不好。我生下來不久，父親就另外討了個女人，跟母親分居了。我知道，母親一直生活得不快樂，她唯一的寄託和希望就在我身上，我不忍再使她傷心，可是，我愛他，我又怎能捨棄。——林先生，你能替我想個兩全的辦法嗎？」

儘管林銘永不敢正視，也能感受到那淚光晶瑩、充滿信任和期待的目光正凝集在自己臉上。他惶惑間卻想不出一句適當的話來告慰她。沉默了一會，還是慧子擦了擦眼淚，緩緩地站起來說：

「母親這樣做是不公平的，我不曉得她為什麼這樣恨外省人？林先生，你剛才的話已給了我一點啟示，謝謝你。我必須要回去了。」

林銘永還是沒有說什麼，望著那淺粉色的背影逐漸消失在樹蔭裡，他覺得自己的夢幻滅了，像七彩肥皂泡泡被晚風吹碎，暮色在他四周包圍攏來。

六

以最大的努力，林銘永像使一匹駑馬就範般，把自己納入繁重的工作中。但只隔了二天，他心煩意亂，忍不住又去了「銀宮」。

推門進去，他不禁一怔，櫃裡不見了慧子的倩影，坐著擦了一臉庸俗脂粉的老闆娘。他怏怏地在老位子上坐下，慣熟了的阿翠不等他招呼就端來一盅咖啡，他發現杯子底下壓了一封信。

「慧子請假了，這是她叫我交給你的，」阿翠悄悄地告訴他：「你如果有什麼回音，請你交給我好了。」

林銘永急切地拆開了信：

林先生：

這世界是多麼狹隘呀！竟容不下一個小女子的兩種愛，我愛母親，也愛他，而愛與愛之間卻成了衝突。在這衝突中，我快要發瘋了。林先生，在這世界上我沒有父親、兄妹，也沒有其他可商量的親人，自從認識你以後，你是唯一對我關切的人。在我心目中，也一直把你看成和藹可親的長者。你是唯一知道我祕密的人。如今，我在懇求你伸出友誼的手，幫助我，千萬不要拒絕我。

實在是我母親逼得我太厲害了，在絕望中，我想起了那天你說的「用行動來反抗」。萬不得已，我只有採取了這條路子，可是，千萬別以為我是背著母親，私投到愛人懷中去的那種女孩子，我只是隱匿在一個地方，祈求著，等待母親的寬恕，等待著母親的祝福。我相信只有母親祝福過的婚姻才有真正的幸福——寫到這裡，我不禁又熱淚滂沱，心如刀割，我那十九年來相依為命的母親，此刻一定為我的出走而在生氣，在傷心，我成了世上最叛逆不孝的女兒！但為什麼我竭盡我所有的愛竟融化不了她固執的成見呢？

林先生，我求你幫助我的就是這點，你是本省人而在祖國生活了這許多年，你對外省人的一切都熟悉了解，能不能請你把你所知道的，去告訴我母親使她化除成見。因為你是本地人，她可能相信你所說的，請你去吧！林先生，我在這裡等待著你帶給我佳音，就像在茫茫的黑夜中等待著黎明。千百遍為你的好心祝福！

永慧上

（這是我的真名字）

看完信，未假思索第一個籠統閃入林銘永腦中的念頭就是：「慧子私奔了！」那籠統的觀念像六月的烏雲般，很快地播展成一片陰影，而忽略了發自一個少女純良的內心坦誠的陳訴，懇切的請求，驟然間，林銘永失去了那份矜持，一股妒恨燃升在他心坎，他把慧子輕率的行動嫉妒都加在那個不知名的青年男人。

林銘永聳聳肩頭沒有再說什麼，端起咖啡來一口喝光了，便懷著那封信，匆匆離開銀宮，跳上了一輛三輪車，照信上開的地址告訴了車伕。

他在考慮著一個新的打算，不為慧子，也不為她母親，只為——洩憤。

三輪車曲曲折折地彎進了一條小衖，按著門牌，停在一幢很舊的小屋前。

七

林銘永走過那寬不及三尺卻種了好幾色花草的院子，走上了正屋的階級，玻璃門敞開著，一眼就看清小小的堂屋裡那些簡單的陳設，但收拾得一塵不染，屋裡沒有人，從內屋傳出隱約的悲泣聲。

林銘永咳嗽一聲，用手指在窗上敲了兩下：

「裡面有人沒有？」

悲泣聲立即停止，一個中年婦人的聲音在內間：

「誰？」

「我找——」林銘永忽然頓住了，他一直還不知道慧子姓什麼，「請問慧子——永慧小姐的母親是住在這裡嗎？」

「你是誰？」回答是嚴厲的詰問。

「我姓林，是永慧小姐的朋友。」

「從前我有女兒叫永慧，現在她已不再是我的女兒了，所以我也不願意接待她的任何朋友，請走吧！」裡面冷冷地拒絕著，冷峻的聲音中卻掩飾不住沉痛的悲憤。

「可是我帶來妳女兒的消息，等當面奉告後，一定馬上就走。」

裡面沉默了片刻，接著一陣輕微的悉索聲，紙門拉開了，一個穿著深藍色舊綢衣裙的中年婦人探出身子來，神色抑鬱，眼眶微微帶紅，兩人打了個照面，就像驟間都遭受了雷擊般，林銘永是直瞪著眼、張著嘴，僵立在石階上，那婦人一手扶著紙門，彷彿搖搖欲墜，滿臉驚訝懷疑的神色。

「銘永！銘永！這當真是你嗎？」她盯著他一眼不瞬地說。

「是我，明秀。」林銘永激動地連著皮鞋就踩上榻榻米，向她走去。「我終於找到了真正的妳。」

「想不到你還是回來了——可是隔了二十年，一切都改變了。」她喃喃地說。眼睛潤濕了，軟弱跌坐在身旁的椅子裡。

「是的，改變了不少，只是我，除了增添幾莖白髮，卻依然孑然一身。」林銘永苦笑著，半是感慨，半是嘲謔。他仔細打量著舊時的戀人：二十年的歲月和生活，在一個人身上留下的痕跡是很顯著的，她頰上的薔薇消失了，白嫩的皮膚不再是那樣一塵不染、光潔如玉，眼梢額角都已微微打摺，動作穩重端莊，再也尋不出那份嬌憨跳躍的蹤跡。只是那對黑白分明的眼睛，還是海一般深邃，蘊蓄著無限情意，當它凝視著人時，被凝視的人只想投身進去，像愛游泳的人投入海裡一樣。她身上已失去了那種煥發的青春的活力、光彩，但取而代之的是另一種成熟的、含蓄的徐娘風韻，這風韻對林銘永是陌生而具有新的魅力——明秀對他的諦視微感局促，立刻喚醒了她在時間和年齡上的距離，她恢復了冷靜，有點陌生地招呼林銘永。

「你不坐嗎？——這幾年生活得可好？」

「生活得倒還不壞。」林銘永坐下來歎了一口氣說：「只是一顆心總像被什麼牽住，又像沒個妥貼的安排處。從大陸又把我牽回了台灣，還是飄蕩無依。」

「你早該有個家了，別把理想定得太高。」

「理想！我的理想，早便在二十年前死了。」林銘永望入明秀的眼裡幽幽地說：「除非它又能復活。」明秀避開他的眼光黯然低下頭。

「明秀！永慧一直沒有告訴我她母親是誰，不然我早就見到妳了……永慧說妳生活並不愉快，早知……」

「噢，你不是說為永慧——我那不爭氣的女兒的事找我的嗎？」明秀打斷他的話，臉上又現出了氣憤。

「是的。」林銘永歉疚地看著她，慚愧自己幾乎忘記了原來來此的目的，更慚愧來時那自私的念頭。他暗戀著永慧只因她像是一個人的影子，如今真人已找到，影子自然便失去了重要性。何況她有如他的侄兒。「我說妳對待永慧似乎太嚴厲了。她是個純潔的好孩子，她也很孝敬妳，女孩子到時總要鬧鬧戀愛，我不知道妳為什麼這樣恨外省人？」

「我恨，是的。」明秀忽然抬起眼睛幽怨地盯著他，「因為有一個人去了那個地方便音訊全無，好像被那個地方的土地裂開吞沒了。」

「明秀，妳不會不知道那個人是懷著一顆破碎的心而去的？如果那時妳也有永慧的勇氣，衝破那傳統的藩籬，情形便完全兩樣了。妳想想看對不對？」

明秀垂下眼簾，用整齊的牙齒咬著嘴唇默然無語。——林銘永熟悉她這個表情，那是當她自知做錯了什麼又不肯認錯的表情。他把那封信交給她。

「明秀，我們這輩子已為了愛情受盡痛苦，別又讓這個折磨下一代。給他們所祈求的幸福吧！」

明秀看完信，緩緩地站起來，臉上僵硬的線條被一種柔情軟化了。

「好吧，我接受你的求情。」她屈服地說：「不過你先得叫永慧回來，還有，我必須先親眼看看那個外省人才能再作決定。」

「那還不容易！」林銘永歡欣地說，「現在下一代的事已告一段落，我還要告訴妳一件事。」他的語氣變的鄭重而嚴肅，明秀不禁凝神傾聽。

「我回來時帶著兩個計畫，一個是辦個工廠——現在已打下了基礎，還有一個，」他望著明秀緩緩地說：「是辦一個農場。」

她的眼睛閃耀著。

「是不是要養許許多多家畜和小動物，栽許許多多的果樹和花木！」

「是的。還要蓋一幢潔白可愛的小屋，從窗前到屋頂，爬滿了薔薇。」

「屋子前面搭一座精緻的葡萄架。綠葉成蔭，葡萄像一串串翡翠瑪瑙珠子。」明秀用充滿回憶的聲音說，眼睛明亮的閃爍著，她臉上煥發著一種新的光彩，恢復了年輕時的美麗動人。

「是的，是的。」林銘永興奮地接著說，低沉的聲音是挑逗的，夢囈一般：「葡萄架前後還栽滿了玫瑰，傍晚，我們便靜靜地坐在架下欣賞、閒談。」

「我們?!」明秀似乎被這兩個字刺了一下，忽然從夢幻中清醒過來，臉上喜悅的光彩消失了，忽然俯下眼瞼悄然的說：「那是不可能的。」

「為什麼不可能？」林銘永像孩子般執拗地問。

「你知道現在已經是秋天，葉落花謝的深秋。」明秀困難地說，身子不安地扭動著，好像在和身體內什麼戰鬥，「玫瑰早便凋零萎謝了。但剩下敗枝殘葉，怎堪欣賞！」

「妳錯了，明秀，現在是秋天，但秋天裡也有遲開的玫瑰，而只有遲開的花朵，才最能經得起風霜！」林銘永把手按在她擱在膝頭的手上，好像要把自己的勇氣和信心從掌心傳給她，堅決而溫柔的聲音裡流露出無限深情，「何況，春天還活在我們心裡，這春天，是經過了二十年冰雪的封鎖再復活的，妳說是嗎？」

他深情的眼光在她臉上搜索著答覆，她卻把頭俯得更低了，只是睫毛不住地閃眨，兩頰泛上一層紅暈，林銘永情不自禁緊緊捏住她的手往懷裡一帶，湊過臉去，貼著她耳畔喃喃地說：

「明秀，回答我……秀。」她的頭髮觸著他的臉頰，他清晰地聽得她的心在急促地跳，從無領的胸前散發出他熟悉的淡淡香味，他把微微顫抖著的嘴唇貼上去——忽然，明秀像隻受驚的兔子般，從他的半擁半攬中站出來，眼光迷亂，臉上紅暈未退。

「銘永，我們應該先把永慧的事辦好了再說。」

「好罷。」林銘永帶點幽怨地盯著明秀，無可奈何地聳聳肩膀，「妳的事還不就是我的事。」他懶懶地站起來，慢吞吞地走了兩步，又依戀地回頭望著她，「我現在就去，妳等著我！」

「我等著你。」明秀微笑點頭，柔情脈脈地望入他眼中。

彷彿在血管中注入了新的血液，身體裡重又充沛了青春活力，林銘永跨下階級，走出院門，腳步顯得輕捷而又著實，再不是那樣虛飄飄如在夢中——在這一剎那，他恍然領悟到他一直在追尋的是什麼。人生最真而又最深的愛，原只有一次，那最初的一次——那不會再是夢吧？他略微迷惘地抬起頭來，只見一抹絢麗奪目的彩霞，燃紅了半壁天。一步一步，自己正朝著彩霞走去。臉上、身上，都承受著太陽將落時最後一片燦爛的餘暉。他不覺向前加緊了腳步。

編註：本文原刊於《中華婦女》第六卷第十二期，一九五六年八月，頁十一～十七。

孤女恨

一

我照著鏡子，在畫布上塗下了最後一抹色彩，於是擲下畫筆，將倦澀的視線移向窗外。

窗外，那一叢斜生在山坡上的綠竹正迎風微微招展，幾隻有著翠色羽毛的山雀活潑地在枝葉間跳上躍下，遠遠的一抹黛山隱現在煙雲蒼茫中，靜寂中唯潤流潺潺和著松濤颯颯，我心寂然，有如深山古剎。

我重新將眼光移注在畫布上，審視有頃，連我自己也不禁歎為上帝的傑作！

那剪絨似的雙眉，宛如雙峰縈翠。那晶瑩明媚的眸子，宛如流星兩點。那玲瓏挺直的鼻子，如古希臘神的塑雕，那美巧的雙唇，宛如彎彎的嫩菱——我的筆觸只限於此，這是一張臉，一張秀美靈慧洋溢於紙上的臉，那便是我。至於在這張臉以下，雖然我久已習慣醜惡，一如習慣這沒有生氣的生活一般，但我還是缺乏勇氣用筆渲染出來，破壞這畫面的美。

不是嗎？不看鏡子我也確切知道，在美麗的臉龐以下，便是那一截不到一寸長的頸脖子，緊緊縮在肩胛中，下巴貼在胸前，兩肩高高聳起，背上揹著那一世都摔不掉的包袱，這是上半身。掀開那條長年蓋在腿上的氈子，那又是那麼樣醜陋的一副怪相！兩條又細又短的腿，像兩條塞著破布的棍子，毫無生氣地軟垂在輪椅上，底下是一雙畸形的小腳。

美是美麗的，令人目眩神迷的美麗。但我也是醜陋的，令人掩目作嘔的醜陋。

美與醜，也許從未像在我身上那樣，形成兩極！

我的美麗得諸母親，瑩翠的眉峰間有她的靈秀，明媚的眼睛中有她的聰慧，挺直的鼻子有她的高雅端莊，只是我那薄而美巧的雙唇，缺少母親那流露在唇畔的、彬雅而慈藹的微笑，而顯示出固執和任性。

我的奇醜又來自何處——事情已經過去二十年了，但一閉上眼，恍惚還是昨天的事，不僅是肉體上的毀傷，還有心靈上的創痛，愛與恨同時烙印在生命中，此生已無法磨滅。

在那以前，我是一個幸福的女孩子。有一個溫柔和藹的母親，一個親切慈愷的父親。母親和父親的感情一直如膠如漆，互相諒解，我從未見他倆勃谿過一次。如果說這一個家裡還有一點什麼缺憾的話，那就是母親孱弱的身體，和我的任性——我一直是被嬌養慣縱了的獨生女。但這些當時似乎在融洽愉快的生活中並未引起多少影響。

其實母親那時病已頗重，只是怕父親擔憂，一直隱瞞著。每天還是照常照拂我們子女倆，父親那時正苦心經營一家小小營造廠，母親給予父親的鼓勵和協助，對父親的事業實在有著最大的影響。父親在生活上又是個不拘小節而易忘的人，處處都要母親提醒或安排，我常常看見母親揮刷著父親脫下來的衣服，又把手探進一個個口袋，若是名片用完了就給補充，鋼筆乾了就給灌上墨水，手帕髒了換上乾淨的，甚至有沒有手紙都給預備得妥妥貼貼，縱使在做這些小事情時，母親的神情總顯得專注而謹慎，一舉一動中彷彿蘊蓄著無限深摯的情意。

在日常生活中，在感情上，我和父親一樣，都仰仗著母親，依賴著母親，我們一直以她的愛為永不降落的太陽，給我們熱和力，以她的愛與源源不絕的清泉，一點一滴潤澤著我們的心靈，誰也沒想到這太陽會遽然沉落，這源泉會遽然枯竭。

二

當母親實在再無法隱瞞她的病態而臥牀不起時，細菌已侵蝕了她半邊肺部，藥石罔效，父親東奔西跑，請遍名醫，日日夜夜衣不解帶的親侍湯藥，但是一切已非人力所能挽救。母親在彌留期間，一直保持著平靜的臉容，從未蹙眉呻吟過，有時還做出微笑鼓勵我們，但我們都知道她正在極力忍受著肉體劇烈的痛苦，忍不住偷偷地跑到房間外面去擦眼淚。

我還清晰的記得。那一天上午母親一直呼吸衰微，十分虛弱地眼睛緊閉著，神智似乎已陷入半昏迷中。我和父親都屏息守在牀畔，一步都不敢離開，到下午她忽然睜開眼睛來，望著我們很困難的牽動嘴角做一個微笑，示意父親湊過去讓她握住手。

「純鈞，」母親吃力地吐出微弱的聲音，「我原想好好地做你的內助，協助你完成你的志願，完成你的事業，可是……現在我怕只有辜負你對我那一番深厚的情意了……」

「雅雲，不要這樣說，過去所有那一點成就都是妳給我的，以後妳還會好起來幫助我。」父親噙著兩眶熱淚顫抖地說。

「你知道那是不可能了，」母親苦笑著微微搖頭。「我不在你身邊，希望你今後好自為之。」

「哦，不，雅雲。我所有做為都是為了妳，萬一妳……這塵世，這生命已不值得我留戀——」

「純鈞，你聽我說，人各有命。生死是不能強求的。如果你愛我，更應該達到我生前所期望於你的，也讓我含笑九泉。」

父親那時悲不自禁，只是將臉伏在母親手腕上。母親艱苦地喘息著，又斷斷續續地說：

「我只有一點……不放心，就是……梅琳這孩子，一向我慣縱了她，我怕……將來……」

「雅雲，這一點請妳放心，」父親抬起淚痕凌亂的臉，肅穆而堅決地望著母親，「我一定會盡我的心力照拂梅琳。在我殘留下來的生命中絕對不會再有第二次愛情，妳在我心靈中的地位，更不會有第二個人可以代替。」

母親慘白的臉上浮上一絲寬慰的笑意，她從父親臉上移到我臉上，從急促的喘息中掙扎著說了一句：

「梅琳，好孩子……好好，聽妳……父親……的……話……」便闔上眼睛，停止了最後的呼吸。

那一年，我正十二歲。

我幼稚的心靈第一次遭受到人生最慘痛的打擊，痛不欲生。只是躺在牀上，終日以淚洗臉。

一天，姑媽同二姨到我房裡來，嚴重地對我說：

「梅琳，如果妳不想再失去一個父親的話，應該去勸勸妳爸爸。」

我這才記起這些日子我一直耽在自己屋子裡，也不知道幾天沒有看見父親了，他——我在這世上唯一最親的人，難道又，……一種恐懼緊抓住我稚弱的心，我不敢問什麼，聽憑姑母和二姨替我抹乾淚水，稍稍梳理一下，帶著我下樓去。在樓梯上她們告訴我，父親四五天來一直把自己關在書房裡，對著母親的照相癡坐著，不吃、不睡、不哭也不言語，任何人去勸他亦不理會。

我悄悄地推開書房的門，只見裡面煙霧迷漫，一股渾濁的空氣首先撲入鼻中。滿地煙蒂狼藉，小几上凌亂地置放著酒瓶，父親兩手支著臉，埋坐在沙發裡，布滿紅絲的眼睛瞪視著牆上母親的照相，形容枯槁，鬢髮蓬亂，完全變了個樣子。

「爸，」我過去投身在他面前，將臉偎貼在他膝上。「爸，現在只有你一個人疼我了。」

父親似乎迷惘了一會才清醒，他舉起顫抖的手指按在我頭上，喃喃地說：

「唔，梅琳，我可憐的孩子！」他的聲音聽來瘖澀而又生疏。接著，我感到頰上落下一滴溫熱的水珠——是父親的眼淚，他終於哭了，也開了口。那鬱積在心底的悲痛像熔岩般奔瀉出來。

我們父女倆緊摟著盡情地痛哭一陣，最後又彼此勸慰著，父親憐惜地替我拭去眼淚，我也乘機勸父親稍稍進食。——在對我們最親愛的人的傷悼和懷念中，我們父女倆的心更接近而緊緊偎依。我們是這世上相依為命的兩個。

三

那一段日子極其淒涼而又沉寂，當丈夫失去了一個賢內助，孩子失去了一個母親，家庭失去了一個主婦。

父親一直盡力做一個好父親，並且企圖兼代起母親的責任，我也一直努力做一個好女兒，並且還企圖兼代起一個好妻子的體貼，但我們兩人平時都被母親寵慣了，對生活中瑣事的處理有時笨拙得可憐，傭人吳媽只照顧了廚房和打掃洗刷。家裡再沒有過去那種整潔雅致安逸的情調，我們的衣著也再不像從前那樣熨貼、合體，襯出一個人的精神與風度來。而父親自遭受了這次打擊，便一直沒有振作精神專注在他的事業上，常常心神恍惚，失東忘西，漸漸失去了別人對他的信任。

母親去世不到半年，一些愛管閒事的親友便來勸告父親說：「我看你還是物色物色，早點續弦，家裡總要個主婦主持中饋，你是個不會處理生活的人，再說，又沒有後嗣……」

「不，不要同我談這些！」父親聽說話總是聲色俱厲地阻斷別人。「你這樣說不啻對我的感情是一種侮辱，我絕對不會再娶。」

聽父親這麼拒絕時，我除了愛他更增添無限敬意。在我純潔的心目中，一個偉大的人，他的愛情應該是專心而終身不渝。

如果沒有特別事故，每逢星期日，父親總是去花店選一束母親最喜歡的薔薇，同我到她墓上去。我們一去哪裡便得盤桓上半天，有時父親告訴我一些母親的軼事。但更多時間我們只是默默地坐在草地上，在對母親無盡的憶念中，我們之間有著深深的默契。

晚上，我在父親書房裡溫習功課，父親看著書報或是辦理一些未了的公事，母親的放大照相在牆上俯視著我們，只要一抬起眼睛，便接觸到她那彬雅和藹的微笑，溫柔親切的凝視，我們彷彿感到她仍舊存在，這屋子裡有她的呼吸和氣氛，過去她活著時，她使家裡的氣氛有如溫暖鮮美的陽光，而如今卻似清幽朦朧的月光，我們置身在月光裡似的氣氛有點淒清，卻是十分靜謐、和穆，我愛這樣的氣氛。

這樣的日子過了一年，我已經十三歲，開始念中學了。

忽然我感到那靜謐的氣氛似乎在無形中給投下了一顆石子漸漸不平靜了，起初姑母常來找父親過去，接著父親似乎懷著重大的心事，我留心觀察他，只見他往往握著書半天不揭，而陷入沉思中，攤開公事塗了兩筆又煩躁地站起來，抽著香煙在屋裡徘徊踱步，有時他不回來同我吃飯，母親墓上也去得少了。我不安地預感到有什麼事正在醞釀。

那天我正在高高興興地預備告訴父親，全校圖畫比賽我得了第一名，但一回家吳媽就澆了我一頭冷水，說是父親已吩咐了今晚不在家吃飯。

我懷著一肚子悶氣，一個人毫無胃口的勉強吃了半碗飯，決心等父親回家問問他近來為什麼事這樣忙。

將近深夜，我才聽見開門聲和父親的腳步聲進了書房，我連忙揀了一冊代數下樓去。

父親正對著母親的相片喃喃地不知訴說些什麼，我的出場彷彿撞破了他的祕密，使他吃了一驚。

「這麼晏，妳還沒有睡！」

「還有幾題代數不會做，明天要繳的。」我攤開了書本，如果照平時的情形，父親一定會疼愛地摟住我的肩頭，歉疚地說：「都是爸不好，回來得這麼晏，害妳等苦了。」但父親沒有這麼做，只心不在焉地指點了幾句，便走開去了。我一肚子懊惱又加上無限委屈，胡亂在本子上寫算著——其實我早先就會做了。父親不住地在屋裡來回踱步，在我桌旁停留片刻又走開去，我憋住要問他的話，不願意開口，但我感到室內那沉悶的空氣低壓得幾乎使人窒息，隨時都會發生爆炸。

「梅琳——」父親又一次停留在我桌畔，一副欲言又止的樣子，我抬起頭來望著他。

「爸有什麼話要同我說嗎？」

「是的，嗯，我想告訴妳……我要……」父親囁嚅地，似乎極力在措詞。「妳知道，自妳媽去世後，這家就一直沒有人料理，所以妳姑母她們都勸我……我的意思是……就是說，我已決定續弦……」

我彷彿猛然遭受了雷擊，鋼筆從我手裡震落下來，我所恐懼的終於來臨了，一剎那我眼前昏黑，耳中翕翕作響，只聽見父親還在斷斷續續地說：

「……再說妳也慢慢長大了，女孩子應該學些禮節、家事，妳爸總是個男人……」

「別說了，爸，你說這些話我都為你臉紅。」我手腳冰冷，聲音顫抖著但強硬地站起來，嚴厲地盯著父親，「你不覺得慚愧嗎？妳忘記了你在媽臨死前向她保證的話！」

父親窘迫地避開我的視線，低下頭去痛苦地說：

「我當然不會忘記妳母親，但一個家總得要人料理——，還有——唉，妳還小，妳不了解我的苦衷，世上有不少事，不是像妳這樣大的孩子所懂得的。」

「是的，我不懂大人們那些負情的事。」我恨恨地嚷著，向父親投去輕蔑、仇視的眼光。「我只懂得一樣，就是媽在我心靈中的位置，絕對沒有第二個人代替！」說完，我搶起書本，衝出書房，踉蹌地跑上樓梯，把自己關進房裡。狂亂中我覺得什麼都看不順眼，什麼都惹我生氣，我一腳踢翻了椅子，把桌上的書本，零碎東西，牀上的枕頭，亂丟亂擲的拋了一地，於是，我像一只倒空了的舊麻布袋般，瘓癱在牀上，眼淚似決堤的河水汩流出來。

我對父親的敬愛只在一瞬間便化成了恨，我恨父親的忘情負義，我恨慫恿父親續弦的姑母她們，我恨那個想掠奪我母親地位的女人——我想不到大人嘴裡所說的愛，原來只是欺騙！撒謊！

暴怒過去，我那充滿悲憤的心靈忽然又陷入一種孤獨的恐懼中，我記得在這世上我只是孤獨的一個，無依無助，像風雨裡一枝伶仃的小草。

這晚上，我抱著母親的相片，啜泣到天明。

四

從此，我總是躲避著父親，不願看見他。父親見著我時，也顯出內疚和不安，有時他特別殷勤地問我要不要添置什麼，要不要這樣那樣，我的反應是冷淡的，冷得可以使溫水結成冰，我心裡實在萬分恐懼再失去這世上唯一的親人，但有什麼梗塞在心頭，無形中使我們相依為命的父女倆已開始逐漸疏遠了。

家裡的情形顯然正為那件事兒開始忙碌起來，父親的書搬到樓上他們原來的寢室裡，母親的靈台也從客廳撤到樓上，而那原來的書房改成寢室，牆上都粉刷一遍，日子也擇定了，父親跟那女人在法院公證結婚。

在父親結婚的那一天，姑媽家的大表姊忽然過來和我作伴。我現想準是姑母和父親要她來絆住我的，那天我想懶在牀上不起來，她硬拖軟勸地把我弄下了牀，我說要去同學家，她又設法羈絆著我。我看見父親穿戴整齊，忙出忙進的緊張樣子，就恨不得在他簇新的禮服上啐上幾口，在他雪白的襯領上抹上兩把番茄漿，他們把我羈留在家裡，我覺得我要氣得放火燒房子。——終於我找到一個空隙，一個人溜在街上，選購了一束粉色薔薇，逕自搭車去母親墳地。

這是我第一次單獨一個人去探母親的墳，當我獻上花束，撫著那墓地輕輕地喚了聲

「媽」便忍不住淚水直流，俯伏在地上痛哭起來，我默默地哀求著說：「媽，帶我去吧，這世上再沒有一個疼我的人。妳撇下我不管，爸又要娶後娘——妳帶妳的女兒去吧……」哭著，哭著，只哭得胸口脹塞，聲嘶力竭，也不知時間過去了多久，十分疲困中我彷彿矇矓睡去——驀地臉上一種冰冷的感覺使我驚醒，睜開眼睛只見剛才明晃晃射著陽光的天空，現在卻布滿烏雲，竟在下雨了。我連忙從地上跳起來，四面眺望，一片寂寥的墳全罩在暗雲下，更顯得荒涼淒慘，風挾著雨驟密地飄落著，連來時的小徑都迷失了，周圍一片空曠，更無遮攔處，我頂著風雨，惶急地在墳堆裡穿竄尋路，一身衣服不多一會就淋的濕透，雨還從眼睛上、臉上灌進嘴裡，天色越來越黑，而淋濕的麻痺的雙腿已無力支持，我幾乎已完全陷入絕望的恐懼中，最後總算走出了墳地，走上鄉道，遠遠看見道旁一點燈光，我依稀記得那裡是看墳人的小屋，便狼狽地跑去敲門，當門打開時，我像一捆沒有生氣的濕柴般傾跌進去。

在看墳人和妻子一陣急救的忙碌後，我已換上看墳女人的黑布衫褲，衰弱、困倦，抖得像篩糠。

「妳不是林小姐嗎？」看墳人認出了我。

「嗯。」

「那妳爸呢？」

「我一個人來的。」

看墳人露出驚詫的神氣，旋即深意地望望他女人，不知說了兩句什麼，便披上簑衣出去了。

雨還在下，我既冷且倦，只得蓋上他們牛皮似的被子，睡在坑上，迷濛中，我感到冷已漸退，而慢慢熱起來了，熱得心煩難受，似乎自己正在墳堆裡掙扎，那些墳都向我擠攏來。——我猛然一掙，又見昏暗的燈光下，父親正站在我面前，閃著歉疚焦灼的眼光。飽受了那些風雨、驚嚇、恐懼，驀地看見親人，我一個衝動想跳起來勾住他的頸子，痛哭狂笑一頓，但我一眼瞥見那嶄新的衣服，雪白的襯衣，就像被錐子在心裡錐了一下，立刻又痛苦地閉上眼睛。

「梅琳，換上這些衣服，爸接妳回家。」父親俯下身子在我耳畔溫和地說。

「我不想回去，除非送我去二姨家。」我眼也不睜，堅決地要求。

「好吧。」沉吟了片刻，父親低沉的聲音好像從山壑裡傳來，「隨妳。」

在汽車中，我蜷縮在一角，不願開口，兩人都無話說。

抵達二姨家，二姨披了睡衣出來開門。一見我就把我攬入懷裡，又是疼又是誇張地訴說：

「好孩子，這半天下多大的雨，妳一個人闖到哪裡去了，我姊就留妳這塊肉，要有個三長兩短可怎麼辦……，噢，怎麼，頭上這麼燙，在發燒哩，準是受了風寒，可憐的，沒有媽照顧的孩子……」

我看見父親低著頭，咬著嘴唇，一臉窘迫惶恐的神情，半晌，才悄悄地說：「二姨，我把梅琳交給妳了，明天我再來接她。」說完，像隻被打敗仗的公雞，委頓地走出去。

五

那天我感受了風寒，第二天服藥打針，到下午就退了燒。但父親來接我時，我卻說什麼也不願回家。家，本來是親切溫暖的，而那時對我所喚起的情感只是憎厭和妒恨。二姨替我向父親說：「梅琳身體還沒有痊好，回去也沒有人照料，就讓她在這裡多住幾天散散心好了。」

父親只有無可奈何地獨自回去，第二次來接還是不走，可是等他第三次來接時，我沒有等他開口就自動的準備回家了。我甚至懊恨在二姨家耽擱了這幾天，倒讓父親和那個女人過了幾天完全屬於他們的安靜日子。這家是母親一手安排的，無處不有她留下的手澤、她的氣氛，豈能由得那女人破壞、抹煞？儘管故事裡總把後母說得那麼兇惡，那麼狠毒，我也要看看她究竟是雌老，還是狐狸！

父親見我急著回家，以為我已經就範了，一路不斷地暗示我，後母如何慈藹，又如何渴望見我。她還準備了我最喜愛的禮物，如果我能喚她一聲——

我一走進客廳，便看見那個女人從沙發裡站起來迎接，堆著一臉笑，我曉得她的笑是一種裝飾，就像她那畫得細長的眉毛一樣，她的厚嘴唇顯得貪婪，她打扮顯得庸俗——不管她生成什麼樣子，我從骨子裡憎恨、討厭。

「梅琳，過來見見，這是妳繼母。」父親顯得有點緊張。

我直著脖子，瞪視了她一眼，沒有作聲。我看見父親露出惶恐不安的神色，那女人的笑意黯淡下去，有片刻幾乎成了僵局。還是那女人見機，她掀了掀厚嘴唇重新掙出笑意，過來裝作十分親熱地握著我的手說：

「梅琳，我看過妳的照片，妳人比相片更漂亮！我真高興我們會成為一家人。」她說著又拿起桌上預備好的一個紙包和一只小盒子，交在我手裡。「這是一點點禮物，希望妳會喜歡它。」

為了表示我是個有教養的女孩子，我彎彎腰淡淡地說了聲：「謝謝！」

「梅琳，妳先打開那只小盒子看看，那只是一樣零件，它的整體還在後面小屋裡哩，那是妳早就想要的，妳不去看看嗎？」父親用誘惑的口吻告訴我，想提起我的興趣。

「我累了。」我說，「要去休息。」便昂著頭上了樓梯。

我的房間裡也有了點變動，換上了新的窗簾，牆上添了兩個畫框。我走進原來是他們寢室，現在供著母親靈桌的房間，母親依然從上面凝視著我，我忽然感到她的微笑顯得有點淒楚，面前供的鮮花已快凋謝了。

「吳媽，吳媽！」我俯身在走廊欄杆上厲聲叫喚吳媽，毫不理會父親和那女人在樓下仰起頭來看我，「母親面前的花枯了，都沒有人記得換新鮮的，我母親活著時也沒有虧待妳喲，她一死就忘得乾乾淨淨了麼？——明天記著買鮮花！聽見沒有？」

我又把新畫框除下來，換上一張父母的結婚照，一張我們三人合照的合家歡，牀頭櫃上放一張母親的放大照。

做完這些，我覺得心裡稍微舒服一點，正待躺上牀去，才看見隨意擲在牀上那兩包禮物，打開來看，小的盒子裡裝著兩把鎖匙，刻著字號，我馬上想起來那是鎖腳踏車的，我早就渴望著有一輛那樣的漂亮跑車了，另外一包是貴重的繪畫顏料和全套畫筆，如果早些時父親送給我這兩樣禮物，我一定要高興得抱著他的脖子，吻他那扎人的鬍子，可是現在換在那女人手裡給我，我覺得那是可恥的一種籠絡我的賄賂，我打開抽屜隨手把它擲進去。

這是在這個家改變以後，我第一晚睡在家裡，我的心情悽愴而充滿了妒恨，我只是孤獨無助而又弱小伶仃的一個女孩子，但我必須報復，至少，當我斥責吳媽時，我已在父親心上刺了一下。

六

第二天早晨我還不曾起牀，吳媽便送來一件摺疊得整整齊齊的新衣服放在我的牀畔，又悄悄地走了。那是件淺粉色綴著紗邊的衣裙，柔和美麗的色澤，誘使我忍不住抖開來，比著身子對鏡顧盼，那淺淺的花紗更襯出我的美麗，我覺得自己變了神話中的公主——忽然我感到臉上湧上一陣潮熱，那件美麗的衣服就像針尖般戳著皮膚，我連忙把它往牀上一丟，從衣櫃裡挑出一件最舊、最黯淡的衣服穿上，又用白絨線編製了一朵花戴在髮上，這才下樓去吃早點。

父親和那女人已在桌畔了，我默默地端起面前的稀飯啜食。

「梅琳。」那女人又用矯揉的聲音喚我，「喜歡我給妳縫的那件新衣服麼？」

「嗯。」我討厭她軟聲軟氣的聲音，那是故意說給爸聽的。

「喜歡為什麼不穿呢！要是試著合適，我再給妳縫幾件。」

「謝謝妳。我戴我母親的孝，不能穿那樣鮮明的顏色。」我冷冷地拒謝，眼看那女人似乎被打了一下，驚愕地向父親投去氣惱與求助的眼光。父親卻低著頭把眼睛埋在粥碗裡。

我在心裡暗唱著報復的凱歌。這是前奏。

最難消磨的是晚上，過去我與父親同在靜謐氣氛中溫讀、作息，在對母親的憶念中那份深深的默契，已被摧毀無遺，再也不能求覓。書房改作寢室，作息便在客廳改成的起居室中。父親同那硬摻入我們生活中的女人各占一只沙發看報、編織、談天，倒像我是額外的多餘的。我一百萬分不願看見他們在一起，但我更不甘心讓他們兩人單獨相處，我拿了本書坐在另一個角落，眼睛和耳朵卻用在監視上。

「噢，純鈞！」那女人想起了什麼似的，親暱的喚著父親的小名，我的血液立刻一齊往上湧升，那名字一直是我母親叫喚的——

「爸！」我大聲叫著，兩人都被我猝然的舉止一怔，我卻隨口念了個代數公式問父親。

「純鈞……」歇了一會，她又嬌慵地喚了一聲，我馬上又用更大的聲音掩蓋住她。

「爸！」我自己亦不知所云的亂謅著，「告訴我，做夢靈不靈驗？」

「日有所思，便夜有所夢。夢只是白天思想的幻影罷了。」父親不得不回答我。

「可是我昨夜做了一個夢卻那樣迫真，現在想起來還像剛才的事。」我誇張地形容著，「我昨夜夢見了媽，就跟活著時一模一樣的，穿一件淺灰旗袍，灰絨外套——她還是帶著那樣親切的微笑，摸著我的頭髮對我說她不放心我，她要回家看看……」

「梅琳！」父親不安地喚我，我卻裝作在深思中若有所領悟地接著說：

「爸，你不是一直都跟我說：一個人的靈魂是永生的，不會隨軀殼的死亡而死亡，那昨晚那樣活靈活現的，恐怕是媽的靈魂出現——」

「梅琳！」父親厲聲喝止我，「夠了！」

「哦！爸，我不知道你是迷信的。」我愕然一驚，委屈而又抱歉地望著他。

「不是迷信。」父親極力抑制著怒氣，手指攣痙地捏得發響，很勉強地解釋：「晚上講了夢，會夢魘的。」

「我不怕，我倒寧願天天在夢裡與媽相聚。」我不在乎地回答，偷眼窺看那女人雙手抓住沙發扶手，胭脂掩不住臉上的蒼白，慍怒地瞪著父親，父親惶惑地望著地下。我從容地站起來，一面收拾書本一面說：「如果爸害怕夢魘，那就忘記我說的好啦！」

我走上樓梯在廊上向下一看，只見他們兩人還是一個瞪著眼，一個垂著頭，像兩尊受了蠱術的石像。

七

那個被稱為我繼母的女人，發覺對我施用懷柔政策失敗後，改變作風，表面上對我十分客氣。一種冷淡、漠視，而使人難堪的客氣。我受不了那種漠視、兇惡、暴戾、狠毒的後母，向我伸出她的毒手，虐待我、作賤我，那時我才能反抗，才能向她臉上擲去我的輕蔑發洩我憤恨，但當我逗惹她時，她的反感卻是不屑於理我。彷彿我在她眼中只是那樣微不足道，不會超過一粒微塵。

我知道她的用意要讓父親，讓別人看來她是賢惠善良，而我卻是桀傲不馴、無禮而又任性。

我們都知道彼此在心裡憎恨著。

晚上，我照例在樓下找機會打岔，擾亂，不給他們靜靜談心的機會。

那晚，他們兩人去參加一個宴會。我一個人百般無聊地待在客廳裡，書也念不進去。那空空的屋子，那沉沉的夜，那深深的悲哀和妒恨，對一個幼小的心靈來說實在是負載太重了——門鈴響了，我閉上眼睛，拉長腔調，迴腸蕩氣地唱起那支：「小白菜呀，地裡黃呀！三歲二歲，沒了娘呀！跟著爸爸，好好的過呀！就怕爸爸，娶後娘呀！……」

我聽見那女人的高跟鞋用力敲著地板進到寢室去，父親的腳聲遲疑了一下，向我這邊走來，我裝作不曉得，仍舊悲悲切切地唱下去：

「……娶了後娘，三年整呀！生個弟弟，比我強呀！他吃麵來，我喝湯呀！端起碗來，想起娘呀！想起親娘，淚汪汪呀！親娘想我，一陣風呀！我想親娘，在夢中呀……」

「梅琳，這支歌並不好聽，妳可以換一支唱唱麼？」父親悄悄地對我說，我不作理會，又重複地唱下去。

「小白菜呀！地裡黃呀，三歲二歲，沒了娘呀……」

「梅琳，」父親不耐地拍著我的肩膀，「不要唱下去了？」

「為什麼？」我像彈簧般霍地從沙發裡跳起來責問父親。「連歌都不許我唱？」

「盡唱又有什麼意思呢！」

「我覺得有意思嘛。」

「梅琳，妳也應該聽一點我的話。」

「聽話就應該做啞巴！」

父親語塞了，困惱地望了我一眼，無可奈何地說。

「好吧！隨妳高興！」他悻悻地一轉身往寢室走去。

「我高興唱，我偏要唱！」我強橫地嚷著，也走上樓梯，又大聲地唱起來：「小白菜呀，地裡黃呀！……」

直到我自己唱得厭煩了，才住口。我檢點書包預備睡覺時，發覺英文課本還丟在客廳裡，便下樓去拿。

我並沒有存心偷聽，但我偏聽見了由寢室裡傳來那女人揶揄的聲音：

「……簡直連一點作父親的威嚴也沒有！」

「都是過去她媽寵慣了——」父親歎著氣說。

「可是你知道，一個人的容忍是有限度的。」顯然是嚴重的抗議。「她幾時又曾把我這繼母擺在眼裡？」

「讓我慢慢地管教……」

我再也聽不下去，迸著一口氣跑回自己房裡，我想當時我一定忿恨得近於瘋狂了。我撲在牀上，齧著枕頭，撕扭著被子，又抓著自己的胸脯。

那不要臉的，假冒偽善的賤人！她居然攛掇我父親收拾我！

我恨透了那女人，我更恨透了父親，報復的意念像一股火焰灼熱地炙燒著我的心，我以我貧弱的腦筋想了種種可笑的方法，最後我甚至想到了死，我想在當父親譴責我時猝然死去。那時他一定很後悔，而當我死後，他一定時時會記起他是怎樣虧負了我，這記憶將使他苦惱一生，負疚一生……呵，多好的報復！

「你會後悔的！」我咬著牙齒，握著拳頭，向樓下揮手宣誓。

八

憂患使青年人驟然變老，而失去了愛的妒恨，會使幼小者有著成年人的憤鬱，我覺得我在數月間已完全長大了。那顆被忽略的嫩弱的心，強硬而又充滿叛逆的思想。我變得陰鬱、乖戾、孤僻……而那報復的念頭，就像條毒蛇般固執地盤踞在我腦中。我認為違逆父親的意思行事，也是一種消極的報復。

我已不是過去那個聰明、用功、高尚的好孩子，而是一個頑皮、懶惰的壞學生。

那晚，我照例踞坐在客廳中間的藤椅中，不時從書本上面投出監視他們的視線。我敏感地覺得這晚上空氣似乎特別沉悶，就似大風雨欲來前那一種窒息，他們兩人都沉默著沒有言語，父親更顯出惶惑不安的神情，不住地拿張報紙在手裡翻來翻去，——忽然兩人同時抬起眼睛，交換了一次眼色。那女人便收拾手裡的編織，站起來蹣蹣地走進內室去。

「一定有陰謀！」我在心裡鄙夷地猜想，果然歇了一歇，父親便放下報紙，假咳了兩聲，向我走來，我立刻像一頭自衛的刺蝟般，首先便在心裡豎起了防禦工程。

「看什麼書哪？這麼津津有味。」父親踱到我面前，有意無意地把我手上的書抽去看了一看，立刻皺起了眉頭，「怎麼看起這種荒謬的小說來了——妳的功課做完了麼？」

「嗯。」我眼睛不看他回答。

「好些日子妳都沒有問過我英文和算術，沒有不懂的地方麼？」

「沒有。」我還是眼睛望著地下。

「可是，昨天看見了妳們王老師。」父親頓了一頓，聲音嚴肅起來。我知道他要說些什麼。「王老師告訴我，最近妳變得很厲害，功課一團糟，品性也不很好，我聽了很難過，而且……」父親大概見我咬著嘴唇，露出一副頑強而滿不在乎的神氣，他又轉了比較溫和的口氣，按著我的肩膀說：「梅琳，妳難道忘了從小學到中學妳一直保持著的，優秀的榮譽？一旦輕輕地破壞在自己手裡不覺得可恥嗎？妳知道我和妳的老師都對妳抱著很高的期望，認為妳將來的成就不可限量——也許，妳並不在乎成功的期望，不過，妳爸爸已經是幾十歲的人了，就是能因為女兒的榮譽而分享一份歡喜，總是有期限的了。但有了好學問，妳自己卻能享用一輩子呢，不為別的，也該為自己——」

父親說到這裡停止不說了，只是懇切地俯視著我，我開始有點軟化，也感到愧疚，我從眼角裡溜了一眼父親，只見他額上皺紋深疊，鬢邊已摻入的幾根白髮，我一陣激動，幾乎忍不住同從前一樣：我發過了一頓任性脾氣，父親卻耐著性子站在一旁婉言解釋、勸導，我總是不等他說完便跳過去雙手挽著他的頸子，或是按著他的嘴，於是一切冰消瓦解。——只是，如果他不再說下面段話，世界也許完全改觀了。

然而他卻說了，十分笨拙地說了：

「還有，王老師還問我是不是家庭的變故使妳精神受刺激或壓迫？他這話問得很唐突。」父親困難地卻不得不說，就彷彿魚刺梗在喉頭。聲音裡他失去那份柔和。「很顯然地，妳一定在學校裡亂說了些話。使人家誤會猜疑妳在家裡受到什麼委曲——憑良心說：妳繼母一進門就待妳不錯，處處哄著妳，倒是妳自己，從來沒把她放在眼裡……」

「是我不好！是我使你們討厭，乾脆殺了我好了。」我陡地從椅子裡跳起來尖聲攔住他的話，狠狠地嚷著，父親又按住我坐下去，用了最大的忍耐說：

「不要這樣嚷，妳聽我慢慢解說。」

「我不要聽你說，我偏要嚷！我知道你現在從骨子裡討厭我，你討厭我說的夢，討厭我唱的歌，討厭我因為我是我媽的女兒……只有我知道媽臨死前你對她發的什麼誓，你討厭我的見證。」

「梅琳，住口！妳瘋了！」父親漲紅了臉，執住我的雙肩，用力搖撼。我感到我的骨頭被搖得發響，但我仍是直著嗓子嚷著，聲音更尖銳：

「我早知道，你們討厭我礙手礙腳，這是個卑鄙的陰謀，你和那女人，想除掉我，你們好過得快活……」突然間我住了口，我看見父親的手在我面前一揮，我的左頰熱辣辣地發燒，父親暴怒地打了我一記耳光，這是我活了十三年第一次挨父親的打。一下子我怔住了，但馬上領悟到這是怎麼的一回事，新受的恥辱更使我像一頭受傷的野獸般，狂跳狂叫，潑辣地納頭向父親撞去，喊著：

「你打死我吧！你打死我吧！」

父親被我撞得跌坐在沙發裡，氣得癱瘓了似的，只是喘著氣說：「氣死我了！氣死我了！」

我完全失去了理智，捶胸頓足，發狂地在父親身上揉著、抓著，迫他打我，但父親只瞪著眼癱坐在哪裡，我滿腔烈火似的憤恨無處發洩，猛然一轉身便向樓梯上跑去，在朝著樓下的走廊上，我抓住欄杆死勁的搖撼著，雙腳又是蹴、又是踢，大聲哭嚷著：「讓我死好了！

我不要活了！」這時那個報復的意念又在我心底躍升，而不可抑制。「死吧！死吧！」我在心裡怨毒地詛咒自己，但當我的勇氣還未提升到將意念變為動作時，整個身子猝然失去重心向前面傾跌——那不太牢固的雕花欄杆在我死勁的搖撼、蹴踢下斷裂了，耳邊傳來一聲慘厲絕望，裂人心腑的驚喊，我還沒有弄清楚那是父親抑是我自己的喊聲，我的頭重重地撞了一下，接著彷彿整個地球碰了上來，我失去了知覺。

我第一次清醒過來時，看見面前晃著不少人頭，我想到那些人似乎正在拆散我的骨骼，並且拗斷它，我痛得呻吟了一聲，立刻又暈了過去，這樣醒了又痛暈過去好幾次，最後一次清醒過來，我發覺自己正躺在醫院的病牀上，實在不能說是躺，也不是吊，不知怎麼給擱置著，前後上了夾板，腳上裹了石膏，但腿部以下的，我卻一無所覺——

這以後，儘管父親到處尋訪名醫，從這一個醫院送到另一個醫院，醫生們也盡力為我醫治，卻絲毫不曾使畸形改正，我的命運早被判定了——可怕的殘廢！而每動一次手術，只有增加我更多的痛苦而已。

父親每天都來醫院陪我，當我動手術時，他更是寸步不離地守護著我，給我鼓勵和勇氣，但在他強顏歡笑的掩飾下，不難尋出悲痛和絕望的痕跡，我知道這些時候負疚和惶恐，使他良心上蒙受的痛苦，不比我肉體上所受的痛苦輕，他顯得那樣衰老而委頓，半白的頭髮，彷彿悔恨使他不勝負重。

初進醫院時，每當輾轉於痛苦之中，便會想起是什麼促使我這樣受苦，使我變成廢物，我更恨父親，甚至一看見他在牀畔便轉過頭去或闔上眼睛。但慢慢地我終於被他的忍耐和他那被內心的悔恨所深深折磨的神情，引起了同情，幾次我想告訴他用不著為我這般負疚深重，在沒有這次意外發生前，我卻是存心要報復他，但是我幾次都沒有說，而且永遠再沒有機會跟他說了。他在一次車禍中默默地去世，而出事地點正是在赴醫院的途中——

愛我和我愛的人都已隨風逝去，相反的是我這多餘的廢物卻負著深重的愛和恨，悔和恨單獨活了下來。也可以說我苟延殘息，只是默默地讓那些事情磨折我，只待時間的巨磨逐漸磨平心坎上那累累的創痕，使我能去追隨我親愛的人。

如今，已經磨去二十年了。

我憮然眺望窗外，一抹夕陽，正徐徐降落山後，半天綺麗的霞光，將幽邃的山谷，蒼鬱的樹巔，染得一片燦爛。我重新取過一幅潔淨的畫布，蘸一筆鮮明的油彩，對這塵世我已無愛無憎，更無所需求取捨卻願意多添一點色彩，多添一點美！

編註：本文原刊於《幼獅文藝》第四卷第三期，一九五六年四月，頁二十～二十一；第四卷第四期，一九五六年五月，頁四、頁二十八～二十九；第四卷第五期，一九五六年六月，頁二十一～二十三。

藤篋裡的祕密

一

「嗨！我們的哈姆雷特。」

「怎麼？我們的哈姆雷特悒悒不樂，莫不是又在想念他的心上人！」

被同事間詼諧地喚作哈姆雷特的青年工程師唐念梓，是前年派來這規模龐大的工程處工作的，不少同事還記得他剛來到差時的樣子：一襲深灰色的舊中山裝，緊緊地裹住標準北方人健壯的身材，結實的肌肉伏貼在薄薄的布下，似乎只要一彎肘、一鼓氣，衣服就會破裂飛去。圓正的頭顱薙著平頂髮式，更襯出額角的方寬，濃眉，隆鼻，薄薄的嘴唇，這些連合起來勾成一副堅耐、俊邁、十足男性味的輪廓。只除了那雙眼睛，那雙黝黑深邃的眼睛，似乎蘊藏著無限憂鬱常常毫無目標地向空中凝視，那種深長的凝視，使他臉上的表情有著超年齡的嚴肅。他攜帶的行李簡單得不能再簡單：一只小皮箱和一只式樣老舊的小藤篋，另外卻有一簍比這兩件相加的總和還要大上一倍的書。

與他一相處，就不難發現他待人謙和、誠懇，只是不太喜歡多說話，同人作伴的時候還不及同書作伴的時候多。而使別人敬佩的是他那種把全身心投入其中的工作熱忱，亦只有在那時，那雙深邃的眼睛才閃爍著光輝顯得神采奕奕。一股充沛的生命力就像灼烈的火舌，從熾旺的火爐中迸射出來。光芒四射，熊熊燃燒，他自己便在這燃燒中熔解、凝結，渾然忘卻了周圍，忘卻了時間。但一等到離開工作，那熱和光便又漸漸地冷卻了，黯淡了。依然蘊藏著淡淡的憂悒的眼睛，使人想起嚴冬的黎明，閃現在天空的晨星。

就在唐念梓到職一個多月時，正好逢上處裡慶祝成立五週年紀念。在同樂晚會上，每一位同事均須表演一個節目，輪到默坐在一隅的唐念梓，他帶著那憂鬱的微笑站起來，謙遜地說自己並沒有經過訓練的歌喉，卻願意獻醜一曲以助興。說著他收斂了笑意，凝視著空中，用著在這種場合中略嫌嚴肅的神情唱起：

思故鄉
欲斷腸
關山萬里路茫茫……

他唱的是一支悽傷、感慨的〈思故鄉〉，當那沉綿而充滿思念的男低音迴盪在空中時，彷彿一片薄雲，從天際徐徐飄來，掩蔽了輝朗的晴空。那些歡躍的心沉靜下來，那些開懷的笑顯得有點勉強，歌聲像無數隻柔軟的手指，輕扣著每個人的心弦，那支原是靜止著的最敏感的思念之弦震顛著發出了共鳴。

故國山河何處在？
家園翹望，
父老可安康？

唱完最後兩句，唐念梓悄然坐下，嘴唇抿得緊緊的，眼睛潮濕發光，一霎時大家似乎被一種潮濕的低氣壓鎮抑著，沒有鼓掌也沒有出聲，片刻的沉默中，彼此的心潮卻不住的起伏激盪。

「唔，小唐的神情讓我想起了一個人。」坐在唐念梓斜對面的李克忽然想起了什麼似的，悄然向旁邊的張兆說，眼睛盯著對面，「越看越像。」

「像誰？」

「哈姆雷特。」

〈王子復仇記〉這部電影不久前剛在小城演出，那位懷著國仇家恨，悲憤悒鬱的王子，給觀眾留下了很深的印象，把唐念梓那時的悲愴和往常的憂鬱一對照，的確是有幾分相像。

於是，這綽號便不脛而走。同樂晚會不久便結束了，而唐念梓卻一直被同事喚作「哈姆雷特」。

二

「哈姆雷特」唐念梓並不是那種故作玄虛，深奧莫測的人，他的憂鬱顯然是因為隱藏著一份深沉的祕密。

這祕密似乎又牽涉到那只古舊的藤篋。

那只藤篋實在是太舊了些，楞角處上面的藤已斷了好幾處，四角包著的銅也失去了原來的光彩，只是鎖鈕大概是壞了新配的，那扣上面永遠牢牢的地鎖著一把銅鎖，這與另外一只放衣服的，終年不鎖的皮箱，正好成為一個對照，襯出主人對小藤篋的重視。

有幾個週末或假日的晚上，同事們各自在外面玩夠了回到靜寂的宿舍裡，卻見唐念梓一個人盤坐在牀上，膝上便擱著那只打開了的破藤篋，凝神專志地把玩諦視著藏在箱裡的什麼，眉宇之間溢然瀰漫著一股深切的思念，就像上升的潮汐，將他從頭至腳淹沒，而他也一任自己浸溺其間，載浮載沉。一直到同事們回來的嘈聲驚動了他，這才彷彿從一個夢中醒來似的，緩緩蓋上藤篋，鎖好鎖，慎重地放回牀底下，自己便一聲不響地走出去。宿舍盡頭原是一片田野，栽種著甘蔗、禾稻、還有番薯。一座防空洞像半個地球似的介在宿舍與田疇之間。唐念梓就喜歡站在半球上，默然凝眺著在星光下顯得朦朧的廣寬的田地。頎長的身影襯著蒼鬱的天空，彷彿一尊莊穆的銅像。不管夜風如何獷悍，他常常便這麼一站半天，像在地下生了根。

有一次，是一個深夜，突然間宿舍裡的人全在睡夢中被一片喧鬧聲驚醒，迷糊中只聽得「起火」兩字，都慌慌張張從被窩裡竄出來往外跑，不一會才弄清楚燒掉的只是鄰近老百姓家的一座豬欄，大家平靜下來不免彼此笑著。這其中最狼狽的就是唐念梓，一身汗衣短褲，光著兩隻腳板冷得直哆嗦，懷裡卻緊緊摟著那只神祕的舊藤篋。嘲笑的目標立刻集中在他身上。

「嘿！小唐把這藤篋視若生命，裡面藏著什麼寶貝？」

「是金條還是美鈔？」

唐念梓淡然微笑著，並不加以分辯。只是悠悠地說：

「是寶貝，只是不是你們心目中的寶貝。」

「那是罕世之寶，還是無價之寶？可不可以讓大家見識見識？」

「無價？是的，在一個人心目中認為寶貝的東西，確不是世俗的財富所能估量的。抱歉得很！我的寶貝從來不想在大家面前炫耀。」對不能滿足別人的好奇，唐念梓眼睛裡閃過一點歉意，但還是鄭重的收起了藤篋。

又有一次唐念梓健壯的身體忽然病了，說不上是什麼病，只是那幾天比平常更沉默，也更陰鬱。在飯廳裡，他總是第一個擱下碗筷；在工作中，也有點精神恍惚，那一天他告了一天假，與他同一房間的李克早晨去上班時，看見他瞪著布滿紅絲的眼睛躺在牀上，顯然一夜未睡，問他要不要請醫生，他搖著頭說：「只是想安靜安靜。」但當李克下午下了班回到宿舍裡休息，卻見唐念梓昏昏沉沉地沉睡著，兩頰紅紅的，緊闔住眼不住的囈語。他伸手一按額上，不禁吃驚地告訴一旁的張兆：

「燒得火燙的，病不輕哩。」

「得去請大夫瞧瞧。」

正說時，唐念梓忽然呻吟一聲睜開眼睛來。

「不，不用請醫生，我沒有什麼。」他舐著乾枯的嘴唇，勉強擠出一絲笑意。歇了一會，他舉起無力的眼光，請求地望著李克說：「我想請你幫我做一件事，勞駕把牀底下那只藤篋拿給我。」

李克照著做了，唐念梓從枕下摸出一鎖匙，半撐著身子抖顫地開了鎖，然後伸進手去，快得使站在一旁睜大了眼睛看的李克還沒有看清楚是什麼，他的手裡已握團白色的東西縮進了被窩，立刻胸前的被子隆起了一塊。顯然那東西正緊緊地按在胸口。他如獲至寶似地閉上眼睛，嘴唇微微翕動著，喃喃地說著些親密的呢語，兩頰間、眼瞼下那些憂鬱的紋痕逐漸舒展，急促的呼吸也低緩下來，彷彿一個失乳的孩子又從母親懷裡獲得了安慰與溫暖。一縷意識像被蒸發了似的漸漸迷糊上升，終於平靜的睡去。

也許心靈上的滋潤比針藥更有效，唐念梓第二天竟不藥而癒，又去上班了。同事間免不了又向他調侃一番；有的說藤篋裡藏著他愛人的相片，有的說是愛人的信物。唐念梓的回答依然是淡淡的一笑，對種種猜測他總是不承認，也不加否定。因此，那只被他那樣重視的小藤篋裡究竟藏些什麼，也總是個謎。

●

彷彿冬天裡長日陰霾的天氣忽然顯現了一抹淡淡的陽光，當別人發現唐念梓那雙憂鬱的眼睛忽然像塗抹了一層色彩似的，閃發著掩飾不住的光輝時，他已經真正的陷入情網了。

唐念梓戀愛的對象是工務課新來不久的繪圖員林芙小姐，林小姐體態優美，溫柔文靜，光潔細嫩的皮膚似乎吹彈得破，笑時微微露出貝珠似的牙齒，十分嬌媚。她一來上班，彷彿把明媚的春光和盎然的生氣全帶到了辦公室裡，那些男士們一個個都變得特別勤奮賣力，也特別年輕活潑，盡量表現出自己卓越不凡的才幹來，就像暗暗在作一個競賽。自然，想盡方法接近小姐獻殷勤的大有人在，但是林小姐卻獨具慧眼，似乎就只對最不會獻殷勤、最不討好的唐念梓最有好感，有時她找些工作上的問題去請教他，他下班較遲，有幾次她也有意無意地延遲稽留在辦公室裡，儘管唐念梓靦腆、拘謹，有這樣的表示，慢慢地也有勇氣邀請小姐一同去看一場電影，或是去散一次步。

對於愛情，男士們大致可分兩種：一種是誇張的，喜歡加以渲染和炫耀，慣於自作多情。有極少數是含蓄的，藏而不露，唯恐付出去的得不到反應，魚肉未吃惹一身腥。顯然的，唐念梓便屬於後者，不輕易談戀愛，但一開始愛上一個人或任何事物，便以整個生命和心靈去愛，誠摯、深邃、恆久不渝。

唐念梓也不像別人，愛情的種籽一落心田就急不容待地催它萌芽、抽枝、開花。而先是扎根，一定要自問根已扎得深深地可以吐露了，才向外界透露消息。當他暗黑的眼睛，塗上了一層光彩般發亮時，正是他對同事們的調笑，由極力否認，不加分辯，而進至微笑默承。顯然的，整個事情已經發展到明朗化了。可是，突然地急轉直下，平時小鳥依人的林小姐卻來了個一百八十度的轉變。從柔情綿綿一變而至冷若冰霜。她拒絕他的約會，也不覆他的信，在辦公室裡見面時，更冷淡得像個陌生人。

這一下，彷彿是風和日麗的春天，卻措手不及，驀地裡襲來一支寒流，瞬時間冷風抖峭，淒雨迷濛，而最使唐念梓感到苦惱的不知道這支凍裂心靈的寒冷究竟從何襲來，又怎樣形成？他絞盡心血，給林芙寫了封長信，最後兩句他沉痛地懇求著：「一個判死刑的罪囚如果不知道他的罪名，是不能瞑目的。至少，妳也應該告訴我究竟犯了什麼罪？」

憂鬱、寂寞、苦惱、困惑，自結識林芙以來，唐念梓第一次又在度從前那樣黯淡的星期日。同事全出去了，宿舍裡靜得像一座廢墟。他躺在牀上只覺得連空氣也沉重的壓著他，使他窒息——他忽然跳起來蹲在牀前，從牀底下把那只小藤篋拉出來，這時，他聽見後面彷彿有悉索的聲音，一回頭，卻見林芙正立在門口，眼睛銳利的一瞥，從藤篋移到他身上。

出於意外的驚喜，站起來卻又怔住了。木訥地說：

「芙，想不到……」

「當然想不到我會來。」林芙冷冷地說，就在門旁一張椅子上坐下來。

「哦，不，不，我是說想不到妳為什麼生我的氣，不知道我哪一點得罪了妳？」

「問你自己好了。」林芙的聲音依舊冷得結冰。

「芙，我自己實在不知道，我只知道我對妳真是披肝瀝膽，一番真誠……」

林芙在鼻子裡冷笑了一聲：

「還要說真誠！起初我也以為你很忠實，很坦白，誰曉得全是騙人，原來你過去有愛人。」

「這是從何說起？」唐念梓急得漲紅了臉。

林芙說時也氣紅了臉，聲音恨恨的，一口氣說下去：

「你過去有沒有愛人我當然管不著，可是你總應該坦白地告訴我，讓我知道，而最可恨的是你居然一面跟我談戀愛，一面卻在那裡重溫舊情。」

「這簡直是無中生有，越說越不像話，妳從哪裡聽來的？」

「且不管是哪裡聽來的，怕證據還藏在那裡哩。」林芙向牀前那只小藤篋瞟了一眼。

唐念梓忙不迭轉身把藤篋搬在她面前：

「這麼說，請妳檢查好了。」

林芙故意側過身去：「我不願意拆穿別人的祕密，侵犯別人的主權。」

「那，那我自己開給你看，」第一次，唐念梓向別人開啟了他的寶貝藤篋：「這是我歷年的日記簿，這是我上次跟妳說的那本有關力學的草稿，這是來台後唯一收到的幾封家信，這是……」唐念梓突然頓了一頓，顯得有點猶豫。

「這是什麼？」一直在旁邊冷眼相看的林芙，像發現了什麼祕密似的一伸手便來奪唐念梓手裡的一個白布小包，也許由於一個太性急，一個還來不及鬆手，拉扯間，包散了，只見一撮深黑色的粉末似的東西，撒落在地上。

一瞬間，兩人都呆住了。唐念梓惶惑地望望林芙，又望望地下，突然一屈膝彎了下去，把臉頰貼著那堆粉末，嘴裡喃喃不停，直到有一隻手輕輕地按在他肩上，他抬起頭來，迷惘的眼光正接觸到二道充滿困惑的視線。

「我知道別人說我什麼，」唐念梓忸怩而激動地向她傾訴：「這就是我的寶貝，我愛人的信物——只是，只是我家鄉的一撮泥土。」

「哦！」林芙低低的應了一聲，眼睛裡的疑惑立時冰雪溶解了，春水似地洋溢著寬恕和諒解，她抽出潔白的手帕，輕輕地替唐念梓撣去沾在衣上的泥土。

「這便是我家鄉的泥土，一腳踩得出油的泥土。」唐念梓珍惜地用手捧起泥土，低沉的聲音裡不禁充滿了驕傲和思念。「這泥土中揉合著我祖上和父親的血汗，母親的辛勞和祝福，還有我對故土無限的熱愛。它是我憂傷中的慰藉，困苦中的督責。它時時刻刻提醒我，不使我忘記那血的仇恨。」一股仇恨和痛苦交織的火焰，燃亮了他的眸子，他祈求地望著她，「妳知道，我不願意別人曉得我這份最真、最深的感情，我也不願別人隨便嘲笑它。因此，我一直保守著這完全屬於自己的祕密，芙，妳會笑我吧？」

「當然不會。我完全體會得到這種感情，而且，十分珍重這份感情。」林芙極其誠懇地說，聲音特別溫柔、親切。「給我一張白紙，讓我把這些收拾起來。」

「讓我來。」唐念梓謙讓著，林芙已動手把那堆珍貴的泥土掃集攏來，小心地裝在紙包裡。

「我要為它縫只白緞的袋子，繡上四個紅字：『毋忘吾土』。」

「毋忘吾土。」唐念梓沉痛地重複了一句，眼睛潮濕了。「有那麼一天，我們會把它送回原來的地方，如今，這成為我們兩個人的祕密了，是嗎？」

「嗯。」

「妳也不會再誤會我，不理我？」

她回給他羞澀的一笑：「我什麼時候又說過不理你？」

「噢，芙！」唐念梓喜不自勝地伸出手去，把林芙的兩隻手連著那包泥土緊緊握在自己手裡，她也抬起脈脈含情的眼睛來，一直望入他眼中。唐念梓感到一股熱流從她手上傳播到自己掌心裡，又流播到全身的血管——突然間他覺得自己不再孤獨，就像彳亍於田野中的行人忽然找到了旅伴；單槍搏鬥於戰壕中，有了並肩作戰的戰友。

●

同事們沒有誰知道唐念梓和林芙這一幕，只知道他們鬧了一陣彆扭又言歸於好，也始終沒有誰知道「哈姆雷特」唐念梓藤篋裡究竟藏的是什麼祕密。只在半年後，大家都在他們新房裡的書桌上看見一樣很特別的擺設，那是一口貝殼小匣裝著一個白綾袋子，袋子上繡了四個醒目的紅字「毋忘吾土」。

編註：本文原刊於《中國一周》第三七〇期，一九五七年五月二十七日，頁二十一～二十三。

永恆的路

七月的驕陽氾濫了田野，像一片金色的海。那成熟的稻穗在風裡搖撼著，恰如微微起伏的波浪。

蔡老福站在田塍上，一手遮著額，攢聚著眉峰，向不遠的大道上眺望。寬闊、平坦的道路沐浴著金色的陽光，閃耀著，像一條錦蛇，穿過綠色的田疇，向兩端一直展延下去，無盡無垠。——就在蔡老福凝望下，路的一端閃動著一團眩目的光彩，一輛天藍色的客運汽車迅速、平滑地飛駛過來，藍色的車身藍得像天壁上挖下來的一塊。車過處，揚起濛濛的灰沙，在金色的海上撒下了薄薄的輕霧。就在那薄霧裡，車子緩緩地在路旁一座茶亭面前停下來，車門啟處，車子下來了兩三個乘客，馬上又上去了兩三個，接著一聲清脆的銀笛，汽車又開動了。薄霧也隨著淡了，遠了。小站上經過這一陣輕微的騷動，又恢復了平靜。還有等車的便坐在茶亭裡一面閒聊，一面向路的另一端眺望。兩個剛從車上下來的鄉人走過蔡老福前面，隔著田隴向他招呼：

「蔡大叔，這二熟的收成怕要算你家最豐收了。」

「哪裡，大家還不都一樣。」蔡老福謙遜地笑著，瞥了一眼纍纍的稻穗，喜悅的神情卻掩飾不住地浮上脣畔，漾在眼中，連臉上縱橫錯綜的皺紋裡都溢滿了。「城裡行情可好？」

「很穩，一百斤一百六十四元。祥生哥進城去還沒有回來麼？」

「沒有呢，也該回來了。」說著，他本能地舉起手來遮在眼上，朝公路上望去；一輛載滿貨物的大卡車和一輛小吉普車相對駛近了，倏地擦肩而過，又風馳電掣地相背駛去，一會兒便消失在路的兩端，消失得那樣神妙，好像溶入了雲天深處。那靜靜的展延向無窮盡的路，對一個凝眺著它的人，散布出一種吸力，一種誘惑，誘使人們萌生出渴望著走到路的盡頭的欲念。蔡老福一面望著，一面就隨著不經心的腳步走下田塍，走上田岸。在大路畔一株鳳凰木的蔭影下停下來，摘下頭上的笠帽在手裡搧著，身子跟著蹲了下去，一陣陣風掠過樹梢間，吹拂著他頭上略顯灰白的頭髮，也吹乾了額際閃爍在皺紋裡的汗珠。他情不自禁地伸出手去摸了摸發燙的路面，這裡的土地對他是太親切，太熟悉了。儘管它此刻已混合了三合土、石子和沙，但這一個凝結中依舊和有他的血汗，以及他祖先的血汗。這條壯偉的大路中的一段，原來是屬於他的田地。他在那裡耕耘過也從那裡獲得了收穫。而此時此刻，他珍惜地摸著路面，並不因為自己失去的耕地感到些許悵恨，相反地，卻從心底泛上一種驕傲自負的感覺。他驕傲，因為造成這條壯偉的大路，這條把城市和鄉村連結起來，把繁榮和發達帶給村子裡的大路。有他的一份貢獻！

他記起了自己過去的執拗和愚昧，不禁感到好笑，那事情，一晃眼離開現在差不多就兩年了。日子過得可真快，村後的山，還是那樣的青，村前的水，還是那樣的流。兩年來，老年人頭上只多添了幾莖白髮，青年人多長了幾斤力氣，但村子裡的變化卻大了。過去一直是喝摻著沙和泥的井水，現在清潔的自來水只要水龍頭一扭，隨時就同噴泉般奔流出來，過去一直點的是昏暗的油燈，現在電燈一開，晚上就同白天差不多。過去因為交通不便，進一次城就得翻山過嶺的跑上幾十里路，所以村裡出產的芒果、桂圓什麼的，都是不當一回事的給孩子亂吃亂蹧蹋，如今果子一熟，只要往城裡一運，就可以換回衣服雜物。不說別的，就是村裡的「查某」，「查波郎」，都比從前更俏麗，更靈活了。這些變化不是無因的，全是由於那條路，那條壯偉的大道。

蔡老福從腰裡掏出煙桿來，避著風燃上了，瞇細著眼深深地吸了一口。

「嗨，蔡大叔，好安逸喲！」一個村裡的小伙子跨著一輛腳踏車，車後高高地載著一疊籮筐，打從蔡老福面前飛快地駛過去，卻回過頭來笑著擲下一句話。

「什麼安逸，忙裡偷個懶罷。」蔡老福忙拔出煙桿來回答，車子卻已遠遠地去了一大截路。他瞧著那矯捷的身影，心裡不由得滋生了一份羨慕，現在的年輕人才叫安逸哩，騎在車上多神氣！但要沒有這條光滑得像塗了油的路，又從哪裡神氣得起來？想到這裡，他的些微感觸消失了，代之而起的是一份「功臣」的感覺。

又是一輛汽車打從他身邊經過，他含著煙桿，奇怪自己怎麼會那樣的感覺。那跟兩年前的想法多麼不同。

有些記憶時間是沖不掉的，他不會忘記兩年前那時這村子嵌在山壑裡，就像裝在罐頭裡，與外界很少接觸來往。他像這村子裡其他的居民一樣，耕種著那幾畝祖傳的田地。生活得極其簡單、靜寂，彷彿一泓永不揚波的死水。有那麼一天，死水裡突然投下了一顆石子，消息傳來，說是外面正在開闢公路，從一個城市到另一個城市。路線要經過這村裡。蔡老福就跟別的長一輩的村人一樣，認為這是訛聞，有山、有水，築一條公路又談何容易！但是，新的消息一個接一個傳來；水上要架橋了，大鐵橋已經架好；山上要鑿路了，路已經鑿通。最後，消息變成鐵一般的事實。正在修築的大道終於像一條河一般，從山上一直流下了村子。給年輕人帶來了新奇，給老年人帶來了不安，死水開始波動了。

根據路線的展延，可能要通過一些田地，而蔡老福的田地正是首當其衝。

有人把這可能性告訴了他，他只是不信地搖著頭：

「我不信，憑什麼路往人家田地裡闢？」

嘴裡雖然這麼說，他心裡也實有些憂煩，萬一真是如此呢？這些田地都是從他祖上一代一代傳下來的，蔡家的人全仰仗它生存下來。田地等於種田人的命根子，怎能隨便給派用場！不，他絕不考慮這樣的事，這時代，總不成再有侵占！心裡有了疙瘩，就跟麻繩上打了個死結，最難解開。這以後每天他下地耕種，總忍不住一次、兩次，停下工作向山那邊頻頻探望，那條路在眾人開鑿下可進展得真快，路線筆直的朝著一個方向——他總是狠狠地望著那條路，暗暗地還詛咒著築路的人。但年輕人就不同了，他的兒子祥生卻對這條新開的路抱了極大的興趣，一有空暇便跑去察看，同那些做工的人攀談交朋友，回來還興孜孜地報告。

「說是新路築好了，乘汽車到城裡去要不了一個鐘頭。」

「要不了一個鐘頭又怎樣？誰見做莊稼的成天往城裡跑，扔下田裡的事去喝西北風，路還沒有築好，你倒先心野了。」他沒好氣地吆喝著兒子，祥生原想為自己辯護，但看老子慍然作色，便噤默著不再作聲。

他故意的做出對新路漠視不關心，不問不聞的神氣，照常作他田裡的活。

插好秧，放滿水，有幾天空閒，他便在家修理牛欄。那一天，他正把牛棚室頂換蓋上新的禾草，忽然聽見他女人幾乎是帶著哭訴的聲音，一路惶急地喊進屋裡。

「祥生他爹，不得了，當真築路要築到我們田裡來了！」

「什麼？妳說什麼？」他心裡一急，差一點從牛棚上跌下來，連忙抓住了一綹草，把頭探伸出來望著底下的妻子：「妳從哪裡聽來的？」

「是我自己看見的嘛，我在挑水，張大爹跟我一說，我丟下水桶就趕去了……哎！我的天，可不是那些天殺的全攢在田裡，又是量又是比的，把秧苗給踩了不算，還插上一根根木樁，蹧蹋得可不像樣了……唉喲！老天爺，田要真給占去了，教我們靠什麼活命呢！」老福嫂訴說著索性拉開嗓子，拍手打腳，傷心地哭嚷起來，他也顧不了勸她，一口氣下了梯子，便三步併作二步，慌慌張張朝村子口上跑去。果然老遠便看見最靠邊沿的田裡有好些人在忙碌著，有的拿著長長的尺在地裡丈量，有的在一塊板上寫下些什麼。他的田地本來是闢成一個斜角形向外播展開去。此刻正好齊著那斜角地帶，大概占去他全部田地三分之一，一排白色的木樁戳出在整齊的秧苗上，看著特別惹眼。他親眼看到這情形，只氣得渾身發抖，打從腳底一直涼到心裡。他一股勁衝到一個穿黃制服的人面前，一把抓住他的衣袖責問著，自己聽得聲音都變了。

「憑，憑什麼你們蹧蹋人家的田？」

那人正低著頭在寫，被他一抓一喊，吃了一驚。抬起頭來見是他，卻不慌不忙擱下手裡的工作，黧黑的臉上堆上一抹歉疚的笑意。

「這田是你的麼？我們正想去找你呢。你貴姓？」

「我叫蔡老福，田是我的，不能由你們亂攪。」他不理那人的客氣，還是氣洶洶地嚷著，那人舐了舐乾枯的嘴唇，婉轉地向他解說：

「抱歉得很。我們原是盡可能不經過田地的，可是——看情形，不得不借重一部分你的田。」

「不可以，就是一只角，一塊土也不可以！」他嚴厲地拒絕著，額上的青筋隨著激動像蚯蚓般爆出來。對著他強硬的態度，那人的解釋顯得有些困難。

「是這樣的。老鄉，」他又習慣性地舐舐嘴唇，一面用手裡的鉛筆比劃著，「你大概還不清楚，這條公路造好，通了車，對社會、對民眾非常重要——就是說對你們有很多好處。第一，你們鄉下生產的東西可以暢銷到城裡去，大家賺了大錢，村子裡就會繁榮起來。第二，都市的文明可以流傳到鄉村來，改善你們的生活……」

「得了，就算你數上一百條、一千條好處，我也不管那一套。」他不耐地攔住那人的話頭，搶著說：「沒有公路，沒有汽車，我們世世代代在這裡也活得不錯。田是我們活命的根，說什麼總不能讓人把命根子挖了去。」

「當然，徵用你的田，公家會給你作價補償。」

「給我錢，我們做子孫的再不肖也不至於賣掉祖上傳下來的田，你可別訛人！」他把臉湊過去，口涎幾乎濺了那人一臉。被他一衝撞，那人詞窮語塞，求助地向四周看了一眼，四周的人都暫停了手裡的工作，看好戲似地望著青筋暴凸、面紅耳赤、口沫四濺像一匹咆哮著的駑馬般的鄉下老農，卻沒有一個開口說話。那人只得沒奈何地略為加重了語氣：

「你曉得不曉得，這是上面的命令。」

「上面的命令怎樣？就能搶人的田地哪！」他越說越生氣，四下張望著想找點什麼個發洩，突然跨前幾步，伸出腳去用力踢最近的一個木樁。「不管你怎麼說，不許就是不許。」三腳兩腳把一個木樁踢倒了，他馬上又走到第二個，腳踢不倒，索性伸出手去拔——驀地半空伸下兩隻鐵鉗似的手臂，緊緊地鉗住了他的手。

「爹，不要這樣，有話慢慢說。」

「什麼，祥生，連你也站在強盜一邊，來對付你老子？你這叛徒，你曉不曉得你靠什麼活的？」他怒不可遏地瞪著站在面前的兒子，手裡依然不放木樁。「你給我滾開！」

「你先不要氣，剛才那位先生說的，路造好通了車對我們有好處的話很有道理，而且……」

「你到底滾不滾開！」他厲聲喝著，拔起了第二根木樁，祥生略微一怔，就在這時，同時有兩三雙手過來拉他，阻止他！

「放開我，放開我！你，你們這些強盜！」他暴跳如雷地掙扎著，嘴裡亂罵一頓。站在田塍上觀望的老福嫂見了也就拍手跳腳，連哭帶訴地叫罵著。祥生忸怩不安地看看雙親，又十分難為情地看看工作人員，連聲吶吶地說：

「回家去再慢慢說嘛，回家去再慢慢說嘛。」

蔡老福終於被好幾個人半拉半夾的擁回自己家裡。他全身氣力已在暴跳怒罵中耗盡，回到家裡只剩得倒在牀上，病牛似地喘著氣，兒子斟了一碗茶遞到他面前，他一眼也不看擋了回去。

「爹，你若為這個氣壞了身子可更划不來。」祥生勸解著。

「不用你管！你這不孝的兒子，吃裡扒外，胳膊往外彎。」

「不是這麼說，爹。」他兒子聲音裡有著一種更成熟堅定的東西，是他從未聽過的。「跟他們生氣，爭論是沒有用的。他們已經決定了路線，絕不會改變。經過的田地也不止我們一家。」

「依你說我們眼睜睜看他們占去我們的田，眼睜睜等著餓死！」他憤憤地瞪著兒子，眼睛裡冒著火，一拳重重地擂在牀上。

「占去的田只是一部分，再說，將來我們可以用補償的錢置一個魚塭，或者果園……」

「妳聽聽妳教出的好兒子。」他這次轉向正停止啜泣，站在一邊聽他們父子倆說話的妻子，冷冷地說：「老子還沒有死，他已經主張變賣祖產了。」

「爹，你……」祥生怨得漲紅了脖子，張嘴結舌一時說不下去，這時做媽媽的忍不住帶著淚庇護他說：

「這又怎能埋怨他，說的是沒有辦法中的辦法。」

「就是說嘛。」祥生委屈地說：「等路一築好，通了汽車，水裡養的，地裡種的都不愁賣不出好價錢。」

「汽車，汽車，倒是你已乘了汽車似的！」他多少被兒子說服了一點。但餘怒未息，仍舊憤然地說：「你祖上幾輩子都沒有汽車，不也活得挺好？」

「前輩是前輩的事，早已過去了。」祥生臉上不自覺地露出一點輕蔑的神色。「通了汽車，村子裡就會繁榮起來。還可以帶給我們一扭就亮的電燈，一扭就來的自來水。」他的眼睛由於美麗的憧憬閃著光亮，越說越興奮起來。「還有，弟弟將來可以到城裡去上中學——」。

蔡老福望著他兒子激動的臉，沒有作聲，他的憤怒逐漸轉成了悲哀。他覺得自己和過去的時代一天比一天黯淡了，而新的卻離他一天比一天遠。舊的將被摧毀，新的正待建立。他便在這中間，忽然間他感到自己已經衰憊了。他惱恨地正待把凝注的眼光從兒子青春的臉上移開。只見他頓了一頓，眼睛從他臉上掃射到他母親臉上，像要宣布一件重大事情般，使他年輕的臉揉合著成人的嚴肅和一絲孩子的羞怯。

「前些日子我找過負責這段路的段長，他答應給我一份築路的差使，每天賺三十元。」

三十元錢一天，可真不是個小數目！蔡老福從牀上半撐起頭來，不信地瞧著兒子，老福嫂也停止了啜泣，急著問：

「三十元一天，這麼多錢！是真的？」

「當然是真的，我問過別人，他都這樣說。」

「那不比耕地強多了！」淚水還在眼眶裡溢著，嘴角卻浮上了笑意，她掀起衫角來擦一下眼睛，故意回敬他剛才的話似的，向蔡老福視了一眼，「這下我們可以添蓋一間房子，用不著螃蟹一樣擠在一只籠子裡了。」

「哼，路可沒有一輩子築不完的。」蔡老福雖然心裡也覺得舒坦了一些，嘴上卻仍舊不服氣。

他要兒子和他的妻子到外面去，讓他一個人靜下來想一想，他的理智一時還不能接受這樁不幸，這是一個嚴重的打擊。但他也漸漸明瞭這已經來臨的厄運是無法避免的了，時勢所趨，就像一陣風，風是阻擋不住的，不幸的是他剛巧頂著風向，他捨不得那些田，因為他從小到大，幾十年都在那裡耕種，在他心中已經不僅僅是一塊土地，而是有生命、有感情，與他的生活凝結在一起的——突然，他感到眼眶潤濕了。

「爹，」隨著喚聲推門進來的是從國民小學放學回來的兒子瑞生，赤腳拍打著泥地，高興地蹦蹦跳跳說：「剛才我看見很多人在我們田裡，好快喲！公路已經進村子來了。爹，你不會不高興讓路經過我們田地吧？」

「唔，」蔡老福只在鼻子裡唔了一聲，把頭轉向牀裡。只聽見拍撻拍撻的腳聲又一路敲出去。

過了兩天，祥生果然去參加築路工作了。蔡老福卻從那天起，就沒有下過田，田裡的事便由老妻和小兒子照顧著。他不願看到自己的田受宰割、受蹂躪，整日總在家裡鋤鋤菜畦，澆澆肥，又把舊的損壞的耕具修理修理。沒事時一個人會發上半天呆。祥生知道他不願聽，回家當他的面也從不提築路的事。一過十天，便把厚厚的一疊鈔票交給母親。生活似乎不但沒有因為喪失了一片田地而受威脅，孩子身上反都穿上嶄新的白布衫，他常矛盾地被欣慰和悲傷兩種感情交替支配著，前者因為肩上的重擔已有人分負，後者卻因為自己在家裡已不算是最重要的人了。

風調雨順，田裡栽的秧苗長高，開了花，又結了穗，禾稈兒被纍纍的穗實壓彎了腰。少數幾家手腳快的已割得田裡光禿禿只剩些稻樁子，沒有割的也熟得黃裡透金，眼看細細的稻稈，就要支持不住了。但時間卻抵不了蔡老福那份執拗，他始終就沒有去過田裡，那天整天颳著兩三級的風，又飄了兩陣子小雨，看樣子像要起颱風。家家都磨刀準備明早收割。老福嫂可再也忍不住不說話了。

「說什麼明天也得收割了，我一個人可忙不過來，祥生要去築路，瑞生還小幫不了多少忙，請幫手也請不到。你總不能不管吧！」

蔡老福正蹲在菜畦裡除草，蔡老福站在他後面說了這一套，就像沒有聽見似的，逕自低著頭忙他的事。

「喂！祥生他爹！我說你聽見我的話沒有？」老福嫂急了，放大嗓門直嚷。

「聽見了。」他淡淡地回答，依舊沒有回頭。

「那你明天究竟去不去？」

半晌，回答他的又是不著邊際的在哪裡「唔」了一聲，老福嫂可真惱了，憤憤地說：

「好罷，你不管，你不管，說不定颳起風來，一家人這半年就只好去吃草根樹皮。」說完，氣鼓鼓地自管自回到室裡。

第二天天還沒有亮，老福嫂便趕早起來煮飯料理，卻聽室後磨刀聲「霍霍」，原來蔡老福已裝束停當，正悄悄地在那裡磨他的鐮刀哩。

他默默不作聲地低著頭走在那條到田裡去的熟路徑上。他不知道自己驟然看到改觀了的田地會發生怎樣的感覺。心裡那點恨隨著腳步的走近也逐漸強烈起來。他無意識地揮著手裡的鐮刀，沿途斫著靠路邊的稻稈，穀粒索落落地往地上撒。

「你這是幹什麼嘛？」老福嫂在後面輕輕地埋怨著。

突然間，他立定了。當他一抬頭的時候，他立刻看見了那條新公路，打從他田裡斬齊地劃過去，一直展向遠遠的前面。真像一條河，從山上奔流下來，穿過田野，又遠遠地奔流向無數的鄉村，無數的城市。

他不由自主地慢慢走過去，走上了公路，多麼壯麗，又是多麼平坦、寬闊，而又整潔乾淨的路！如果他還是孩子，他一定會在路上跑幾個圓圈，打幾個滾。而在此刻，他只是愕然望著它，楞住了。

一輛卡車從路那端駛過來，經過他身前，在不遠的路邊停下來卸下滿滿一車的碎石子。正在另一端築路的工人，有好幾個挑著畚箕過來運石子。祥生也在裡面，看見他，感到意外而又驚喜地跑過來，像一個想得到老師褒獎的學生般，熱切地望著他父親說：

「爹，你看這條路快築好了。」

「唔，很好！」蔡老福囁嚅地回答。無法裝出毫不稀罕的神情，感到很窘。

「爹，你應該感到光榮和驕傲，因為我們的田融合在這雄偉的公路裡。」

「更使我感到光榮和驕傲的，是因為修築這條雄偉的路，有著我兒的功力。」蔡老福突然激動地說，說完拍拍兒子寬闊的肩膀，便馬上竄進稻田裡，揮動胳膊，飛快地割下一束束稻稈。剛才還那樣執拗地盤據在他腦中恨的意思，像一陣風吹散了滿天雲翳，不知怎麼竟完全消失了。

恨消失了，卻又逐漸變了歡喜，他自己亦不知從幾時起，開始喜歡和依戀這條大路。幾年來，忙裡得閒些，他總愛站在路畔或是蹲在樹下，眺望著路的無盡處……

「爹！」兩個親切的聲音把蔡老福從沉思中喚醒，笑嘻嘻站在他面前的是提著菜籃從辦事處回來的祥生，從鎮上的中學放學回來的瑞生。「你睡熟了？」

「我想起了過去一些好笑的事。」蔡老福從蹲著的地方站起來，撣撣身上的灰塵，便親切地同著兒子肩並肩的往回走。「你倆在哪裡碰上的？我在這裡候了好幾輛車都沒候上。」

「我在學校門口上的車，一上車就聽見有人喚我，原來是哥哥在車上給我留著位子哩。」瑞生笑著看了哥哥一眼。

「噢，爹，有個好消息要告訴你。」祥生抑制不住內心的喜悅，把悶在肚子裡半天的話急急地傾倒出來：「青果合作社的人告訴我，說我們的香蕉種好，可以外銷，一斤要比普通的多賣兩角。」

蔡老福喜出望外地一把扣住兒子結實的胳膊，高興得咧開了嘴。

「真的，我們的香蕉居然可以銷外國了嗎？一斤多兩角，這筆款加起來可不少哩。」

「就是說嘛，爹。你和媽不是都愛聽歌仔戲？」祥生朝著他父親，眼珠滑溜溜地想著什麼主意。

「嗯，說這個做什麼？」蔡老福詫異地說。

「我想讓你們以後天天都聽。」

「你在說笑話了，莊稼人家哪有這份閒工夫，天天去聽歌仔戲！再說每天花錢進城，也太不節儉了。」蔡老福對兒子這片孝心只是笑著搖頭，好像聽到小孩子說著不可能的事。

「我並不是說天天坐車進城去戲院，而是坐在家裡聽。」祥生故意賣弄著玄虛，聲音裡帶著煽動性，「我是說我們可以在家裡裝一架收音機。」

「對了，裝一架收音機，像王安富家的一樣。那我就天天可以聽音樂，聽新聞，還有農民時間。爹，就裝一架嘛。」瑞生興高采烈地在一旁附和著勸說父親。蔡老福望著那兩張被希望燃亮的臉龐，緩緩地說：

「買一架收音機怕要不少錢！」

「我早就打聽好了，普通的六七百元，好一點的一千多。現在還有分期付款的。」祥生一口氣報告著，顯出他早已胸有成竹。

蔡老福從嘴裡抽出煙桿，悠悠地吸了口煙，瞇細著眼睛，向祥生凝視著，嘴角上浮上一抹深意的笑。

「祥生，存了錢還有比收音機更重要的事，你知道是什麼？」

「是什麼？」祥生困惑地問。

「是你媽急著想抱孩子哩！」說著，蔡老福重重一掌落在兒子寬厚的背上，自己一仰脖子，先樂得哈哈大笑。

「爹，你……」儘管偌大的個兒，一說起娶媳婦的事，總覺得不好意思，掙紅了臉卻不知說什麼好。訕訕地附和著笑起來，連瑞生也感染了這份真摯無邪的快樂，三個人爽朗的笑聲響徹了田野。

又一輛天藍色的客車駛來停在小站上，吞吐了幾個乘客，捲起金色的霧走了。寬闊平坦的大道靜靜地躺在最後一抹夕陽的光暉裡，穿過綠色的田疇，展延向無盡無垠，展延向時間的永恆。

編註：本文原刊於《大道》第一七二期，一九五七年十一月十六日，頁二十二～二十八。

蘋果

真真跟著媽媽好不容易擠出人堆，走出黑黝黝的菜場，踏上馬路，亮晃晃的太陽立刻熱烈地擁抱著他，頭上是一片明淨的藍天。他打從小心眼裡舒鬆了一口氣。

菜場裡可真是擠得很哩，碰碰撞撞的，人跟著人轉，真真矮小可就吃了虧，一下子給擠過來，一下子給推開去，跑了一下又是菜藍子撞了頭，腳踏車碰了背，要不是他緊緊拉住媽媽的手，怕不給這股人潮沖走。最討厭的是魚市場，又腥又臭，地下泥濘滑濕，一不小心，準滑跌一個大觔斗。可是真真每天還是喜歡跟媽媽上菜場來，比起獨個兒留在家裡看門，究竟總好玩些。

真真邁著急促而細碎的腳步，差不多要走兩步才能趕上媽媽一步。他心裡暗暗地直想埋怨媽媽，真是不懂，在又臭又擠的菜場裡，偏喜歡這個菜攤子前挑挑揀揀，那個菜攤前磨菇半天，一點不著急；到了街上卻一股勁的趕路，害得他要看看街景都看不成，只得一邊走，一邊東張張西望望，他多望了幾眼玻璃窗裡那個天天換衣裳的假人，腳尖就踢著一塊石子，疼得腳趾痠麻麻的。

「你怎麼走路的，眼睛也不看著點兒！」媽媽卻總是這麼責備他。

真真彆住氣沒作聲，用勁踢一下石子，眼看它滾過去墜入溝裡，心裡才舒服點，一面眼睛看住腳尖，悶悶地三腳兩步跟著媽媽走。走到離他們住的那條衖子口還有三五步路時，他的眼光卻又被路畔那個水果攤吸住了。水果攤上平常總陳列著一些香蕉、木瓜、柚子什麼，原是他看熟了的。但今天卻在最顯目的一角擺上好幾只他從來沒有看見過的果子，紅紅的、圓圓的，在太陽底下發著光澤，真是美麗極了。

「噢，媽媽，那紅冬冬的是什麼果子？真好看！」

「蘋果。」媽媽瞥了一眼淡淡地回答，腳下似乎走得更快了。

「蘋果很好吃吧。」

「嗯。」

「媽媽給我買一個好不好？」真真向媽媽要求，眼睛盯著蘋果想停下來，但媽媽卻又像逃避瘟疫似的，緊拉住真真的手匆匆走過。

「買一個蘋果？你真是想……」媽媽盯了他一眼，「那是有錢的人吃的。」

真真聽了媽媽的揶揄，知道再懇求也不會買給他了，只好失望地吮著手指，一面還不住戀戀不捨地回過頭去望那美麗可愛的果子，直到拐彎進了衖子，看不見了，這才怏怏地收回視線。但小心眼卻瀰漫著懊傷和困惑，為什麼美麗可愛的東西就只有錢的人才可以有呢？他們家沒有錢嗎？可是前些日子他不是看見爸爸放工回來，交給媽媽一個紙袋，裡面裝的不全是票子嗎？

真真想問媽媽，卻沒有敢問。

到家時真真不願進屋子去，便半帶著點反抗的意識，把手從媽媽手中掙脫，沉著頭，一截樹樁般木立在院中。

「為什麼不高興？真真！」隔壁的張媽媽在問，他也不開腔，媽媽立刻接過去說：

「這孩子，他還叫我給他買蘋果哩！」

「哎，蘋果可貴的很哪！」

「怕不要七八元錢一只。」

「這可抵得上兩天的菜錢啦。」張媽媽說著忽然無限感慨起來：「這年頭，孩子也真可憐。記得從前在我們家裡自己樹上年年結，一點都不稀罕。吃多了我還不愛吃哩。現在可只是有錢的人才吃得起了……」

「可不是，本來就是物以稀為貴嘛。要在我們家裡……」

真真聽她們聊開了，索性就蹲下去，用根樹枝在泥地畫著。他聽慣了大人說「我們家裡」，知道那就是指大陸上的老家。老家有蘋果，而且多得並不稀罕，這無形中增加了真真對那從未去過的「老家」的思念和渴慕。能夠栽這種美麗的果樹的，一定是可愛的地方，可是大人怎麼不待在那可愛的地方，偏跑到這裡來？於是他依稀記起了爸爸告訴他的，說是大陸——就是「我們家裡」，現在被萬惡的共產黨占去了。但他可弄不清共產黨究竟是一種可怕的人類還是兇狠的野獸？這問題困惑著他，他想問問明白，抬起頭來卻見媽媽正在生煤爐，被濃煙薰得眼淚滴滴的，一面咳嗽著一面搧，搧得紅紅的火舌竄上來，很像蘋果的顏色——

太陽從牆上慢慢地爬到樹頂，真真蹲著的地方已曬到陽光了。但他仍舊沉默得近乎固執地蹲在那裡，用樹枝在泥地畫了又擦掉，擦掉了又畫——

「真真！」媽媽在喚他，聲音特別顯得溫柔，彷彿為彌補她不買蘋果的歉疚。「真真，別在那裡搞泥巴，給一毛錢你去買糖吃。」

真真望了他媽媽一眼，對她那突然自發的慷慨，稍稍感到驚疑，他遲疑地站起來，拍掉手上的泥土，從媽媽手裡接過一角鎳幣，孩子單純的心地立刻又開朗了。他轉身便往外走，媽媽卻又喚住了鄭重的叮囑：

「只准在衖子裡，可不許上馬路！」

做母親的這份顧慮所收的效果卻反給了真真一種暗示。因此當他走到衖裡時猶豫了一下，就像衖口有一股無形的吸力在吸引他，順著腳步便走到了衖口，再一轉彎，三五步路又到了剛才經過的水果攤。

如今他靠近攤子仰望著，看得更清楚了，那些蘋果有的在嫣紅中還摻著一部分嫩黃，更顯得嬌豔可愛，同時他鼻子裡嗅到一種特殊的芳香，沁甜沁甜的。他不禁貪婪地在空氣中嗅了又嗅。

「要買什麼？」攤販過來問真真，問得他很窘迫，他囁嚅地給他看手心裡的一枚鎳幣，小手指了指蘋果。攤販搖搖頭回答他一個嘲笑。真真不好意思再僵立在攤前，卻又捨不下讓美麗的果子離開自己的眼睛，他找到了離水果攤二三步的一家五金店，便蹲在那櫃台下門檻上，遙遙地欣賞——

「它的味道一定很好吃，比西瓜、香蕉、木瓜還要好吃……我只要嚐一嚐……嚐一點點，噢，這樣好看，我還捨不得咬哩。」真真凝視著攤上的蘋果，心裡這麼想。小腦筋中忽然又掠過媽媽剛才說的「我們家裡多得不稀罕。」噢，「我們家裡」多麼好啊！如果是在「我們家裡」，真真一定會有很多很多的蘋果，多得數都數不清，那多好呀！可是現在，現在卻只能蹲在這裡望著蘋果嚥口水。這都是因為……是的，都只為共產黨占了「我們家裡」，把他們給趕出來了。所以……他那小心裡忽然充滿了仇恨，共產黨真可惡呀！比那頭常常去他家偷東西吃的大野貓還可惡，一定得他們趕走，給逮住了關起來，不是就可以有許多許多的蘋果了嗎？

真真想著想著，想得興奮起來。不禁低低的唱著那支從姊姊哥哥嘴裡聽來的「反攻，反攻，反攻大陸去……」的歌。

接著一連好幾天，探望蘋果成了小真真寂寞的心田中不可缺少的慰藉。它們對他已不只是引起饞涎，而有了一種親切的感覺。他覺得它們是專為陳列在哪裡供他欣賞的寶貝，就像他們家裡放在櫃子上那只綠玉鐘一樣，媽媽不准他玩弄，但他有時也會呆望著它發半天呆——他知道這世界上有不少美麗好玩的東西，只准用眼睛看，不准用手動的。有時他看著那攤販小心翼翼的拿起一只只蘋果來拂拭著，又鄭重地把它放回原處，心裡也分享了那點愉悅。有一次，一個胖胖的女人一買就買去了四只蘋果，真真心裡不舒服了好一會，就像拿走了他心愛的玩具似的。因此每次他看見有人在水果攤旁邊停下來，心裡便惴惴不安，唯恐人家把那些美麗的蘋果都買光了。

媽媽終於發覺了真真每天溜到馬路上去，那天狠狠的罵了他一頓，並且警告他，下次再一個人跑出去就打斷他的腿。

真真滿心委曲，在家裡彆了好幾天，總覺得像掉了什麼，又像有什麼黏在他心頭，一個人沒精打采的，念念識字讀本，一會就興趣索然；搭搭積木，也覺得不好玩，心裡老惦著那幾只蘋果不知怎樣了？偏偏媽媽這幾天又鬧胃痛，不去買菜，讓張媽媽去帶，害得他連走過時看一眼的機會都沒有。

那天中午，媽媽照例逼著真真上牀午睡，但真真可睡來睡去總睡不著，眼看媽媽半張著嘴齁聲呼呼地睡得正甜，小腦筋一動，他躡手躡足地下牀，悄悄地走出屋子，一走出門口，就拔起腳來飛似的跑出了衖子。

幾天不見那個水果攤，那些林林總總的香蕉和木瓜等，什麼都沒有改變，可是架上的蘋果可只剩孤零零的一只了，而且樣子都似乎有點不同，不是往日一般紅的發亮，好像萎縮了一點，躺在那個角落裡四周顯出一片空隙，更顯得孤單淒涼，那情形很有點像哥哥姊姊都上學去了，撇下真真一個人在屋裡一樣，真真看了心裡很難過，他很想把那只蘋果拿來貼在自己頰上，問問它是不是跟自己一樣寂寞。

這時一個中年人走過來停在水果攤前，真真心裡怦然一跳，暗暗祈告，但願他買香蕉，買木瓜……但那人既不要香蕉，也不是木瓜，偏偏一眼看中了那只蘋果，付了錢，從攤販手裡接過來就走！真真失望得幾乎要喊起來阻止，他用力咬著自己的手指，望著那人邊走邊拿起蘋果來，用手巾拭著，送到嘴裡去咬……突然那人停住腳步，又疾地轉過身來，怒氣沖沖地把手裡的蘋果直抵到攤販鼻子底下：

「爛蘋果還賣錢，你這個混蛋！」

接著，那人便把蘋果用力向水果攤上擲去，蘋果立刻跳過別的水果，射落到馬路上，直向溝邊滾過去。

「蘋果要滾到溝裡去了！」真真著急萬分，邊喚邊奔過去搶救，就在這時，他猛覺得背上被什麼很重很重的東西一撞，五臟六腑都像炸裂了，耳朵裡彷彿還聽見雜亂的驚喚聲，跟著眼前閃爍著無數金星紅星，立刻又趨於死寂的黑暗……

真真被腳踏車撞傷了，發著高燒，說著囈語。

「蘋果……蘋果……」真真含糊不清地說。

「可憐的孩子，一直便念念不忘蘋果，如果那天我有錢給他買了一只，也許就……」守護在牀畔的母親悔恨地說，聲音梗塞了。

焦灼地站在一旁的父親，望望牀上真真燒得蘋果似的雙頰，若有所思地走了出去。

真真在昏睡中轉側著，不時發出含糊的囈語和沉濁的呻吟。他迷迷糊糊地感到很熱，也很渴，好像自己在不停地奔跑著，越跑越熱越渴，不僅僅是熱，那感覺就同有次被開水燙痛了手一樣，渾身都炙痛。渴得真難受呀！這是走在哪裡呢？沒有一棵樹，沒有一莖草……他想放開喉嚨來叫喊，卻喊不出聲來；他想哭，也哭不出眼淚來；只是身不由主的走著，走著……忽然，他望見了前面有一帶綠蔭，越走越近，噢，不錯，是樹，是一片密密的樹林，那掛在樹上的又是什麼？圓圓的，紅紅的……啊！原來都是蘋果，纍纍地結滿在枝葉間，像是一盞盞美麗的小燈籠，在太陽底下點亮了，多美麗呀！小真真高興得忘記了熱和渴，忍不住拍手歡呼起來，他又記起媽媽她們說的「我們的家裡」多的是蘋果，這麼著，這美麗的園林一定就是媽媽所說大陸上的「我們家裡」了。那麼他已經回到那還未見過的渴慕著的「我們家裡」了，真高興，高興……但是，樹林四周發出一種可怕的聲音，立刻打斷了他的歡舞，他惶惑地向四面張望著，就在那綠蔭深處，有什麼正在騷動，走近了，近了！哎！多怕人呀！全是些他在動物園中都不曾見過的野獸：紅髮，長牙，一身污穢的斑點，有的爬行，有的直立，人不像人，獸不像獸，它們從四面八方湧出來，咆哮著，任意摧殘著樹木，蹂躪著蘋果，一片美麗純潔的果園，一剎那就像遭遇了一場強烈的颱風般，摧毀無餘。真真又懼又恨，他直覺地料定這些醜怪一定就是大人所說的共產黨，他正想躲避，想溜出去叫大人來打，忽然一隻紅髮怪獸發現了他，直撲過來擰住的他頭頸，他痛苦地掙扎著，反抗著，感到窒息欲死……忽然，一個熟悉而親切的聲音在耳畔輕喚著，這聲音越來越清晰，立刻一切恐怖均告沉滅，真真迷惘而帶著餘悸，睜開眼睛，第一眼看見的便是媽媽親切的臉孔正俯視著他，見他醒過來，立刻就把一樣紅紅的東西在他眼前晃著，真真睜大了眼睛，什麼？一只真正的大蘋果，又圓、又紅，閃著美麗的光彩。

「哦，這可是我們家裡的蘋果？」真真軟弱地問。

「是的，是『我們家裡』的蘋果。」媽媽順著他溫柔的回答，眼睛裡閃爍著盈盈的淚水。

真真輕輕地舒了口氣，讓蘋果偎在頰畔，享受著那種涼心潤滑的感覺和甜甜的芳香，復又寧靜地闔上眼睛，嘴角還曳著一縷甜蜜的微笑。

編註：本文原刊於《中國勞工》第一一三期，一九五五年十二月十六日，頁三十二～三十六。

明月千里

宋蘊蘊是三年級的小學生，每天上半天課。那天同媽媽兩人用過午餐，她照例揀幾本已經看得爛熟的《兒童樂園》，預備爬上她的小牀去。媽媽喚住了她，用一支軟尺在她身上比量著，然後又打開一個紙包，取出一塊天藍底子間著一朵朵大白花的布，一札紗邊。

「蘊蘊，喜不喜歡這塊布？」媽媽一面量著一面問她。

「喜歡，真好看！」蘊蘊伸出手去摸著，覺得很軟，很薄。「是給誰做？」

「給妳做嘛，做起來過中秋節穿。」

「哈！我真高興！」蘊蘊拍著小手，「媽，還有幾天才過節？」

「妳自己去查查日曆看。」這是媽媽的老脾氣，什麼問題不肯直接答覆，總要蘊蘊自己先動動腦筋。蘊蘊連忙爬上椅子翻著日曆一張張數下去。

「還有六天。」她大聲報告著，「媽媽，爸爸要不要回來過節？」

「要的。」

「哦！我真高興！」蘊蘊睜大眼睛，一股喜悅的泉流幾乎要從明瑩的大眼睛裡氾濫出來，她一旋身跳下椅子，隨手捧起正在洗臉的阿咪。

「爸爸要回來了！」她在阿咪額上吻一下。

「還有六天爸爸就回來了。」她又抱起洋娃娃親了一下。

蘊蘊很想抱著媽媽也親一下，她覺得媽媽今天好像特別慈愛，有耐心，不像平常一樣老是蹙著眉頭，煩躁地吩咐蘊蘊不要吵鬧，要改本子。但媽媽此刻正攢著眉頭比量著裁衣服哩，她不敢打攪她，只在自己手上吻了一下悄悄地拋過去。

自然，過節有吃有玩有新衣服穿，對孩子們是最快樂不過的事。但在蘊蘊小心靈裡，爸爸回來的意義，卻更比過節重大，更值得高興。

從那天夜，她早晨起來第一樁事，就是爬上椅子去把牆上掛的日曆撕掉一張，低低地念一遍屬於當天的日子。圓圓的小臉蛋便同沐上一層晨曦的光彩一樣，煥發著喜悅的光輝，撕掉一張日曆，就更接近她日夜盼望著的日子。她彷彿已看見了爸爸慈祥的笑容，親切的聲音……

她記不清爸爸最近這一次究竟離開了三個月、二個月、抑是一個月，反正他不在家裡的時候，哪怕只三天兩天，在蘊蘊心裡日子也是冗長而寂寞的。她已經想念了許久許久了。這份深沉的感情，對一個小孩子來說，負擔是嫌太重了。所以小蘊蘊只有當負擔除卻的時候，才更顯出她的活潑伶俐，聰明可愛。

但蘊蘊的爸爸卻不是常常在家的。他的工作在船上，船經常在大海裡巡遊，就像鳥經常在天空飛翔一樣，鳥要等倦了才返窠，船要到返航時候才靠岸。

蘊蘊多麼希望船也跟鳥天天回窠一樣，能夠天天靠岸！

蘊蘊不會忘記有好幾次爸爸帶她到海邊去的光景，那海真是浩大！遠遠地，遠遠地伸展開去，又與亮藍的天空連成一片，海浪徐徐起伏，航行在海天之間的船隻，微微搖晃著滑過鏡子似的海面，彷彿一只大搖籃。她想像得出坐船裡一定很有趣，很舒服，她多麼渴慕著做那搖籃的大嬰孩。

「爸爸，」她曾向牽著手的父親請求，「能不能帶我去海上？」

父親俯下頭來望著她微微一笑。

「不，蘊蘊。」

「等我長大了呢？」

「也不能。女人的事業不在海上。這個世界上的男人已造成了不少流血，女人應該多從事於真、善、美和愛的工作，給人類帶來和平。」

父親緊握住她的手，深意的說，蘊蘊不完全聽得懂父親的話，只是對自己不能去海上感到十分悵惘。要不是她那樣深深摯愛著父親，她幾乎要妒嫉他長日與海作伴，而冷落他的小女兒。

如今，爸爸又馬上要帶著一身海洋的氣息，從大海的懷裡回到家的懷裡來了，爸爸不僅是最疼蘊蘊的好爸爸，也是蘊蘊的玩侶。他為蘊蘊講故事，帶她上公園，去游泳，也陪蘊蘊捉迷藏，下跳棋。一想起這些，蘊蘊充滿快樂的小心靈就像盛滿了酒的杯子，即將洋溢。

那一小疊日曆被蘊蘊的小手越撕越少了，天上那一輪晶瑩的明月也越來越豐滿。該撕的日曆終於只剩下最後一張了。晚上，蘊蘊坐在燈下溫課，卻不時抬起眼睛偷看那張日曆，又望望壁上的鐘，明天就是中秋節，爸爸今天晚上總該回家了。她一定要等他回來——噹！鐘敲過九點半，是蘊蘊平常睡覺的時候了。

「蘊蘊，該收拾收拾睡覺了。」媽媽背著她埋首在一疊本子裡，頭也不回地吩咐。

「我還有二題算術沒有做完哩。」蘊蘊回答著，鉛筆仍舊咬在嘴裡，留神聽著外面，一陣車鈴響處，一陣腳聲經過，都會引起她心跳，但鈴聲遠了，腳聲消失了，夜漸深，也更靜，蘊蘊感到眼皮重甸甸地直往下壓。

「蘊蘊，再不睡明天起不來了！」媽媽不耐地催促著，蘊蘊只得收拾書包，爬上牀去，心裡還在迷糊地祈禱著，但願明天她一睜開眼睛，就可以看見親愛的爸爸……

但第二天清晨，當蘊蘊睜開惺忪的眼睛，向對面望去，只見牀被已摺疊得整整齊齊，媽媽早起來了，爸爸顯然又不曾回來。

「怎麼爸爸還不回來？」蘊蘊忍不住在盥洗時問媽媽，她忽然發現媽媽眼睛四周有一道黑圈，顯得有點陷下去。

「現在還只早晨呢。」媽媽好似安慰她說，蘊蘊覺得她的聲音有點不同，不像平常一樣可以擲在地上，而是輕飄飄的。「過中秋節總是在晚上團圓的。」

蘊蘊聽說，心裡便寬慰了些。這時媽媽把縫好的新衣服教她換上，又用同樣的料子，在她頭上挽了個大花結。新衣服漂亮、合適，蘊蘊對著鏡子前後顧盼著，心裡又高興起來，她拈著裙角，翹起腳尖，用電影裡看來的姿勢，優雅地行了個屈膝禮，又在地板上翩翩地旋了幾個圈。

「穿了這樣美麗的衣服歡迎爸爸，他一定很高興。」蘊蘊想，於是揹上書包，跟媽媽說了再見，便跳跳蹦蹦地走出了大門。

朝陽溫和地愛撫著蘊蘊，晨風親切地吻著她的面頰，蘊蘊覺得今天的天氣似乎特別清朗可愛。她那小巧的裙子在晨風裡輕輕飄揚，那鮮明的藍底子彷彿便是蔚藍的天壁，那白色的花朵恰似朵朵白雲，她覺得自己想飛，想飄起來——忽然她記起一個收音機裡聽來的歌曲，不禁隨口輕輕的唱著：……我睡在雲霧裡，雲霧在我周圍飛……

「嗨！宋蘊蘊好漂亮喲！」

蘊蘊一轉臉，看見喚她的是楊敏慧，正坐在她爸爸腳踏車上對她笑。蘊蘊還沒有答話，車子已很快地掠過她身邊趕上前去了。楊敏慧今天沒有穿新衣服，還是那件褪了色的裙衣。但望著楊敏慧坐在車後那樣親熱地抱著她爸爸的腰，有說有笑，她那一抹得意的微笑驟然消失了，一瞬間她只覺得自己的新衣服變得黯淡無光。

每一堂課，蘊蘊都在默默地想著：「現在爸爸大概在回家的路上了。」、「現在爸爸恐怕已經到家了。」她恨不得馬上就回家去，可就今天這四堂課似乎特別慢。好不容易換到了第四堂常識課，她面前攤著課本，心不在焉地盯住那些黑色的字，她覺得那些課本好像都變得陌生了，而老師講的聲音也逐漸模糊像是從很遠的地方傳來。她轉頭去看，見窗外有朵白雲，那白雲越看越像扯著風帆的船，正悠悠地航行在藍色的海上。蘊蘊想著自己便是駕船的舵手，爸爸抱著手在一旁笑著看——忽然，那很遠的聲音中有什麼她熟悉的東西在敲著她的耳膜，她不理會，只是專心把著舵——猛地一聲巨響，接著一個聲音轟雷似衝進她耳朵。

「——宋蘊蘊！」

是在叫她的名字，她驟然一驚，本能地站了起來。正遇到何老師向她投射過來的，譴責的眼光，她惶恐地低下頭去。

「我國最重要的礦產有哪幾種？」

「有、有……」這些蘊蘊原是知道的。不知怎麼一下子竟忘得一乾二淨，心裡越是著急，越是連一點印象都想不出，她感到全班同學的眼睛都盯在自己身上，她拚命眨著眼在腦子裡思索著，臉都掙紅了——陡然，那幾個失去的字像從天上飛下來——「有銻、鎢、錳。」

「以後上課要集中注意力。」何老師告誡她說。蘊蘊很少在教室裡這樣受窘，坐下來羞愧得半天都抬不起頭來。就在這時，下課鈴響了。大家一陣忙亂，接著所有的學生從各個教室裡奔跑出來，就像從籠裡放出來的一群小麻雀，嘰嘰喳喳吵著，一齊湧向學校門口。

宋蘊蘊揹著書包，在人潮裡匆匆地走著，一個同學走過來扳著她的肩頭說：

「宋蘊蘊，下午到我家去跳米索索好不？」

又有一個同學在後面喊著：

「宋蘊蘊，下午來不來擺姑姑宴？我來約妳。」

宋蘊蘊都婉轉地謝絕了。

「不。今天哪裡我都不去，我爸爸要回家哩。」

平常，媽媽總叫蘊蘊是「蝸牛」，因為放學回家她常常是最遲的一個。一路上看見美麗的野花要摘，看見好玩的石子要揀。但那天她卻是走得最快的一個。一口氣走到了家推開大門，顧不得理會小狗裘蒂撲上跟她親熱，一望窗裡靜悄悄的，再走進玄關，也沒有看見男人的大皮鞋。屋子裡顯然經過一番收拾，換上新的桌布，花瓶裡插著新鮮的夜來香。但這些並沒有顯示爸爸已回來的跡象。

「媽媽，爸爸還沒有回家？」蘊蘊連忙跑進廚房去問媽媽，只見媽媽穿著新縫的印花旗袍，繫著雪白的圍裙，臉上還淡淡地化了妝，顯得比平常更年輕了。

聽媽媽回答說：「還沒有。」蘊蘊滿懷熱忱的心陡地往下一沉，好像賽跑的人到了終點心力都鬆弛了，她只感到兩腿疲軟，連書包都沒有除下便跌坐在她的小藤椅裡，幾乎要哭出來，但馬上又記起媽媽說「過中秋節總是晚上團圓的。」到下午還有很長一段時間呢，已經在眼眶裡滾動著的淚珠立刻又縮了回去。

下午媽媽因為學校裡還有點事要去辦，囑咐蘊蘊好好在家寫字，蘊蘊伏在窗台上半天沒寫上二十個字，只是一歇不歇地透過籬笆，注意街上的行人。忽然一陣鈴響，一輛車子歇在門口，蘊蘊認得是郵差，忙跑出去時媽媽也騎著車回來了，從郵差手裡接過信，臉色先是一沉，一面拆一面向屋裡走，蘊蘊也默默地跟了進來，她暗地觀察媽媽的臉色，只見她蹙著眉越來越不高興，好像晴空堆上了烏雲，看完信，她把信紙左一摺右一摺的摺成小塊，凝視著地面不動也不作聲。

「媽媽，是不是爸爸的信？」蘊蘊忍不住怯怯地問。

回答是點點頭，眼睛依舊盯在地下。

「爸爸是不是——不回來了？」

「嗯。」

蘊蘊猛覺得鼻子裡酸酸的，她再也忍不住了，用手背擋著眼睛，一轉身就跑出了屋子，蹲在石階上，眼淚卻已簌簌地直滾下來——那沉重的失望幾乎已壓碎了她稚嫩的心。

對一顆渴望著愛撫的寂寞而柔荏的小心靈來說，這實在有點殘忍，蘊蘊不會恨爸爸騙她。但她不懂大人為什麼總是那麼忙：媽媽忙教書，忙改卷子，還忙燒飯、洗衣，忙得除了簡短的吩咐蘊蘊作功課，一天也難得向她說幾句親切的話。爸爸又忙的難得回家，除此以外家裡可跟她作伴的只有一箱故事書和一個洋娃娃。但書是看得完的，洋娃娃從來就不會開口，唯有寂寞卻永遠伴隨左右——這時隔院傳來鄰家孩子歡呼「爸爸」的聲音。蘊蘊痛苦地把頭埋進手臂，悲哀像無數小蟲子，初次咬齧著她稚嫩的心，她恐懼地隱約體會到一種被遺棄的感覺！忽然她感到手臂上有種濡濕溫軟的感覺，原來是小狗裘蒂正在舐著她，睜著兩顆漆黑滾圓的眼珠對她望著，好像在安慰她說：「不要悲傷，有我伴著妳呢。」蘊蘊一伸手摟住牠的頸子，便把自己的臉靠過去偎著牠毛茸茸的臉，大顆大顆的淚珠滴落在牠鬈曲的長毛上——蒼茫的暮色逐漸包圍了這兩個相依著的身影。

媽媽在喚蘊蘊吃飯，蘊蘊才拭乾了眼淚慢吞吞地進去。

這一天的晚餐，有著比平常豐富的菜餚，卻缺乏那種開胃的融洽氣氛。母女倆對坐著，媽媽不作聲，蘊蘊也不想開口，兩人只是默默地吃著，儘管蘊蘊面前擺著她最喜歡吃的乾菜燒鴨和蝦仁炒蛋，也不怎麼感興趣。悶悶地勉強吃完一碗飯，便擱下了筷子，又一個人溜出去坐在台階上。

月亮已逐漸上升，從那幾株挺秀的椰樹頂巔爬上深邃的蒼穹，圓滿、晶瑩、皎潔，像一顆玲瓏透剔的玉珠，嵌在光滑的青色大理石上，投下一片清輝，為黑暗的世界沐上一層銀色。蘊蘊一身承受著月光，像披了一件銀白的披肩，從門前坪上傳來一陣陣孩子們的歡笑，她就像沒有聽見，只是癡癡地凝對明月。她跟所有的孩子們一樣，聽過那些有關月亮的神祕的故事。但她此刻想的，卻並不是金桂樹、嫦娥、玉兔。她想，她只想……

「蘊蘊，吃月餅。」媽媽不知什麼時候悄悄地走出來站在蘊蘊身後，端了一盆切開的月餅，柔聲向蘊蘊說。「這是妳最喜歡的棗泥餡的。」

蘊蘊嚐了一角，覺得甜得起膩。

媽媽望著月亮，低低地歎了口氣，雖然很輕，卻沒有透過蘊蘊的耳朵。蘊蘊看見她轉身要進去，忙懇求地說：

「媽，妳不賞月麼，多好的月亮！」

媽躊躇著，終於又留下來。

「媽，月亮到處一樣的麼？」蘊蘊癡憨地問。「不曉得這時候爸爸在海上賞不賞月？」

「也許在賞。」媽媽悄然回答。

「噢！媽。如果月亮同鏡子一樣那多好！」蘊蘊望著月亮癡癡地說，聲音裡充滿了希望和熱誠，黑鑽石似的眼睛閃耀著。「它照著爸爸。也照著我們，不是大家都在月亮裡相見了麼？」

「孩子，妳想得好！就在今晚，這世上不知有多少人懷著這樣的想法呢！」媽媽輕撫著蘊蘊一頭柔髮，幽幽地說。蘊蘊聽出媽媽的聲音有點顫抖，轉過臉去，只見她仰對著月亮臉色顯得有點蒼白，迷惘的，做夢似的眼睛裡，映著月光，有什麼在閃爍，在滾動，而盈然欲流，忽然間蘊蘊覺得媽媽也很寂寞，跟自己一樣的寂寞。

「哦，媽……」蘊蘊感動地將臉貼在媽媽身上，媽媽也摟著她的肩，低下頭親切地俯視著她——一時間心與心的交會，蘊蘊覺得在她身體內有什麼凍結的東西融解了。母女倆交換了深深諒解的一瞥，又同時抬起頭來凝視著月亮，那無限的熱愛，無限的思念，無限的寂寞和無限的祝福，恍惚都溶入清澈如水，普照大地的月光中……

編註：本文原刊於《婦友》第二十五期，一九五六年十月十日，頁二十三～二十五。

麻花老人

一

在去年，噢，不，應該說是前年了，當健朗的老人，麥帥訪台傳為一時的佳話時，我們這條僻靜的巷子裡也出現了一位老人，他雖然只是一個樸實而善良的平民，不能與那叱吒國際風雲的五星上將比擬，但他那同生活作戰的獨立精神，那種對人生的摯愛，對信念的執行和健朗的體格，卻足以媲美那位〈老兵不死〉的作者。

認識這位老人是在一個平靜的下午，我伏案寫作半天，正感到有點煩躁和困乏，擱下筆，呷了一口濃濃的茶汁，抬首窗外，夕陽正將淡去，鬱密的樹葉一動不動的貼著藍天，我舒了口氣，重新拈起筆來。忽然一聲喚賣「又香又脆的脆麻花！花生米——」聲音蒼老但十分宏亮，一字一頓，清晰而有力，腔調拉得長長的，餘音嫋嫋，半天都不散。

「好一條嗓子！」我想，「準是唱過黑頭或大鼓的。」

「脆麻花！花生米——」聲音喚進巷子裡來了，米字不但拖得特別長，還抑揚的在尾聲來了個變調，這下可把巷子裡玩耍的孩子們逗得樂了，哄然一聲，四五個聲音一起學著那腔調喚著。

「花生米……」

我不禁探出頭去，那叫賣的人正很輕鬆的挑著兩只火油箱走過來，一身雪白整潔的白棉布衫褲，和兩鬢的白髮，唇上的銀髭，正自在夕陽的照耀下發亮，嘿，原來竟是一個這樣一把年紀的老人。

「先生，買一點麻花吧！又香又脆，才炸起的。」他發覺我正注意他，便停下腳步，在花牆外殷勤地向我兜攬，一臉重疊的皺褶裡嵌滿了慈祥的神色，兩隻眼睛卻灼爍有神，這樣的老人應該是兒孫繞膝，在家納福的了，然而他卻精神抖擻地挑著擔子，大街小巷地奔跑。

「好吧！」我笑著向他點點頭，他便把擔子挑進來歇在院裡，問了我要買的數目，就在一個盒子裡抽出一張跟他衣服一樣潔白的紙來——別的小販包東西，總是用舊報紙或是學校裡收買來的廢卷，他卻用雪白的白紙，這跟他的人一樣：先就給了主顧一個清潔的好印象。看他先把白紙捲成一個紙筒，然後在一個火油箱裡撓起一杯花生米，隔著一個距離慢慢地傾在尖角包裡，便微彎著身子，撮起嘴唇吹著，經過他這一番播吹的工作，花生米的皮便紛紛地揚落到紙包外面。他做那些小動作都顯得十分慎重和小心。

「你今天嚐了我的麻花，明天就會想到我賣麻花的王老頭！」他把一包麻花一包花生米雙手捧著遞給我，還詼諧地加上一句。

「你的麻花就這樣好吃？」

「你嚐了就知道，老人不講假話的。」他笑著慎重地向我保證道：「明兒見！」他向我點點頭，挑起擔子，腰背挺的畢直的，不緊不慢的走出巷子，又亮開嗓子喚賣著。

「又香又脆的脆麻花！花生米……」

老人的麻花果然又鬆又脆，十分可口，只是我嫌油炸的東西太油膩，不大愛吃。倒是他的花生米使我特別欣賞，本地炒的花生米都是黃焦焦的，皮上還黏著鹽花，且大小不勻，吃著總不是個味兒，老人的花生米卻粒粒勻淨、胖大，嫩鬆鬆的皮，手指一捽，就脫落了。嚼在嘴裡又香又脆，很有南京花生米的味道。

第二天老辰光，老人又擔著擔子進巷子來了。孩子們又一窩蜂包圍了他，吵吵嚷嚷地跟他學，敲他的火油箱，也有買一毛二毛的，他卻有說有笑地跟他們周旋著。

「先生，今天買什麼？」他把小主顧給打發了，便把擔子在我窗子底下一放，把我當他的老主顧了。

「一元錢花生米。」我說。

「不買麻花嘛，今天的麻花好得很哩！」老人總是特別推薦他的麻花，似乎買他花生米不及麻花來得高興。

「你的花生米也不錯，是自己炒的嗎？」

「自己炒，自己炒。自己炒的才透著新鮮、乾淨。做生意就講究『貨真價實』。早年家裡在大陸開爿偌大的高粱酒行，就憑這四個字做買賣，如今幹這行小生意，也離不了這四個字。」

「聽你口氣是東北人？」

「正是那兒，瀋陽。那兒的高粱麥子長多高！那兒的大豆粒粒又圓又胖，收穫的時候滿倉滿屋堆得山一樣，那兒的土地啦，嘿，肥的一腳踩得出油來！可是如今，麻索子串豆腐，別提啦！全讓那些狼心狗肺的老毛子給毀啦！」老人說著說著，忽然無限悲憤，聲音都瘖了，兩眼灼灼發光，握著拳頭在空中揮著。

「一家都來了台灣？」

「沒，我就帶著兩個兒子逃出來的，老伴兒跟三小子還留在家裡。」老人有點黯然。

「有兩個兒子，怎麼還讓你這一大把年紀出來奔跑？」

「這不能怪我的兒子，他哥兒倆倒是頂孝順的。」說到他的兒子，老人的臉上才重新輝朗開來。「老大在糖廠做技工，去年才娶的媳婦兒，老二念書沒念成，只得暫時當個學徒。他哥兒倆滿心不願意我出來跑，但曉得我的脾氣又不敢往緊攔。我說嘛，一個人不聾不瞎，還在家供起做菩薩。白消耗糧食！別說是如今在異鄉異地，避難作客，就是在本鄉本土，我也閒不下來。做人啦，不怕老，也不怕死，就怕身體不掙氣，有個三病兩痛，行動不便。你說是不是？」老人說得起勁，比手畫腳，口沫四濺，一聊就聊開了，忘記夕陽淡去，天色正暗下來，因而就耽擱了生意。

「那你一天做多少生意囉？」我暗暗地提醒他。

「不多不少，五斤麵的麻花，十斤花生米，上午炸，下午賣，還剩一點兒，打這兒出去再走二條街，就完得啦——噢，打攪你半天，謝啦！」

從此，風雨無阻，老人總是每天下午挑著擔子上小巷來。我呢？不會抽煙，卻愛在寫作時備點零食嚼嚼，於是，老人的花生米便成了我抽屜中的常客。

二

「怎麼幾天都沒見你來，那天來了客人，我還把你的花生米派定了作下酒菜，偏你沒有來！」老人三四天沒來，那天一來我就數落他。

「對不起啦，先生，實在這幾天家裡有事，分不開身。」老人沒有開口先笑開了臉，掩不住內心的喜悅。

「看你一臉喜氣洋洋的，敢情家裡有好事！」

「嗯，一點小事，可逢巧湊上一起啦。」

「可以說給我聽聽嗎？」

「恁不可以呢？嘿，不怕你先生笑話，說十遍百遍我也不厭煩。」老人咧著嘴，短短的銀髭下露出那口一顆不缺的大板牙。「我那個大孩子老大，不是在糖廠做工嗎？嘿，這小子平時不聲不響的看不出他還會用心計，原是他們糖廠的小火車開到蔗田裡去運送甘蔗，常常因為煙囪裡噴出來的火星引起的災害，損失可不小，廠裡也想不出一個法兒，可巧我們的老大跟他一位同學就動了腦筋，他們兩個悄悄在一塊研究了不少日子，結果就利用廢料發明了一種叫什麼——防火蓋，往煙囪上一蓋，火星可就鑽不出來啦，這下廠裡給他兩又是獎狀，又是獎金的，還加上一個什麼『模範勞工』的頭銜，教明兒個上台北去開會！」

「哎，有這麼一個好兒子，真是你老人家的福氣！這算第一樁好事，第二呢？」老人的眼睛裡揚射著喜悅的光彩，嘴唇哆嗦地說：

「第二是我媳婦前天晚上給我添了個大胖孫子。這狗仔子，生下來就有九磅，比他老小時候還棒！」

「恭喜，恭喜！這真是雙喜臨門，還有第三沒有？」

「還有嘛……」老人忸怩了一下，「是我老漢七十歲的生日。」

「哎，這樣三件大喜事，也不給個信息，好給你備份禮，道個喜！」

「那怎麼敢當！可不折煞老漢了。」老人謙虛著，卻掩不住心頭那份亢奮——突然，他像想起了什麼似的，微微皺了皺眉頭：「噢，我家老大總算不負我期望，可是我家老二……唉！千錯萬錯他就不該在民國二十一年出生。」

「怎麼？」我簡直糊塗了。

「人家上面徵新兵規定不要二十一年出生的！」

「哦！」我慨然明白了他的用意，不禁對面前這位樸質、直爽、健朗的老人油然產生一股敬意：「你是想送你的兒子去當兵？」

「可不！我家世世代代都是經商務農的，也不指望子孫做官做府，只想下一代學啥像啥，譬如老大學個工，老二帶個兵，老三呢？念得書就念書，念不成乾脆安分守己，下地種田，有個文，也有個武。再說來台灣的人，哪個不想早點把老毛子共匪打垮，好回家過太平日子。可是要回去就得打呀！要打就得大家出力呀！老漢老了，政府不要。老大又有他的工作，就剩下老二，偏他又不夠格。」老人把最後一句一字一頓地吐出來，似乎覺得十分可惜，十分憾恨。

「有志者事竟成，今年不行，明年不就合格了嘛。」我向老人慰勉著，「再說你大兒子在廠裡努力增產，發明新機器，也是一樣的參加了反共復國大業。還有你，你有信念，你刻苦耐勞為你的信念而戰鬥，而生存下去。要知道反共抗俄並不是一樣專業，只要在自由中國不虧負自己本身工作崗位的人，可以說都參與了反共復國的工作。」我一興奮，也不管老人懂不懂，不知不覺就搬出了筆下寫慣的一大套大道理。等我理會到自己的錯失時，卻見老人正瞪著眼，聚精會神的望住我，鎖攏的眉峰逐漸展揚開來，連連地點著頭說：

「你先生說得對，我們老話叫作：『天下無難事，只怕有心人。』——等著瞧吧！」他把擔子在他肩上頓上二頓，沉著地灑開步子走了。

老人是固執的，他的意志一如他的性情。

一天上午，我有事上朋友家去，經過大同路，那是一條新近繁盛起來的街道，兩旁鱗次櫛比全是用竹子茅草架起的棚屋，屋簷下便是廚灶，屋門前坐著做做活、聊聊天，比屋裡舒暢得多。還有把上半截木板牆放下來擱上些瓶瓶罐罐、香煙肥皂，便算是雜貨店。掛一面鏡子，弄幾張竹凳，便算是理髮店。真是麻雀雖小，五臟俱全。這條街雖然不長，卻也自成一處市面，十分熱鬧，我正在邊走邊欣賞，忽聽見一個熟悉的聲音在喚我，一回頭，卻見老人抱了一個黑胖黑胖的小子，正站在一家棚屋前面向我招呼哩！

「上哪裡去呀！進來坐回兒不？」

「你就在這兒住。」我轉身二步就到了他們門口。這是一幢同所有的一樣，用竹子支架，樹皮蓋頂，外面塗著白堊的棚屋，比別家顯的幽雅的是門前那排美人蕉，長得有一人高，正好像籬笆似地遮蔽著，攔出門前那一小塊草地，掃得乾乾淨淨的。一個穿桃紅衫子的少婦正在屋簷下一口大鑊裡炸麻花，健康的臉上披了一臉汗油，聽見聲音，用那對羞怯的眼睛，溜了我一下，又逕自去忙著照顧麻花了。

「裡面請坐。哎，真是屋子小，地方又髒，難得貴人降臨……」老人盡著往屋子裡讓，一疊聲的客氣、謙虛，又透著高興。

「你這麼說我可不好意思進去啦！」我說著已跨進門檻。屋子隔成前後兩間，粉白的牆，泥地，外間的當中擱著一張方桌，三五張竹椅，貼壁安著張牀，白布褥子花布被，摺疊得整整齊齊的，正中牆上貼了一張總統的像。二邊，一邊是用玻璃框配著資委會頒給的獎狀，一邊是一幅金黃的錦旗，上面用黑絨剪貼著「建國人才」四個大字。牆旁還有一扇小門是通外面的，陽光正耀著一片綠色映進屋來，大概是種的菜。當我這樣打量時，老人已把黑小子往車子裡一放，忙著給我斟上茶來。

「別張羅，我就走的。」我攔住他說，可是一轉身他又端來了一碟花生米，還把才炸起的麻花裝了一碟。

「吃囉，吃囉，嚐一點。」他一股勁殷勤地勸讓著，還把麻花跟花生米抓出來放在我面前，把我當孩子看似的。看見我不吃，他又說：「別以為是作賣買的，不好意思吃，做生意是做生意，交情是交情。你肯光臨敝舍，我就得把你當客人招待。」他說得那麼誠懇、爽直，我倒不好意思不拈起幾顆花生米來，擱進嘴裡慢慢地嚼著，可是他們還覺得不滿意，又盡著勸我吃麻花：「吃一個，新鮮炸起的。」我說我還飽呢。

「嗯，我知道你就不愛吃我炸的麻花。可是這是我媳婦炸的哪，我那賢惠媳婦說天熱，我站著太累，乾脆我給帶著孩子，由她來炸，你不吃，她會疑惑你嫌她炸得不到家哩！」

「嘿，您……」穿桃紅衫子的少婦，回過頭來在窗戶裡責備似地嗔了他公公一眼，把半截話嚥了回去，老人笑了。我拈起一支麻花，搭訕著稱讚道：

「你這房子收拾得整齊。」

「整齊還不是茅草棚子！」老人善意地嘲笑著，「這房子從打樁到落成，全是他哥兒倆在胡攪胡弄，反正這年頭蓋房子，只圖能遮風蔽風，比露天睡覺強些就行了。」

「你們自己還種了菜？」

「嗯，是我看著地荒了可惜，闢了這塊菜圃，如今是她！」老人指了指窗外，「在照料，總算還有點菜根嚼嚼。」

「你們一家子可真不錯，克勤克儉，把什麼都弄得妥妥貼貼。」我由衷地讚佩著，不想這二句話卻引起了老人的感觸，他凝視著地下，緩緩地說：

「好是好，可是……借人家老婆不熱腳。總不比在本鄉本土——我已在那塊地上活過六十多個年頭啦，那裡的一棵樹、一塊磚我都記得清楚，葉落歸根，人上了年紀，總盼望子子孫孫在自己墾殖的土地上繁衍。——先生，你有時也會想家嗎？白天累了，躺下去就睡覺倒沒有什麼，可是有時睡不著啦，想家可想得真厲害，連家裡的一根草、一撮土都想……」老人的聲音越說越低沉，終於消失。他一動不動的瞪著眼坐在桌前，落入沉思中。我想說點什麼，卻又說不出什麼，小屋裡的空氣頓覺有點沉悶，就在這時，坐在車子裡的小胖子大概玩厭了那支博浪鼓，「哇」的一聲哭起來。

「爹！」媳婦在窗外親切地喚他：「我兩手的油，還不能餵小黑子奶，您再哄他一會吧。」

趁老人哄孫子的時候，我也起立告辭了。老人殷勤地送我到門口，等我走到拐角處回過頭來，見老人仍舊抱著黑胖子站在那排美人蕉前，頻頻向街這邊探望。

三

……四十一年最後的一張日曆悄悄的從牆上撕落下來，迎著嶄新的四十二年，大家心聲彷彿都有一種預兆：今年是反攻年！今年一定會打回大陸去，可是，過了年又一個月平穩的過去了，依舊沒有什麼動靜，一直到二月初，艾森豪下令協防的第七艦隊，解除台灣中立化的遠東政策頒布，悶了許久的人們，才大大的舒了口氣，齊聲歡呼反攻就在眼前！

那天下午我正坐在窗台上亢奮的閱讀發表這消息的《中央日報》，老人輕鬆地放下擔子，過來迫切地向我打聽：

「先生，報上是不是說我們馬上就打回去了？」

「嗯！快了。也許明年這時候，你們已在你們家鄉那一腳踩的出油的土地上栽高粱啦。」

「好哇！我就老盼著這一天，打從我離家時起就盼著這一天。」老人高興起來就像個小孩子，手舞、腳蹈。「早就該打回去啦，真的，早為什麼不打呢？」

「早嗎？時機不熟，也就是準備不夠充分。打個譬喻：比你炸麻花，一定要等火旺、油滾，麻花一放進去就成啦。若是火不旺、油不滾，擱早了反糟了！」

「唔，是這麼回事。」老人緊瞪著那對魚尾眼，沉吟著，若有所思。一會，他抬起眼來望著我：

「噢，先生，今年是民國四十二年不？」

「唔。」我點點頭。「你問這個幹嗎？」

「問問，就是問問。」他神祕的笑著，一副諱莫如深的樣子，很快地挑起擔子，彷彿有什麼緊要事等著去做。

接上不久又是陰曆年，春節裡忙著應酬，忙著作樂，也沒有留神老人有沒有出來作生意，昨天我把玩野了的心安定下來，重新對著稿子握起了筆，但思想卻像一蓬亂草……

「恭喜你，先生，恭喜你過年發財！」老人遠遠地便一路嚷著過來，兩只火油箱在肩上直搖晃。

「恭喜你，王老頭，看你這滿臉喜氣，倒像過年真的發了財來！」我說。他卻不慌不忙把箱子一放，從口袋裡摸出一張摺疊得方方整整的報紙遞給我：

「你看這個。」

接過報紙，赫然呈現在我眼睛前的是用紅圈圈標注的一則標題：

七十老翁。
為子請纓！

新聞的內容是說有一個叫王業勤的老人，昨日親自送他兒子去團管區請求服役。且說其子去年因役齡未屆滿規定年限，不能入伍服役，今……老翁一番愛國赤忱，令人無限感佩——這則消息日前我也曾過目，魯鈍的我，想都沒有想到這位令人起敬的老翁，便是眼前這賣麻花的老人！

「啊！真是有你的！」我激動地說，幾乎想擁抱這個樸實、善良而又剛毅的老人。

「我總算了了一樁心願。」老人用平靜而有力的聲音說，緩緩的抬起頭來凝視著天空，眼睛裡有著祈禱和期待的神情，「噢，我說我那老伴兒要是萬幸躲過了這次劫難——沒有被共匪殺害，看到她最疼愛的老二打回去。哪，她真要高興瘋了！」

「一定有那麼一天的。」我說著把報紙遞還他。

「一定有那麼一天。」他重複著我的話，帶著那種莊穆的神情，鄭重的將報紙摺疊起來放進口袋裡。挑起擔子來顫了顫，然後邁開步子。夕陽把他挺直細瘦的身影拉得長長的，他走了二步，理理嗓子，又揚聲喚著：

「又香又脆的脆麻花——花生米——」

身影已在巷口消失了，宏亮、清晰而拖得長長的聲音，猶在空中迴盪著半天不散。

「一顆善良、單純的心，一個正直而剛強的靈魂。」我喃喃自語：「這是萬千善良、和平，但不屈服的人民的典型，應該把這樣的靈魂勾劃下來。」於是，我面對著展開的潔白的稿紙，拿起了我的筆……

編註：本文原刊於《中國勞工》第五十七期，一九五三年三月十六日，頁三十五～三十七；第五十八期，一九五三年四月一日，頁三十七～三十九。

恩重如山

一

「邵叔叔！邵叔叔！」

大門剛一打開，小穎就像隻燕子般從屋裡直奔出來，撲到門口邵覺明身上，手一摟，腿一勾，便猴子爬樹似地攀椽上去，雙手緊緊抱住那曬得紅紅的頸子，眼對眼，鼻對鼻，只是咧開了嘴笑。

「看這孩子高興瘋啦！你可別把邵叔叔雪白的制服弄髒了！」小穎的乾姥姥在客廳門口笑喊著。小穎就像沒聽見，邵覺明雙手把他舉得高高的，待要放下地時，小手卻又伸出來攀住了脖子。

「邵叔叔總得把車子推進來，是嘛？」邵覺明跟小穎打商量，小穎只是搖頭，賴在他的身上不肯下來。

「不，阿珠會推。」他轉臉對門旁的阿珠說：「阿珠，替邵叔叔推車子。」

「嚇，這一點兒大就會支使人了！」邵覺明笑著拍了他一下，往裡面走，「告訴我，這一星期想不想邵叔叔？」

「想。」

「聽不聽乾姥姥的話？」

「聽。」

「這才是好孩子，老師教了你什麼新歌？」

「教了一個〈只要我長大〉，我唱給你聽。」小穎這才自動地放開手，從邵覺明身上溜下來，站在客廳中間，一面表演，一面用脆嫩的聲音唱著：「哥哥爸爸真偉大，名譽照我家，為國去剿匪，當兵笑哈哈。走吧走吧，哥哥爸爸，我也要，要把奸匪殺，只要我長大，只要我長大！」

「唱得真好！」乾姥姥和邵覺明一起誇讚著，小穎得意地跑回邵覺明身邊，把上身伏在他膝上，仰起紅紅的小臉問：

「邵叔叔，小穎乖不乖？」

「乖，當然乖。」邵覺明疼愛地擰著他的臉頰，親切地說。

「那麼今天一定要帶我到動物園去看猴子吃西餐跟貓和蛇打架。」小穎馬上提出了要求。

「去，一定去。」

小穎高興得便來拉邵覺明起身，乾姥姥卻喚住他說：「出去也不洗把臉，換件乾淨衣服嘛！」

邵覺明望著小穎跳跳蹦蹦地依著他乾姥姥到裡面去換衣服，順手拿起茶几兜裡一本照相簿看著，那裡面全是小穎一個人的生活照片，從他一個月時直到現在，最近幾張是他上個月替他照的，有一張他認為得意傑作，是小穎站在一座尚未完工的大橋盡頭，那種凝神專注的神態，極像一個大工程師在審視他的工程。忽然，小穎在他凝視下長大了，帶著博士帽，捧著獎狀，向他微笑……

「邵叔叔，你看我這一身海軍裝神不神氣！」小穎連跳帶跑地奔出來站在當中要他欣賞；一身雪白的短褲，大翻領上衣，更顯得他矯捷、活潑。

「哪來這麼伶俐的一個小海軍！」

小穎笑著直奔腳踏車，也不許人扶，自己便熟練地爬在車槓上坐穩了。跟乾姥姥說過再見，叔侄兩個騎著車子一陣風似的上了大街。逛了動物園，又溜了一會公園。小穎的好奇心很大，一路上只是問長問短問個不休，有時問得邵覺明答不上來，有時又說兩句天真的話，逗得邵覺明笑不可抑，叔侄倆玩得十分痛快。最後在館子店裡吃了些麵和包子，回去時，小穎累了，一路上只是打瞌睡，害得邵覺明提心吊膽，生怕他從車上跌下來。回到家裡，他抱了小穎到牀上去睡，小穎迷迷濛濛地半睜開眼睛，嘴裡還含糊地嚷著。

「邵叔叔！不要走！我要邵叔叔！」

「邵叔叔沒有走，在這裡陪著你哩！」邵覺明俯伏著身子，伸出一隻手去讓小穎握著，小穎重又闔上眼睛，唇畔盪漾著一抹甜甜的笑意，酣然睡去。

邵覺明倚坐在牀沿上，連大氣都不敢出一口，酣睡中的那張臉蛋顯得那樣甜蜜，那樣安詳，竟完全是跟他父親一個模型裡塑出來的。他深深地諦視著，那張臉似乎變大了，深邃的眼睛張了開來，用那充滿熱情的視線擁抱著他，使他覺得如置身在春初的陽光下。那豐厚的嘴唇翕動著，吐出他最熟悉的聲音：「明弟，堅強些，世上沒有克服不了的困難……」他只感到喉嚨頭一陣酸酸熱熱，視線被湧上的淚水模糊了。

二

那一年在北平，東北聯校被迫解散，學生亂哄哄地離校自找出路，能回去的想法回去，不能回去的又只好重度流亡生活。那時邵覺明正念初三，他的家鄉早已陷匪。在北平人地生疏，舉目無親，他提著小小的一捲行李，獨自蹲在宿舍門前台階上發怔，感到前途渺茫，十分惶惑！突然一隻手落在他的肩上：

「一個人發什麼怔，還有什麼留戀的！」

那親切的鄉音，邵覺明一聽就知道是高宗穎——他的小同鄉，念大一，比他要大上六七歲，平常他們很少機會接近，這一刻，邵覺明見到他就像見到了親人一樣，立刻站起來望著那張樸實誠意的臉，欣慰地說：

「我以為你跟他們一樣，早走了哩！」

「我要走總不會留下你一個人的，剛才去找趙友仁，他倒是先走了。」趙友仁也是他們的同鄉。

「書念不成，家又回不去，我們怎麼辦？」邵覺明憂怯地垂著頭，像一隻迷途的羔羊。

「明弟，堅強些！世上沒有克服不了的困難。」高宗穎緊緊地按著他的肩膀，鼓勵他說：「跟我走，沒有錯。」

邵覺明感到一股熱力，從那按在肩上的掌心裡傳布到全身。抬起頭來，接觸到二道充滿誠意的眼光，他默然點點頭，挺一挺胸，扛起了行李，便隨在高宗穎後面走出校門。在路上，高宗穎告訴了他自己的計畫，到徐州去找一個當營長的親戚，入營當兵。

「現在時局混亂，這是最好的一條路，就看你有沒有勇氣走。」

邵覺明感到一種去冒險的新奇，一口答應說有勇氣。高宗穎忽然又想起了問他身上帶了多少錢，他羞澀地說了一個數目。高宗穎眉頭略為一皺，便叫他在火車站等一會，回來時，邵覺明才發現他空著手，沒有了行李，問他時，他不經意地笑笑說：「我嫌帶著累贅，把它寄掉了。」

「噢！」邵覺明猜想他一定是把行李給賣了，很覺不安。「為什麼不把我的也寄掉？」

「留著一副，萬一要用時兩個人可以共一共。」

邵覺明感動地凝望著他，覺得他真像一個大哥。他的行為使他崇敬，他對他的關切更使他產生了一份信賴。他信賴他，在心理上已把自己交給他，接受他的照顧，接受他庇護和教誨——他不禁用熱情充溢的顫聲，低低喚了聲「大哥！」

經過了一番艱辛的跋涉，他們終於抵達了徐州，當高宗穎找到那位營長，把自己的來意說明後，立刻獲得了歡迎。

「歡迎、歡迎，你就做我的副官怎樣？」營長熱忱地握住高宗穎的手搖著，旋即垂下眼睛從上到下像刷了一刷似的，把邵覺明打量了一眼，緊緊皺起濃黑的眉毛，「可是，這個娃娃，你叫我怎麼安排？」

邵覺明臉上一陣發熱，他雖已十五歲，但生來顯得矮小，現在站在一頭熊一般健壯魁梧的營長面前，更顯得像一匹小羔羊。他低著頭局促地聽高宗穎在替他說項。營長起初還是一味搖頭，最後才沉吟勉強地說：

「要就只有委屈他一點，勉強給補個傳令兵吧。」

邵覺明一聽見答應收留他，就立刻眉笑顏開！至於什麼兵，他根本就不在乎。

就這麼著，兩個人便穿上了二尺五，吃起大鍋飯來。但要不了多久，邵覺明就對自己的職位起了種反感。第一是因為他摸不到嚮往已久的槍桿，其次是那些弟兄們都趕著他叫「娃娃」，常常找他開玩笑，使他覺得自尊心大受損傷。有一次，他正在廚房提水，被逗得惱了，與人爭論時卻不小心把旁邊一塊切菜墩子撞落在鍋裡，把一口大鐵鍋摔壞了，結果連累上高宗穎和他自己兩個人的餉包完完整整地賠出去，天天要了鹽巴來刷牙，窮得連支牙膏都買不起。又有一次他一氣就抓起靠在開他玩笑的弟兄身旁的槍，作勢恐嚇他。不想槍是實彈的，幸好他沒有瞄準，一顆子彈飛到了空中，又是高宗穎為他求情，一星期的禁閉改成一天。凡是他闖的禍，犯的事，去照陪不是的總是高宗穎。

加入軍隊不久，他們就參與了一次戰爭，那便是最慘烈的徐蚌會戰。經過若干次的火拚，他們受了包圍，糧盡援絕，傷亡慘重。邵覺明同高宗穎跟著剩下不到十分之四的弟兄，吞食著田裡的棉花子充飢，對包圍在四周的敵人的叫囂、說服、用食物誘惑，全不理睬，圍困了數天之後，他們終於找到一條險徑，騙過敵人的耳目，脫圍而出。邵覺明不慎摔一跤傷了腳踝，由高宗穎一路扶持著他，因而兩個人掉了隊。當他們遵照營長的囑咐趕到江西去歸隊時，得來的消息說部隊已開赴廣州。等他們趕到廣州時，問來問去，有說沒有來，有說已開赴台灣。這時廣州已很混亂，他們便擠上了一艘軍艦直往台灣。

可是，到了台灣，才知道他們的部隊根本就沒有開來。

三

美麗的寶島四季長春，物產豐饒，治安良好，交通發達，使得從烽火中避難來的人，彷彿置身在世外桃源。只是那時政府及一切機構剛遷台不久，尚未上軌道。邵高兩人暫住在做為收留流亡青年的七洋大樓，隨身只有一身衣服，全部財產不過幾塊銀洋。早晨他們消磨在圖書館裡，把報上所有的啟事記下來，白天便在街上東闖西訪，看看能不能僥倖找到一份工作。餓不過時便隨便買些最便宜粗糙的食物充充飢。艱辛困苦的生活就像一支錘，把兩個人的友情錘鍊得更結實堅固。又彷彿兩股草絞成了一根堅韌的繩，把兩個人的命運絞在一起不能分開。邵覺明受了他的潛移默化，也變得堅強起來。小小年紀，便敢面對現實作戰，儘管衣食不周全，兩人從來沒有放棄過復學的計畫。高宗穎原是學土木工程的，他對選擇這一學課有他的觀念和宗旨，並且勉勵邵覺明將來也走這一條路。他常常說：

「我認為交通建設，從小的方面說，對地方的繁榮，人民生活的改善有密切的關係。從大的方面說，對一個國家的富庶和興旺關係也很大。譬如我們家鄉，那許多人跡不到的深山，一定蘊藏著豐富的礦藏，卻從來沒有人去探勘、發掘，那許多農產物也無法外銷。就拿蘋果一項來說，在我們家鄉多得不值錢，可是再看看關內那些大城市裡都花了昂貴的外匯去買日本的、美國的。還有很多偏僻的縣城風氣閉塞，文化落後，都是由於交通不發達的緣故。像現在的台灣，交通發達，人民富足，正好是我們回去建設大陸的藍本。」

邵覺明向來崇敬他，當然，對他的意見總是衷心的擁護。

日子在艱苦中也就混過去半年多了，高宗穎好不容易在一家建設公司謀到了一個比較穩固的小職位，他們依舊過著最節儉刻苦的生活，從那筆微薄的薪俸中省下，一個一個錢積起來。儘管只是那麼少得可憐的一個數目，但每一分錢上都鍍上了他們的希望、理想。

高宗穎又不知從哪裡弄來的一套舊的初中課本，教邵覺明從頭溫習。公司裡供給他一頓午餐，早晨上班時他便交一點錢給邵覺明一個人吃午飯和弄晚上兩個人吃的，總不會忘記再親切地叮囑一番：

「飯要吃飽，溫課溫得悶了可去公園裡散散步。」

邵覺明嘴裡答應著，其實只等高宗穎一走，他也馬上溜到街上去了。他看不進功課，心裡總有點不舒服，就像眼睛裡黏著蛛蜘絲一樣；常常在啃著饅頭或是吃著麵時，他會一陣難過幾乎嚥不下去。他覺得被他殘忍的吃下去的正是高宗穎的希望、理想。他知道如果高宗穎一個人，靠他省吃儉用地工作半年，頂多做一年事，就可以進大學，再靠半工半讀完成他的學業。可是他卻成了他生活上的絆腳石，他找不到工作，是一個消費者。眼看便暑假即要來臨，他越來越感到不安。那一天，他意外地發現報上刊了一則公路局招考隨車服務生的啟事，開列的條件他正適合。他高興得如獲至寶，立刻就去報了名，他原想先不告訴高宗穎，但他的神色卻替他洩漏了。

「有個機會，我想去試試……」大哥一問，他就什麼也瞞不住，源源本本告訴了他，他卻很不贊成地叫他打消這個主意。

「你忘了你馬上要升學了？」

「我想，我可以先做一二年事再升學。」

「這是幹什麼？你已經耽誤了兩年了，這一段時期最是要緊，荒久了不行呀。」

「可是——我不應該老是拖累著你。」

「明弟，你說這樣的話不太見外了嗎？我可是一直把你當作親兄弟看待的。」高宗穎神色莊嚴，譴責地望著邵覺明，望得他羞愧地低下了頭，吶吶地分辯：

「我不是那樣的意思，我是說——你自己也要升學。」

「我沒有說我不升學呀！我知道你是怕繳不出學費，船到橋頭自然直，到那時總可以想辦法，不要三心二意，明天起好好準備功課，不要再去街上逛了。」

邵覺明不敢再提做事的話，暫時收拾起那份想頭，專心致力於功課。每天晚上高宗穎替他補習成績最差的幾何代數。不久高宗穎又縮短自己看書時間，從那些小營造廠接了些建築圖表來繪製，常常趕工到深夜。

暑假裡邵覺明很順利的考取了高中，而高宗穎卻根本未曾去報名。

「大哥，你為我犧牲太多了……」邵覺明接到通知，感奮交集，握著高宗穎的手，不禁迸出了兩眶熱淚。

「明弟，你言重了，這哪談得上犧牲，我不過遲一年再復學，你總不能說遲一年我就老得不能念書了？」高宗穎故意用詼諧來沖淡邵覺明的不安，邵覺明知道他的用心，附和著笑了，笑聲未了，他又忍不住跑去伏在牀上將臉埋在枕頭裡，讓那份激盪的感情隨著湧升的淚水奔瀉出來。

四

邵覺明上學不久，公家把七洋大樓收回了。高宗穎原來可以在宿舍裡申請得到一席之地，但是，規定不能住外人。兩人便只得賃了一間小棚，這在高的收入中是一筆不算太小的支出。加上邵覺明上學必需的服裝、文具、什麼等開支，生活更形拮据。高宗穎對自己節省得簡直近乎苛刻，為了省錢，就連每天上下班他都不乘公共汽車，來回二三公里都是安步當車，還說是鍛鍊身體。走路費鞋，他就抱怨市政府不把路修好，給磨損了他的那雙鞋，其實那皮鞋早到了退休的時候，換過底，又打過前後掌，補釘更不知縫了多少次。還是邵覺明再三建議，他領到那筆加發的職務調整，一定要去買雙新皮鞋，不許作別的用途，高宗穎才同意了。

那天，高宗穎下班回來，興沖沖地把一個紙包交給邵覺明，他打開來一看，竟是一冊他早就需要的參考書。因為價錢太貴，他抄了書名來便一直夾在課本裡！

「我知道你早就想要這本書了。」高宗穎興奮地說，看見邵覺明眼睛裡摻了驚奇懷疑的神色，連忙又加以補充：「我今天領到了那筆加薪，買了書，多下的錢正好把皮鞋補了前掌，再染了染色，看，不又跟新的一樣了！」

邵覺明盯著那雙綴滿補綻，由黃色染成黑色的變了形的皮鞋，覺得心裡發酸，眼眶發熱。但他記取高宗穎上次告誡他的：「大丈夫，男子漢，要就流汗，要就流血，流淚是懦弱的表現。」硬把要湧上來的熱淚忍住，怔怔的抱著書站在地當中。

「別那樣傻楞楞的，像吃了呆藥一樣！」高宗穎雙手握著他的肩膀輕輕地搖撼著，微笑望入他眼中。「你要曉得凡是穿戴的浮華，只是一時，思想的充實卻永遠是不朽的，還有什麼能比把賺得的錢花在不朽的事情上更有價值哩！」

邵覺明不能說什麼，只把胸前的書抱得更緊，彷彿那是一個有生命、有感情的物體。

一年過去，又到了暑假，對復學的事，高宗穎卻只輕描淡寫的說了一句：「準備不夠，索性再等一年吧。」但是邵覺明分明看見他除了有圖表繪製，每天晚上都在啃那些大學叢書。

第二學年開始，邵覺明想盡方法要為高宗穎分勞。他每天放學後在學校裡寫鋼板，告訴高宗穎是跟同學在一起復習；每天清早向一個開車行的同學借了單車挨戶去送報，告訴高宗穎學校裡要上早自修。他把賺來的錢放在一個同鄉開的店裡，對這一個獨自保守的祕密，他有一種難言的喜悅，就像賣雞蛋的村姑做著住高樓、穿綢綾的夢。可是，這個夢做了不久，卻被現實輾得粉碎。那天清晨他起牀遲了些，還剩六七家報紙沒有送完，已經離上課只有十分鐘了。他加緊了速度，慌慌張張從一條小衖裡衝出去，沒想到橫裡開來一輛卡車，一聲巨響只覺得一剎那天崩地裂，便什麼也不知道了。

醒來時，邵覺明迷惘的視線首先接觸到的是一張蒼白憔悴而布滿憂傷的臉，這臉似熟悉卻又陌生……他驀地驚喊道：

「大哥！你病了？」

那臉上憂傷的神情突然像霧一般散了，換上朝陽般欣慰的一絲微笑。

「傻孩子，傷的是你，我可沒有病。」

身子一動，邵覺明才感到身上的疼痛，不禁重重地呻吟了一聲。

「這條命總算拾回來了！」高宗穎又是疼，又是惱，忍不住責備他，「你為什麼要瞞著我做這些事，剛才你的老師說你還在學校裡寫鋼板——人的身體是鋼鐵的嗎？」但接著又說了些安慰他的話，因為公司裡事忙，陪了他一會便走了。

邵覺明痛定思痛，想到反而得因此花上一筆醫藥費，又耽誤了功課，心裡懊惱不已！又覺得高宗穎神色之間彷彿與平時有點不同，難道因此生了他的氣不成？

一位年輕護士小姐來替他注射，一面笑嘻嘻地跟他搭訕。

「剛才那位是你的哥哥吧？真是好哥哥，他輸給你那麼多血，自己都快支持不住了。」

「啊！他給我輸了血！」怪不得他的臉色那樣蒼白，精神那樣委頓，說話的聲音虛弱無力，走出去時腳步顯得有點蹣跚……

「哦，大哥，大哥，你對我真是恩重如山！」

念及高宗穎對自己的種種恩惠，邵覺明便從心坎泛漫著一股暖流潺潺浸透全身，彷彿抹上一劑萬靈的油膏，全然忘記傷口的疼痛。

五

多少個黎明和黃昏，白天和黑夜，來了又去，不留半點痕跡。唯有在知識的領域中墾殖的青年，才可期待智慧上光輝的收穫。三年過去，邵覺明念完了高中。那天考完了畢業考，高宗穎特地親自包了餃子慰勞他。

「明弟，你已經決定了報考土木工程系沒有？」

「不，大哥。」邵覺明對高宗穎滿懷熱望的探問，有點難以回答，「我不預備念大學，我想要做事。」

「別胡說，你預備做什麼事？——雖然我的能力微薄……」邵覺明漲紅著臉，吶吶地不知該怎樣表達自己的意思，高宗穎感動地接過去說：

「我懂得你的意思，只是我已經放棄復學了，一則我功課早已丟疏，二則這幾年坐慣了辦公室，怕再過不來學校生活。我們家裡不有句俗語叫『打鐵趁熱。』應該升學的還是你，不要愁學費，我會設法。」

「大哥，這樣做是不公平的……」

「我和你，還用著放在天平上去秤麼！就這麼說，你決定念土木工程系，別的都不用管，要緊的是準備功課。」高宗穎幾乎是武斷地替他做了最後決定。

邵覺明平常總是尊重高宗穎的意見，百分之百的接受，這次對他的堅持他沒有再抗辯。但是。他心裡卻在考慮著一個問題。不是他忍心有負高宗穎對培植他所費的一番苦心和期望，而是他自己對生存的目標和責任有了一種新的認識。

那一天，邵覺明懷著抑制不住的亢奮，跑回家去，當高宗穎下班回來一腳剛跨進大門，他就迎上前激動的說：

「大哥，我告訴你一個好消息。」

「巧極了！我也正有一個好消息要告訴你呢！」邵覺明這才注意到高宗穎滿面喜色，還在微微喘息，「先聽你的。」

「我，我已經保送上了海軍軍官學校。」

「啊?!」高宗穎感到意外的一怔！似乎有點失望。很勉強地說了聲：「那很好！」

邵覺明知道自己不能如他所期望的去學土木工程，很使他失望，歉疚地解釋著：

「大哥，我很抱歉不能達到你對我的期望，只是我認為首先要復國才能建國，現在整個大陸被共匪占據，沒有了土地，又豈能談得上建設！目前重要的任務是如何貢獻自己，增加反攻復國的力量。因此我選擇了海軍，我希望我能成為第一個從海上跨上國土的戰士，大哥，你會贊成我這樣決定吧！」

「贊成，當然贊成！」感染了邵覺明的激昂、亢奮，一片喜悅的光輝，立刻驅散了那一點薄薄的陰霾，高宗穎握著邵覺明的雙肩用力搖撼著，「明弟，你說的很對，反共復國需要你，比築路造橋更需要你，人各有志，原不能勉強，我應該為你感到光榮，感到驕傲……」

「大哥，如今該你報告你的好消息了。」

「在你那令人興奮的好消息之後，我只是一個消息，而應該取消冠在上面的字。」高宗穎自嘲地說：「開築橫貫公路徵求工程人員，我考上了。」

「這消息太好了！你不是可以得遂素志，一展抱負，為什麼還說不好？」

「可是，在我當初去應徵時，主要的目的，還不是這個——那裡待遇優厚，可以順利的供你上大學，以至更進一步的深造。」

「大哥，」邵覺明感動地喊了一聲：「你總是為別人著想。」

「能夠為別人著想的人，才是幸福的。」

「你也該為自己想想了，以後我入了海軍官校，一定管理的很嚴，不容易出來，你一個人會感到寂寞——應該有個嫂嫂了。」

「虧你想的周到——這事倒也有好幾個同事向我建議過，卻被我一一婉謝了。」高宗穎關望著邵覺明，「我只怕娶了個悍嫂，妨礙我們兄弟間的感情。」

兩個人都笑開了，邵覺明突然記得高宗穎雖然依舊充滿熱情和年輕的朝氣，苦幹的傻勁，但這幾年艱辛的生活，已不留情的在他臉上雕刻下超年齡的痕印，青年人有了中年人的蒼鬱了。

六

在緊張、嚴格的受訓生活中，給邵覺明最多鼓勵和安慰的是高宗穎的來信，不時又附些他愛讀的雜誌及日常生活必需的零星物品給他。過年時，跟往年一樣，他還用紅紙包一包壓歲錢寄給他，「儘管你現在是神氣的海軍軍官，在我心目中，你總是我的小弟弟，」他在信上寫著：「這是我國傳統的風俗，代表著平安、快樂、健康和祝福。這就是我所要寄給你的。」有時他寄幾張築路的照片給他，告訴他：「我們必須要征服敵人；你的敵人是人間的魔匪，我的敵人是自然的頑石。我們要為正義、和平、大眾的幸福鋪路。」

邵覺明進海軍第二年的雙十節，高宗穎結婚了。新娘是宜蘭人，很年輕，當高宗穎介紹他見嫂子以後，一手挽著他的肩膀誠懇而帶點詼諧地說：「明弟，你一直盼望我有個家，現在已經有了，希望你能夠分享到家的溫暖、安詳和舒適，至少，你想吃餃子就包餃子，想吃烙餅就烙餅，再不必像當年咱們哥兒倆不是跑館子就是啃焦鍋巴了。」

婚後一年多，高宗穎就獲得一子，他高興的又是電報又是信地告訴邵覺明。信上說：「明弟，從此我後繼有人，我的志願要小穎來完成了，將來，我希望他做一個最傑出的工程師，在我們生長的土地上，開拓比橫貫公路更艱鉅、更偉大的工程！」

之後，高宗穎因為築路工程又臨到一段最艱辛緊張的階段，邵覺明也忙於出海實習，信札往來比較稀少。一天邵覺明卻突然接到一封電報，簡短的幾個字只告訴他高宗穎受傷危險，叫他馬上去×縣的一家醫院見一面。這一個晴天霹靂似的消息，幾乎把邵覺明的心擊碎了，他什麼也不顧地馬上就乘火車趕去——他不能回想那最慘痛的一刻，當他在那家小醫院的病房裡見到高宗穎時他幾乎認不出那張裹滿紗布的面孔，和那堆蜷縮在白被單底下的身體，就是他敬愛的大哥——他正陷入昏迷中。

從一個陪著高宗穎的他的同事那裡，邵覺明獲知了他受傷的經過：那天，是經過一番暴雨侵襲後的次日，他領著一群工作人員到達工地時，高宗穎發現剛築成的路基上有些碎石，他忽然叫大家等一等，讓他一個人先過去勘察一下，大家便停下來在路端望著他一面東看西看，一面一步一步試探，剛走到那個最陡險的轉角時，驟然一陣鬆裂了的岩石從陡坡上滾下來，他連哎喲都不及喊一聲，便給沖了下去——他們找到他時，已是奄奄一息，流了不少血，他醒過來幾次，都喊著一個人的名字，那便是邵覺明……

「大夫，請你把我的血輸給他，一滴都不用留！」邵覺明一把抓住旁邊的醫生，苦苦地哀求，醫生搖著頭，一臉無能為力的表情，「現在不是輸血不輸血的問題，他的背脊骨完全摔斷，內臟也一塌糊塗。」

邵覺明還在向醫生懇求，站在牀旁的那個工程師，舉手向他示意，輕輕地說：「他醒了，又在喊你。」

「大哥！」邵覺明伏在牀前，雙手握住那隻唯一沒有受傷的左手低低地換喊著：「大哥，我來了。」

傷者眼睛亮了一下，臉上的肌肉微微抽攣，正努力做一點笑意，他溫柔地看一眼在牀邊啜泣的妻子，示意她湊近來，「我對……不起妳！」他掙扎著，用微弱得幾乎難分辨的聲音說：「妳還年輕……不要為我蹧蹋了青春，至於孩子……」他轉視線移注到邵覺明臉上，「明弟……我把小穎交託給你……你一定要帶他回去，將來……將來……」他痛苦地望著邵覺明，說不下去了，邵覺明極力抑制自己的悲痛，接過去安慰他說：

「大哥，你放心，我會帶他回到我們的家鄉，我會像你培植我一樣培植他，將來做一個傑出的工程師，回去開拓比橫貫公路更艱鉅偉大的工程！」

那張破碎的臉上浮掠過一抹欣慰的神情，眼神旋即黯淡下去！邵覺明感到捧在他手裡那隻手，正在一點一點變冷，變僵……

在一番悲戚的飲泣聲中，邵覺明聽到他背後一種沉痛、莊嚴、肅穆的聲音超過了這一切。

「由於他一個人的犧牲，挽救了不少生命：他光榮地死去了，而他偉大的精神、人格，永遠會活在朋友們的心裡！」

七

——邵覺明從回憶中清醒過來，透過模糊的淚水，只見小穎依舊睡得那樣甜蜜，那樣安詳，小手緊緊握住他的一隻手指，微微轉側了一下身子，嘴裡還喃喃地喚著：

「邵叔叔，邵叔叔……」

「邵叔叔在這裡，在小穎身邊哩。」邵覺明俯下身去輕輕地說，內心充滿崇高、莊穆的感情，像一個戰士宣誓效忠他的祖國：「邵叔叔會保護你、扶植你，在人生崎嶇的旅程上，不讓你受到任何危害和苦難，直到你長大！」

編註：本文原刊於《海洋生活》第四卷第八期，一九五八年八月一日，頁五十八～六十八。

艾雯全集 8

小說卷三

森林裡的祕密

森林裡的祕密：台北市，台灣兒童書局，一九六二年七月初版。三十二開，一〇五頁。

◎復興書局版原目：

火的故事、鏡子裡的真理、腳踏車「飛利」、夜鶯和音樂家、兩學徒、人怎樣豢養了家畜、魔笛、神仙山、沙漠船、杜鵑花和杜鵑鳥、鐵幕裡的孩子、森林裡的祕密、童話・童年・童心（後記）。

◎說明：

本集據台灣兒童書局初版編入。

火的故事

親愛的小朋友，在沒有燈光的墨黑墨黑的黑夜裡，你不是會覺得有點兒膽怯?在沒有火爐的冰冷冰冷的嚴冬裡，你不是會有點牙齒相打?而要是拿沒有煮過的生米生肉給你吃，你能下嚥嗎?真的，火給人類的幫助是太大了。你一定會說：如果沒有火，這世界還成什麼世界呢?可是在很久很久以前，這世界確是連一絲絲一星星火屑都沒有的。你聽說過沒有?

那實在是很久很久以前啦，連你祖父的祖父還不曾出世哩。那時的人都住在山洞裡，石穴中。穿的是樹葉獸皮，吃的是生果生獸肉。每天每天，只要太陽一偏西，他們趕緊就把肚子填飽。太陽還在山背後探呀探呀時，他們已三三兩兩地鎖進洞穴裡去了。因為遲一點不但吃東西會錯塞到鼻孔裡去，連自己住居的地方還摸不著門洞哩。而在頂冷頂冷的冬天，凜冽的北風就似一支支尖利的刃首，無情地向石罅孔隙中直竄，厚厚的冰雪封閉了洞口，在洞裡，大家除了蜷縮在樹葉、乾草、獸皮上緊緊地偎依著，再沒有一點禦寒的東西。很多嫩弱的嬰孩，才從媽媽溫暖的肚子裡來到人間，因為抵抗不了寒冷的侵襲，馬上又吐著白沫沫，歎口氣死去了。多可憐的人類喲！只有在暖和的陽光下，他們才有生氣，才有活力。可是一等太陽下山，不得不回到冷冰冰的洞裡去時，又顯得瑟縮和沮喪了。人人都這樣想：「陽光一天照到晚該多好呢？」

真的，要太陽的光和熱無休止的延續下去該多好呢？人們不僅這樣想，這樣希望，也這樣祈求：每當太陽懸到正中時，他們便虔誠地跪下，懇切的禱告，禱告太陽菩薩憐憫他們的苦難，多賞賜些溫暖和光明……可是太陽始終只是嚴格地執行著它的任務，十二小時的工作完畢，它就毫不留戀地逕自走了，不管人類怎樣地哀求苦請。

「我們這樣祈求，恐怕離太陽菩薩太遠了，祂老人家是不是能夠聽到看到呢？」他們中間一個最勇敢的青年，在一天的祈禱又換來了失望後，這樣懷疑著。

「那麼怎樣才能接近呢？」別人問他。

「到祂住的地方去。」他說。

「住的地方？那不是在頂高頂高的天上。」

「只要朝祂出來的方向尋找去，我想總有一天能走到的。」青年斷然地說。

「恐怕不等尋到光和熱，自己倒早凍死在路上了。」一個懶惰的人這樣笑他。

「還是帶著老婆兒女一起去送死呢？還是留他們在家裡餓死？」一個有家室的人又這樣責問他。

「傻瓜才想得出這樣的好主意。」

然而青年不顧旁人的揶揄和譏諷，逕自揹上石刀和竹弓，邁步向東方走去，一路上，男人用嘲笑的眼光，女人用欽佩的眼光，孩子用驚奇的眼光，迎送著這個去尋求光和熱的怪人。

青年跋涉過數不清的叢山河流，跋涉過無窮盡的曠野草莽，餓了捕捉些山兔野獐，倦了就隨便找一個山洞石穴。走著，走著，最後一條湍急浩瀚的大河阻斷了路途，望望對面左右，全是白茫茫一片。他沿著河流走了七天七夜，依然是無邊無岸，實在疲瘁得走不動了，跌倒在海邊的蘆葦裡，但當他在第二天清晨醒來時，卻見河面在太陽光下閃呀閃的亮得耀眼，他試著踩上腳去，「拍達」滑了一跤，那冰冷邦硬的不是冰是什麼？他連忙高興地跳起來，就在岸上斫了支手臂粗的樹枝，撐著截著，從溜滑溜滑的冰上走過去，一路也不知道摔了多少跤，走到對岸時，兩個膝蓋已是跌得血肉模糊，並且還凍掉一隻小腳趾。

走著，走著，前面又是一座森林擋住了去路，裡面黑黝黝、陰森森地，那些奇形怪狀的老樹，就像一個個可怖的魔鬼，伸展著枝枝枒枒的手臂，這裡勾一下衣服，那裡扯一下頭髮。密密叢叢的荊棘鋪滿了地面，也不知多少惡獸毒蟲潛伏在裡面，青年一路披荊前進，足足在這不辨方向的黯慘天地中躑躅了九天九晚。這晚他實在疲倦極了，便用藤索將自己捆在一枝很高的樹枝上，可是睡到半晚，樹枝斷了，正把他跌在一堆荊棘中，他咬著牙拔出一根根扎得滿身的荊刺，血沿著荊刺直流直流，他痛得暈過去了。但等他醒過來時，卻重新看見了隔別九天的太陽。

走著，走著，太陽彷彿越來越大，越來越紅了，陽光射在身上也一天比一天炙熱。他正欣喜已逐漸接近了太陽，忽然又是一幢高山陡險地屹立在面前，山頂矗進了雲端，峰巒無垠無涯的綿延，沒有邊緣也沒有縫隙，沒有人類也沒有任何生物，就似走到了世界的終極。青年徘徊在山麓探索窺看，卻見遠遠一塊凸出的岩石上有什麼在蠕動著，他過去一看，原來是一個老人盤坐在石上，赤色的長鬚在胸前飄拂著，眼睛半啟半闔，看見他，從鬍子裡擲出蒼老的聲音。

「青年人，你來這荒山草莽，所為何事？」

「我，我來尋求太陽的光和熱，老丈，你能指示我嗎？」

「尋求太陽的光和熱？」老人拈著長鬚審視了他一番：「你相信那是可能的嗎？」

「我相信。」青年誠懇地答道。

「你有忍受一切痛苦困難的勇氣？」

「是的。」

「你有不惜犧牲的決心？」

「是的。」

「好青年，」老人微笑著摸摸他的頭髮：「那麼我告訴你：在這座深山的壑坳裡，便是太陽神的寢宮。」

「就在這深山裡？」青年驚喜地抬起頭來，只見山腰依然白雲繚繞，他恨不得像鳥兒般生一對翅翼飛上去。

「是的，就在這深山裡。不過上這座山就要莫大的耐心與毅力，到山頂後，那裡有一口池，你必須在池裡把自己洗滌乾淨，然後向東方跪下，當第一線紅光鑲上白雲，你便得將自己的鮮血灑瀉在周圍。──因為太陽本身太紅太熱了，除了比祂更紅更熱的東西，祂是看不見的。當太陽審視你時，你一定要忍受難熬的炙熱，鎮靜地訴說出你的願望。然後破開你的胸膛，將你的心做為祭禮獻納給太陽。這樣，太陽接受了你的獻禮，便會將火種撒留在你身下不為火焚化的任何東西上。但你必須注意的就是『誠』。不怯不懼。要不你的犧牲就只有讓餓鷹來享受了。」

「謝謝老丈的指示。」青年感激地磕下頭去。但等他再抬頭時，老人已無形無蹤了。

不管尖利的石刃劃破了手掌，不管嶙峋的石苗戳穿了腳心，崩墜的巖石差一點把他壓得粉身碎骨。數次失足，又幾乎在陡削地峭壁上滑下無底深壑，用力地爬，拚命地爬，青年終於鑽進雲層，爬上了山巔。在月光下，他尋到了那口霧氣蒸騰，清澈透明的池塘，水還是熱的哩！他洗滌了一番，便在嶙嶙的山頂上跪下，周圍的冷氣凍得他渾身抖慄著，彷彿連血都凝結了。一半天就像過了一世紀。慢慢地第一道紅光終於鑲上了雲邊，他拿起銳利的石片，在左手的血脈上割了一刀，鮮紅的血就似噴泉般汩汩地湧流出來，立刻他全身感到了炙熱，強烈的亮光射得他睜不開眼來。他喃喃地祈禱著，又用石片一割，胸膛裂開了，一陣難受的疼痛和更熱更燙的焚燒，帶著他的知覺消逝在火焰中。

火熾熠地燃燒著，毀了青年的身軀，燃著殷紅的血液，直竄進灰褐色的岩石裡，燒著燒著，石岩爆裂了，大大小小的碎石似一群墜星般，迸落在水裡，在地面，在人們聚居的地方，兩塊先後墜落的石子相互一撞，立刻冒出了火焰，火焰燒著了枯草，枯草又延燒到樹林，幾隻嚇慌了的野豬山牛，給煙火燻焦在林裡。

人們看到了火的光，感到了火的熱，也嗅到了烤獸肉的香味，是怎樣偉大的奇蹟喲！在墨黑墨黑的黑暗裡，人們敲一敲石頭，明亮明亮的火把立刻驅走了黑暗，在冰冷冰冷的冬天，人們敲一敲石頭，熊熊烈烈的火堆馬上嚇退了寒冷，而烤炙的熟肉又是怎樣地鮮美和乾淨了。

自然，人們不曾忘卻火的來源，不曾忘卻那位去尋求光和熱的青年，他們用石塊為他築起一座廟宇，尊他為燧人氏，億萬年受著人們的崇拜。

小朋友，你見過那灰褐色的石頭不曾？不是只是二塊石頭那麼一擊，或是用鐵器一鑽，便能冒出星星的火花來嗎？那種石頭就是燧石，又叫打火石，燧人氏從太陽那裡求來的火種，永遠、永遠不滅地在裡面燃燒。

鏡子裡的真理

過去，在歐羅巴州有一個很小很小的國家，那裡的國王是一代一代傳下來的，如果國王沒有兒子，那麼第一個女兒便可以登上王位。那時統治王國的恰好是個女王，可是她結婚了十四年，卻連一個孩子都沒有生。眼看王位將要落入別人手裡，她說不出的焦慮和憂愁，日日夜夜禱告著，祈求著，足足盼望了十五年，她總算生下了第一個女孩子，那便是曼麗公主。

女王是怎樣地欣喜喲！她赦放了牢獄裡所有的罪人。所有與曼麗公主同日同時出世的女孩都選入宮廷封為女官，同時還大開盛宴，全國放假慶祝三天。

女王為曼麗公主挑選了十個奶媽，二十個保母和四十個侍奉她的宮女。

小朋友，你一定聽說過人類的祖先原是由猿類進化來的吧。那麼曼麗公主的臉型是太像她的始祖了，不過世上做母親的總是「癩痢頭兒子自己的好」。在女王眼中，曼麗就是顆稀世的珍珠，人間的奇葩。何況她又是一位尊貴的公主，能夠見著公主的哪個不奉承稱讚！當她走到池畔，看見游魚沉下水底，奶媽便告訴她：

「那是因為公主驚人的美麗，使牠不敢仰視。」

恰好有隻受傷的雁兒從空中墜落下來，保母便告訴她：

「那是因為牠貪看公主的美麗，忘記了振翼。」

皎潔的月亮被雲塊遮掩了，宮女便告訴她：

「那是因為月亮覺得公主比她還美，所以躲了起來。」

盛開的花朵萎謝了，奶媽又對公主說：

「那是因為花兒自知比不上公主美麗，所以羞得閉攏了。」

曼麗公主就在阿諛和讚美中長大起來，她變得驕傲而暴戾。她總以為自己是世上最美麗女人，而一切美的事物只為陪襯她的美。

在曼麗公主十三歲的時候，女王又生了第二個公主——美娜，曼麗和美娜雖是同胞姊妹，卻一點也不相似，如果讓你看一眼曼麗公主，一定的你會很快的轉過臉去。要是看一眼美娜呢，那你便不由得想看第二眼、第三眼……但儘管美娜長得越看越可愛，同時還有一顆善良溫柔的心和同樣美麗的靈魂，卻得不到母親的寵愛，因為女王已把全部溺愛給了曼麗。宮裡的人也都巴結著女王的承繼者——曼麗公主。可憐的小美娜只是悄悄地像一枝曬不到陽光的玫瑰般慢慢長大，穿著曼麗撿剩的衣服，用著曼麗挑剔下來的物品——但她毫不介意，她那親切的微笑便勝過世上任何飾物。

時間一年一年很快地過去，美娜公主已經是亭亭玉立的少女了。而曼麗公主早就過了結婚的年齡，卻沒有一個求婚人，她是多麼地焦灼和著惱喲！她的母親為她擔憂著，宮裡的人更是惶急不安，因為曼麗越煩惱，她的脾氣也越難侍候。

女王與群臣商議的結果，決計為曼麗召開一個盛大隆重的舞會，給她有個擇伴的機會。

盛宴開始的那天，宮殿裡鋪著由二百個波斯匠人趕織起來的地氈，上面繡著背著肉翅的小愛神周比德，兩手曳著拉得滿滿的弓箭。鑲嵌在牆裡的燈投射出一片彩霞似的光輝，各色各樣的花朵從宮門口起一直堆砌到內殿，桌上的白玉杯、金銀碟、珊瑚筷，耀得人眼花。石拱門裡一個愛神維納斯的雕像、挽著一大籃鮮豔芬芳的玫瑰，每一位來賓拿一朵佩在襟上。這天的客人有鄰國的皇子、公爵，有本國的貴族、公子，曼麗公主那天穿著輝煌的金銀線長袍，珍珠綴成的腰帶重甸甸地懸垂著，胸前的鑽石像一堆閃爍的星星，手臂上也纏滿了翡翠瑪瑙，頭上戴一頂鑽石冠，中間巍巍巔巔矗著一大顆紅寶石的新月，那樣地光耀奪目，簡直就成了個寶石公主。至於美娜公主，只是簡單地繫一件月光似的長袍，束一條虹彩似的腰帶，在燦爛的金色長髮上繞一圈潔白的玫瑰，那模樣恰如叢林裡出來的仙女。

宴會動員了整個宮廷的文武百官，耗費了國家不少的錢財，曼麗公主還是失敗了，她炫耀自己的結果照例收到不少恭維和讚美。但當她覺察說的人全是低垂著眼而這裡面竟沒有一份真誠的愛慕時，她再也耐不到宴會結束，便一陣暴風疾雨般衝回自己的寢宮，憤憤地把寶石的新月摔成二截，珍珠似淚珠般撒落了一地，將自己擲進厚厚的鴨絨褥子裡。十幾個宮女戰戰兢兢捧著手巾、脂粉圍倚在一旁。

「妳們說，我究竟美不美？」曼麗公主猛然坐起來，一手把一瓶脂粉推翻得一地。

「美，美極了。」宮女們齊聲說。

「世上有比我美的嗎？」

「沒有。至少我們的眼睛還沒有見過比妳美的人。」

「那麼那些人全是瞎子、蠢豬！他們難道看不見？」

「不是看不見，是不敢看。」一個最伶俐的宮女說：「凡是最美的東西同最亮的東西一樣：人們都不敢睜大眼睛來看的。公主，妳見過誰敢正視那光芒萬丈的太陽不曾？」

「那麼，」曼麗公主又給奉承得轉怒為喜。「照妳說怎樣才能使人敢於正視呢？」

「遮蓋點什麼，看得見但又看不清。」

曼麗公主立刻下令織造匠用最細最輕的絲織成一張面網，當她帶上那張面網時，果然覺得人們都易於親近了。

那天是國慶日，曼麗公主穿著華麗的衣裳，戴著面網，同樸質的美娜公主共乘一輛用十六匹馬拉的馬車，緩緩地馳行過民眾夾道的街道，人們興奮地擲著帽子和手巾，車子經過時便發出雷鳴似的歡呼：

「美麗的公主萬歲！」

曼麗見人民這樣擁護她，心裡十分高興，心想讓他們看清楚自己的美麗，他們還不知要怎樣瘋狂呢。於是，她毫不遲疑的揭開了面網。

網一揭，人群裡立刻起了陣騷動，就在這一剎那間，一個孩子尖銳的聲音高過了一切叫起來：

「媽，看這個人多醜呀！」

孩子的母親一下子嚇得連嘴唇都發白了，連忙一手按住孩子的嘴，想朝人叢裡鑽去。可是，已經遲了。曼麗公主漲紅了臉吩咐車旁的衛兵。

「割掉他的舌頭！不說好話的孩子大起來不會是好人。」

「姊姊……」美娜扯住她的袖子想為孩子請恕，曼麗卻憤然摔開了她的手。

一聲慘叫突破了恐懼得凝固的空氣，曼麗公主這才傲然催促車夫，依然驅車前進。

馬車馳過一條街又一條街，這時來到最繁華的一條馬路上。金黃的斜陽正照射在一家店鋪門口，一片光耀眩目的亮光從哪裡反射到曼麗公主面前，閃爍得她眼睛都睜不開來。立刻，曼麗公主吩咐傳來了店主。

「誰讓你匿藏這許多鑽石，不向宮裡貢獻？」曼麗生氣地問：

「稟告大公主，這不是鑽石，是新發明的一種東西，名叫鏡子。」

「鏡子！鏡子是做什麼用的？」

「它可以使每一個人認識自己。」

「認識自己，也看得見自己的美麗！」

「是的。」

「噢，那真太好了！」曼麗公主高興得歡呼起來。「我擁有著全世界最美麗的美麗，但自己總沒有欣賞的機會，快！給我揀一面最大的拿來。」

店主立刻飛快地回去搬了一面鏡子，呈獻上去，曼麗公主接來望裡一看，只見一個奇醜可怖的人裹在一團珠光寶氣裡迎面向她撲來：一張狹長粗糙的面孔，眉毛像二把斜豎著的掃帚。眼睛鼓鼓地，就似乒乓球上嵌一顆桂圓核。一個給踩了一腳的大蒜頭般的鼻子，扁扁地鋪排在臉中央。嘴巴幾乎岔到了耳邊。三五個不平的大板牙翹在圓圓的嘴唇外……曼麗公主這一輩子還不曾見過這樣醜惡的人，她連忙將鏡子往地下一摔，慌亂地喚：

「打妖怪，打妖怪。」

「小民該死，駭著了公主。但請公主再仔細看看，那裡是絕對沒有妖怪的。」店主驚惶地說著，又急急忙忙搬了面鏡子來。

曼麗公主看了一眼，仍舊忙不迭地叫喚，馬上投給宮女們，但宮女們一個個看了全說只看到一個人，沒有妖怪。

「難道我還哄妳們不成！拿來我指給妳們看。」曼麗公主氣惱地叱責著。宮女們把持著鏡子，全把頭湊過來，曼麗公主只一看，那醜怪又鼓著眼直瞪著她。

「這不是妖怪是誰？」

宮女們妳看我，我看妳，一時說不出話來，一個嘴快的小宮女卻不知輕重的嚷了出來。

「那不是公主自己嗎！」

「這是我？」曼麗公主像給誰攔頭擊了一棒，身子一陣搖晃，她抬眼問宮女，宮女都不敢作聲，但她們臉上的表情分明寫了個「是」字。

「這是我，我便是這副模樣！」她從車座上站起來掙扎著走前二步，恐怖而絕望地看著鏡子。「這便是沉魚、落雁、羞月、閉花的容貌，這便是世上無雙的美麗！」她用抖慄的手指在鏡上指指截截，鏡中的醜怪也跟著她東指西截。曼麗公主只覺得天地在她面前崩圮了，世界在她面前覆滅了，眼前一陣發黑，她從高高的車中跌了下去，頭額正好觸著方才摔碎的碎鏡片，血流了出來，傲慢的曼麗公主，便帶著她無比的美麗，離開了人間。

女王悲慟不過，不久也跟著她溺愛的曼麗公主去了。

剩下善良、溫柔的小美娜，卻受著人民熱烈的擁護和愛戴。

世上醜惡的事物，任是怎樣掩飾偽裝，最後終究還是要暴露出本來面目，唯有真實和美麗，卻是永遠存在。

腳踏車「飛利」

我已搞不清我是怎樣給拼湊裝配成功的，我只記得當我才懂得人事時，我便穿著銀色和黑色的外衣，那麼雪亮筆挺的，排列在一群夥伴中，就像一隊精神抖擻，威風凜凜的軍隊，等待著司令官來檢閱似的，等待著一個個主顧來訪問，察看。我在外表上是應該列入比較矮小的一夥，而我也沒有在額上裝一盞燈來炫耀自己。但我短小精幹，有一副結實的骨骼。

我們在車行裡住的那個房子又暗又擠，整天充滿著一股難聞的機油味和鐵鏽味。我們最大的願望便是早日離開哪裡，到外面廣大的天地中去遛達遛達，在可愛的陽光裡奔馳一會。我們在世上的使命是服務人類，因此我更希望有一個和藹的，懂得愛惜我的人做我的主人。

不是嗎？小朋友，等待的時間是最教人不耐煩的，我那樣焦灼地左等右等，就好像過了幾百年似的。但要來的終究來了，那天店裡來了個主顧，是個穿大花襯衣的青年。看樣子，他應該是那些有著漂亮裝飾的夥伴的主人，不想他卻蹲在我身旁仔細地端詳起來，也許是我的身架更適合他短壯的腿吧，我想。

「它是飛利。好傢伙，又快又結實。」老闆鄭重地將我介紹給青年，彷彿他今天才發覺我的真正價值。

那青年用力在我身上按按，又用手指在我身上彈彈拭拭，又把我左右搖晃著，轉動著。最後覺得滿意了，他便掏出一疊花花的票子向老闆換得了我。當他緩緩地扶著我走出狹隘的屋子，走到外面那一大片明亮的陽光裡時，我真高興得想跳起來擁抱他，如果我的手臂不是這樣硬邦邦彎不轉的話。

我的新主人搭著我輕輕地往我背上一坐，一個搖晃，我幾乎跌倒下來，但他的手臂那麼一著力，腳那麼一使勁，我便輕快地轉著輪子向前滾著走了。車輪擦著光滑的地面一路小聲地吟唱著，騎在我身上的主人也吹著口哨。嘌！馬路上可真熱鬧哪，那麼多各式各樣的車子，那麼多來來往往的人，眼看著一輛大爬蟲似的車子，朝著我飛快的衝過來，我慌得什麼似的……但一瞬眼便閃電般交擦著過去了，摸摸身上卻已嚇出了一身大汗。

那一天我足足跟新主人在馬路上奔跑了一天，起初我還有點膽怯，慢慢地也就不怕了。從此，他更天天騎著我滿街飛跑。開始每天跑過後我都覺得十分疲倦，我還以為是自己不習慣的緣故。我就留心人家是怎樣跑的，這一留心，我才知道錯處不在我，而是主人實在騎得太快了。不但跟他同時出發的車子一會兒就把人家老遠地撒在後面，就是走在前面隔得遠遠的車子，他也要越過人家面前。太緊張了自然也就容易疲倦了。我一直擔心他騎得這樣快會闖禍，但他自己卻毫不在意。我也攪不清我的主人究竟是做什麼的，老愛穿些大花的，方格的襯衫。自己腿那麼短，偏又喜歡把我有彈簧的皮墊放得高高的，讓整個上身就伏在我臂上，有事無事成天騎著我滿天飛。你說他那樣飛快的騎著車子是趕去上學、上班嗎？嘿！才不是那麼回事。不是上電影院，就是去咖啡館，去海灘上，再不就叫我跟著人家女孩子的車子跑，怪沒趣的。

主人可以選擇我們，我們卻不能選擇主人。不是嗎？我雖然不大滿意這個主人，但我還是盡力的為他盡義務，不管怎樣疲倦，可一天也沒有偷過懶，現在追想起來，那時我如果偷一下懶，也許就不會釀成那樣的大禍了。

提起那天的事，到現在我還是心驚肉跳。那真是我生命史上最慘痛的一頁。我還記得那是日曆上印著紅字的一天，人們把那天叫星期日。那天的天氣確是可愛，那天街上的車和人也特別多。我的主人照例悠舒地伏在我臂上，使勁地踏著我跑。我們超過十五輛三輪車，越過八輛腳踏車，接著又趕上二輛公共汽車。兩旁的房子、樹木、電線桿，像一些模糊的影子一般掠過。我大聲地提出警告，說是這樣太危險了。但我的主人卻似絲毫聽不見似的，兩隻腳一起一落地踩得更快。我覺得我的頭暈眩了，氣也喘不過來……就在這時，斜刺地忽然衝出一輛卡車來，我的主人這才一凝神，趕緊伸手去捺煞車，可是那已經太晚了。溜順了腿的輪子一時收煞不住，一股勁地朝著卡車猛然衝去，只聽見「砰」的一聲我便失去了知覺。

當我從疼痛中哼醒來時，我發覺我又躺在一家車行中。兩個滿手污穢的人正蹲在我身畔，毫不憐憫地在我身上敲敲拆拆。我這才看見自己渾身斑斑駁駁的創傷，竟變得那樣地狼狽難看。我的雙臂和前輪全彎折了，車槓壓癟了，鈴子也啞了。凹陷的地方更不知多少。銀色和黑色的外衣破碎剝落。我咬著牙齒忍受他們在我身上用力地錘著、絞著、鉗著，凹下的敲平了，曲折的錘直了。幾次我痛得暈了過去，我也弄不清他們究竟動了多少次手續，但我總算又活了過來。那天來接我回家的是僕人阿保，我很想問他主人怎樣了？他又聽不懂我的話。到了家裡，也沒見著主人，只聽見他的聲音在房裡哼著。後來才聽得阿保他們說摔傷了腿。腿壞了自然也用不著我嘍，就這樣，我傷好了回家沒幾天，又重新換了個主人。

這個主人是個小胖子。長長的頭臉活像一只冬瓜，冬瓜上嵌了一對小眼睛，看起東西來就瞇成一條線，眼角裡常常留著一顆綠稀稀的眼屎。衣服也老是髒兮兮的。冰冷稀濕的手就像二條鮎魚搭在我臂上。他是一個雜貨商人，因此我除了載負他那胖身材外，常常還得載負不少貨物，自從受過那次傷後，我的身體已沒有從前硬朗了。那過重的負載總是壓得我骨骼作響，渾身痠疼。冬瓜臉還有個拖鼻涕的兒子，他只要瞅著我一有空，便想法來折磨我，腿夠不著坐墊，腳就從車槓底下插出去，歪著身子跟猴子一樣攀附著我，一扭一歪的，走不上三五步不是一撒手將我往地下一拋，便是把我猛力向牆上或電線桿上撞去，我的身上總是給撞得青一塊腫一塊的。舊傷未好，又給加上新創。那些日子的生活簡直就是受罪。

冬瓜臉主人待我可真疏忽，他用得著我的時候，就盡量把一箱箱一簍簍的貨物往我身上堆。用過馬上將我往屋隅一擱，自己就來不及的跑進店堂裡去，數鈔票，打算盤，管自搞他的生意經。我身上淋了雨，濺了泥，也從來不說給我洗洗拭拭。螺絲釘鬆弛了，他不旋緊，機件失靈了，他也不給我吃點油。一天天下去，我的神采全讓泥灰掩蔽了。水漬更把我的衣服浸得生了鏽。跑起來不但一身鬆弛沒勁，還發出一種難聽的聲音。我幾次哀求著：

「給我洗個澡吧，給我吃點油吧！」答覆可總是那一片滴滴搭搭的算盤聲響。

這可不能怨我哪！只做不吃的事誰又支持得了，就在一個梅雨天，他在我身上擱下二大簍鹹魚，一大箱茶葉，還有一箱醬油、皮蛋什麼的。再加上他自己這個胖冬瓜，壓得我骨頭都快斷了。我勉強喘著氣載著他們，偏生路又泥濘，一不留神在拐彎時碰上顆石子，頓時一肚子彆著的氣全打從破裂的輪胎裡洩了出來，連人帶貨一股腦兒傾倒在地上。冬瓜臉從地上爬起來，按著跌痛的屁股瞪了我半天。見我那副癱瘓的樣子，只得喚了一輛三輪車來把貨裝上，自己扶起我來端詳了一會，好像第一次才看見我那營養不良，滿身傷痕的可憐相。搖著冬瓜頭歎了口氣：

「這膿包車子真沒有用！得賣掉它買輛新的。」

小朋友，你說我冤枉不冤枉！我出力跟他做了那麼許多事，他自己不曉得顧惜我，把我蹧蹋成這副模樣，倒說我膿包沒有用。要不怕你笑我流眼淚才真的沒有用的話，我氣得真想痛哭一場。

冬瓜臉把我送進一家人們叫作委託行的商店，那裡什麼都有得賣，我去時，一個不大顯目的牆角裡已蹲著不少夥伴了。店主把我端詳了半天，也跟我在胸前佩上一張同它們一樣的紅紙條。我又跟著來排隊了，不過現在可不是過去那支威風凜凜等待司令官來檢閱的隊伍，而是一些負傷憔悴的敗兵。

好些比較整齊的夥伴都讓主顧挑選去了，新夥伴又陸續加進來。我同一個比我更難看的夥伴被擠到貼壁的角落裡。儘管有不少東張西望的眼睛，卻沒有兩隻在我身上逗留過一分鐘的。我是多麼地憂傷而又不甘心啦！只是兩個不小心的主人把我蹧成這樣。其實我還很年輕呢，難道就一輩子給人類棄了嗎？但是，烏雲是不會永遠遮住太陽的。那天我終於在許多東張西望的眼睛中，發現了一對注意我的眼睛，接著眼睛的主人也走過來了。那是一個十三、四歲的學生，他看了我半天，又瞥一眼我胸前的紙條，臉上露出一種戀慕的神情了，輕輕地扯一下旁邊那個中年婦人。

「媽，妳看這輛車子。」

那婦人也掀起我胸前的紅紙來看看。

「家裡離學校那麼遠，我常是遲到。如果有這樣一輛腳踏車就好了。」

「那自然。」婦人放下紙條，有點歉疚地說：「可是，家琦，你當然知道我們沒有這許多錢。」

家琦聽說便不響了，臨走時還回過頭來深深地看了我一眼，那眼光裡包含了那許多渴望和戀慕，以致我恨不得馬上跟了他出去。

從此，家琦每天挾著書籍走過店門口，總是停下來看我一眼。那份親善給我悲哀的心帶來不少安慰。

天慢慢熱起來，街上看不見揹書包的學生了。接連好幾天沒有看見家琦，再見到他時，卻見他腋下挾了一大疊報紙，來回地跑著，有時又是大把的愛國獎券，我心裡覺得很奇怪，別的孩子放暑假不是去玩，便是溫課，怎麼他一人只是滿街地跑呢？就這樣過去了好些日子，一天家琦一臉高興地走進店裡，這次同來的是一個中年男子，家琦一直把他帶到我面前，指著我說：「就是這輛。」

那男人仔細觀察了一會，點點頭說：「骨架還不錯，就是欠修理，價錢公道，不過……」他說到這裡顯得十分難過。家琦看出了他的猶疑，連忙接上說：「爸爸，我只是請你來看看買它是不是合算，至於買的錢我已經帶來了。」家琦說著便從褲袋裡摸出一捲鈔票來。那中年男人看了，臉色忽然變得很嚴厲，忙問家琦：「你哪裡弄來這許多錢？」

「一部分是省下來的點心錢，其他統統是我在暑假裡賣報賣獎券賺來的。」家琦從容而帶著點驕傲地說。那中年人「呵！」了一聲，半晌沒有開口。我看見他眼睛裡亮晶晶地閃著些什麼，掩飾地轉過臉去。

他們終於付了錢帶著我走了。到家裡，父子兩個就把我拆開來狠狠地洗擦了一番，給治好了傷疤又抹上些油漆，我覺得一身說不出的輕鬆和舒服。我又重新獲得了新的生命力。

我每天伴送著小主人家琦上學，他也待我很好，每晚都得跟我渾身檢查一遍，仔細地拭擦著，不留一點泥灰在我身上。他也懂得我的脾氣，曉得我的性格。我們互相關切著，可真像一對好朋友哩！

如今我才體會到「服務為快樂之本」是怎麼一回事。

夜鶯和音樂家

小朋友，你見過夜鶯嗎？那是一種玲瓏秀麗的小鳥，短小的嘴，長長的尾巴，披一襲灰黃色的羽衣，露出潔白的胸部。牠有一副清脆的歌喉，是大自然最傑出的歌唱家。白天牠忙著尋食，而晚上，尤其是有月光的靜夜，牠便展開嗓子，唱一個痛快。只是牠氣量狹小，容不得有比牠唱得好的，要是逢上敵手，牠寧願犧牲也不願失敗。

一天晚上，一隻驕傲的夜鶯飛進了一座美麗的花園，牠降落在白石砌成的噴泉池上，用牠的小嘴飲著清涼的泉水，悠閒地整理著光滑的羽毛——忽然間一縷輕柔的音樂像一道電流襲擊著牠小小的身軀，牠立刻緊張地豎起了頭上的羽毛傾聽著，然後一振翼向音樂的來處尋去，在一棵矮矮的山茶樹上停下來。樹斜斜地覆蓋著一扇窗子，而窗裡，一個年輕的音樂家正聚精會神地在奏小提琴——他正為即將演奏的音樂會練習。

奏完了一曲，音樂家緩緩地舒了口氣，抬起頭來向窗外望去，就在這時，他聽見一聲呼嘯，像利刀劃破了堅冰般尖脆。音樂家探身窗外，驚奇地張望著，這時上弦月十分明亮，一抬頭，他看見了枝上的小鳥。當他抬頭向牠看時，牠也正側著頭，用那種挑戰的神情俯視著他，方才那一聲呼嘯，好像是說「看我的！」於是牠挺起潔白的胸腔，昂著頭，便對著月亮唱起來。牠唱得那麼婉轉，那麼動聽，唱得月亮的臉更蒼白，唱得星星閃著眼睛，唱得樹葉屏息凝神，唱得小草昏昏欲睡，花朵如癡如醉……夜鶯半閉著眼，盡情地歡唱著。歌聲一停，便氣也不喘一口，拍拍翅膀傲然飛走了，不給音樂家一個讚美牠的機會。

年輕的音樂家立刻回到桌上，展開紙筆，把夜鶯方才唱的歌用音符寫下來，自己照著歌譜練習了一下，到第二天晚上，他已奏得跟夜鶯唱的一樣好，當他滿意的重複了一遍時，夜鶯又按時飛來歇在山茶樹上了。

驕傲，驕傲使夜鶯喪失了記憶，牠完全忘記音樂家拉奏的就是牠自己昨晚所唱的。牠只覺得他奏得比昨晚更好。於是牠又負氣地唱起來，唱得比昨晚更久，也更好，唱完照舊一刻不停的飛走了。而音樂家也照舊把牠的樂曲記下來，在小提琴上演奏……就這樣，一晚又一晚，音樂家奏過夜鶯的曲子，夜鶯自己又接上唱一個，一晚比一晚唱得好，一晚比一晚唱得長久。那晚，圓圓的月兒分外明亮，音樂家照例靜靜地聽著夜鶯的歌唱，忽然發現那看來一直是精力充沛的小鳥兒，已沒有前時那般美麗和整潔了。光滑的羽毛顯得十分凌亂，潔白的胸脯沾上了黑污，而嬌小的身軀也消失了往日的豐腴——是的，那倔強的小夜鶯日夜只惦念著牠的歌曲，以致累得沒有精力也沒有時間去尋食和修飾自己了。當牠唱完一曲，振翼欲飛時，身體忽然那麼猛然向下一墜，音樂家正待去扶助時，牠又努力恢復了平衡，用盡力量鼓舞著翅膀，頭也不回的飛走了。

「牠也許唱得太累了，」年輕的音樂家望著一點灰黃色很快的消失在黑暗裡，默默地想：「讓牠休息休息吧，可是——牠是多麼驕傲喲！」

第二天，音樂家極力壓制著自己，不去拉提琴。可是到了晚上，那渴想聽夜鶯歌唱的欲望像火一般焚燒著他的心，他忍耐再忍耐，最後還是奏起了提琴——夜鶯照例飛來了。當牠歇落在樹枝上時，胸脯劇烈地起伏著，樣子很疲累，牠還是頭一昂唱了起來，在歌聲中音樂家彷彿看見燦爛的朝陽從樹巔緩緩地升起來，大地甦醒了，晨風吹著輕俏的口哨，追著急急忙忙逃走的夢，樹葉悉悉索索地交談著，一面抖去綠衫上的露珠，把酣睡在葉叢裡的鳥兒吵醒了，一個跟著一個唱起來，小草跟著歌聲輕擺著腰肢，花朵兒布散著醉人的芬芳。一支清溪挾著歡笑，從山上奔下來，流過草地，穿過森林……驀地歌聲中斷了。音樂家看見夜鶯從樹上一個翻身摔下去。他連忙跳出窗子，在草叢中找到了夜鶯，頸子已折斷了，從嘴裡流出來的鮮血染紅了旁邊的一株白玫瑰——可憐的小夜鶯，牠為著滿足自己的驕傲，已嘔盡了心血，拚完了精力。

音樂家悲痛的捧起了夜鶯的屍體，用白綾裹著，裝在檀木製的小盒子裡，就埋在山茶樹下，把那株給血染紅的白玫瑰移植在小小的墳墓上，這時月亮彷彿不忍看這傷心的場面，躲進了雲堆，雨悄悄的落著灑在玫瑰枝上。音樂家靠著山茶樹輕輕地、沉痛地，把夜鶯唱過的歌重奏一遍。

音樂會開始了，年輕的音樂家在台上莊嚴的演奏著夜鶯的樂曲，一個接著一個，末了是一支為紀念夜鶯而作的夜鶯曲。當演奏進行時，台下萬千聽眾肅然無聲。有幾個少女卻偷偷地抽出手巾來擦眼睛。等音樂一停，台下立刻轟雷般響起了掌聲，有的要求再演奏一遍，有的請他簽名，獻給他的鮮花使他分不出手來接受——年輕的音樂家成功了。

每晚，年輕的音樂家不會忘記在夜鶯墳前奏一遍牠的樂曲，墳上的玫瑰花不斷的開放著，每一朵都是一半雪一般的潔白，一半血似的鮮紅！

兩學徒

陽泰是一個聰敏勤懇的孩子，按他的年齡，正同小朋友們一樣的是求學的黃金時代，但他卻是個沒有父母的苦孩子，小小的年紀便不能不以勞力來換取生存。他在一家煤炭店裡做學徒，每天除了搬煤秤炭，還得幫老闆娘帶孩子、燒飯，忙得氣都喘不過來。他唯一的安慰便是老闆他們都睡覺或出去了，剩下他一人照顧店門時那份空閒，他便拿一支削尖的炭塊，在地下鋪開平時撿來的廢紙，聚精會神地畫出他認為美麗的事物，不管是一幢房子，一輛牛車，一棵樹或是一把壺，他都能用心的塗塗畫畫，反覆地畫上好幾遍，直到畫得他自己感到滿意為止。往往在他正畫得出神忘情時，頭上會猛然的落下巴掌，畫成的畫被撕得粉碎的擲到街心去，接上是一頓痛罵。但他卻並不因此灰心，相反的興趣卻更濃厚。

那天中午老闆們全午睡去了，店裡靜悄悄的，陽泰照例鋪開他的陣地，歪著頭一筆一筆的塗著，突然背後一個聲音說：

「左邊這棵樹畫得小一點，不然就分不出遠近了。」

陽泰吃驚地回過頭去一看，原來是隔壁鐵鋪裡的小學徒榮生，他提著筐來秤炭的，卻站在後面不聲不響看起來。

「你也喜歡畫畫嗎？」陽泰第一次發現與他興趣相同的人，十分高興地問。

「自然囉，從前我在學校時圖畫老是得甲的。」榮生說起從前，有點兒感傷。

「那麼現在呢？」

「現在哪裡還有空！」榮生悻悻地踢著那只炭簍子說：「而且顏料紙筆什麼也沒有。」

「顏料紙筆！」陽泰一字一頓地念著很是羨慕。他一轉念卻將那支木炭舉到榮生面前。「可是我覺得這個炭筆也滿好畫的，明天我給你削一支，我們一起來畫好嗎？」

「好的。」榮生的興趣又被陽泰鼓舞起來，他高興地答應著。這時鐵匠老闆已一疊聲的在喚「榮生」，榮生連忙秤好炭趕回去。

從此，兩人有一點空暇便花在畫上，兩人沒法在一起作畫，只有選定一個題材，畫好了大家批評，討論。半張或一幅人家遺棄的舊雜誌上的畫頁，成為他們收藏的寶貝。兩個有著相仿命運又有著相同興趣的孩子，不久便成了最親密的朋友。

時間慢慢地過去，陽泰和榮生始終不懈地畫著畫著，對圖畫都有了點基礎，同時兩人都脫離繁重的學徒生活而「滿師」了。在僱傭期間兩人都可以拿一份微薄的工資。普通一般店夥唯一的奢望就是慢慢地積蓄一點錢，待將來成一份家，自己開一爿店。但陽泰和榮生卻有著同樣的野心：進美術學校，或是找一個名畫家傳授，這都是很花錢的事，而且時間也不能拖得太長久。因此兩人總是苦苦地商量著，計畫著有什麼更好的方法。一天晚上榮生躺在牀上想著想著，忽然給他想出了個好主意，他興奮得來不及等到天明，便跳起來去敲陽泰的門，急急地告訴他：

「像我們這樣等下去天曉得要等到什麼時候，我倒想出了一個主意，就是用拈鬮的辦法，誰拈著去的，便拿了兩人的錢先去，不去的照常做工，工資留起來做先去的學費。第一個學成歸來，第二個也照這樣去做，省得兩個都耽擱了。你覺得我的方法好不好！」

「好極了！」陽泰很高興地接受了榮生的建議，馬上便找出兩張白紙，上面寫了「去」和「不去」，揉小了擱在茶杯裡。

兩人都摸了紙團，戰戰兢兢地打開來，陽泰一看忍不住歡呼著跳躍起來，榮生卻低下頭默默無語，但一會兒他就撇開自己的難過，為友人的幸運祝賀著。

陽泰興高采烈地出發了，不久他就考取了一個有名的美術學校。榮生還是照舊在店裡打著鐵，當他那強烈的求知欲衝動時，他便丟下工作，拿起木炭來一個人畫上半天，而陽泰的信更是他最大的安慰，他常是反覆地誦讀著信裡那些有關學校的描寫，彷彿自己親身經歷著似的，但學校裡費用越來越多，為了不使陽泰因為繳不出費而退學，榮生不得不花費更多時間在工作上，以致連他的木炭畫也慢慢疏淡了。最後陽泰快畢業了，他在給榮生的信上說很希望出國去深造，但苦於費用沒法籌措。榮生接著信考慮了一夜，決計回信去叫陽泰儘管照計畫做去，費用他可以設法。從此，他便日以繼夜的作雙倍的工、三倍的工……這以後，他便再沒有時間和精力去摸一摸那支木炭筆了。

陽泰出國了，陽泰在藝術界有了點名聲，陽泰終於載譽歸來了。鎮上的名人全去車站歡迎他，陽泰一下火車，首先便在人叢中尋找老朋友榮生，他們兩人全高興得說不出話來，陽泰謝絕了一切宴會，逕自同榮生回至鐵鋪裡。陽泰又擁抱著榮生感激地說：

「榮生，謝謝你，我有今天的成就全是你促成的。這下該輪到你去了。」

「不，陽泰，看到你成功，我已經滿足了。」榮生含著兩眶熱淚，忽然這樣宣布。這使陽泰驚異不住。

「榮生，難道你竟然經不起時間的考驗嗎？」陽泰猶自試著用話激勵榮生。榮生忍不住了，他抬起眼睛，將伸出兩隻手抖慄著舉起來說：

「我，我已經不能握筆了。」

陽泰看那兩隻手時，幾乎懷疑自己看錯了。那原是會畫會寫的手，如今到處都布滿了火的烙印，粗糙的手掌裡，是重疊的硬繭。十個手指因為用力過度，全變得粗笨僵硬，再也不能自由彎曲了。無疑的，使手變成畸形的正是那過度的打鐵工作——為著供給陽泰。

「親愛的榮生，你太偉大了。我不曉得該怎樣報答你！」陽泰握著那可怖的手在臉上按著，在唇上吻著，又緊緊地按在胸前，激動的熱淚滴在手上，榮生也摟著他喃喃地說：

「不要這樣，陽泰，我們是好朋友，你的成功也就是我的成功。」

人怎樣豢養了家畜

在很久很久以前，人和獸都平等的住在樹林裡，互不侵犯。那時大家吃的都是生長在地面的植物，誰也不曾嚐過肉是什麼味道。就連最兇猛的老虎、獅子也是素食動物。因為大家都不曉得肉好吃，所以誰也不想謀殺誰，相處得十分和好。

有一天，一隻小白兔不知怎麼失足從山崖上跌下來，流了很多血，奄奄一息地躺在路上，正好老虎打從那裡經過，沒精打采地，因為沒有好好地飽餐一頓青草，肚子還是癟的。忽然間牠嗅到一陣很新鮮的氣息，那是牠從來不曾嗅到過的，牠順著這氣息找去，便看到了受傷的小白兔，血正從牠頭上汩汩地流出來，那熱烘烘的、新鮮的氣味也從哪裡發散出來。飢餓的老虎被香味所引誘，忍不住伸出舌頭舐了一下，這一舐牠嚐到了生平從未嚐過的美味，牠高興極了，越舐越起勁，最後血舐光了，竟三口二口把整個小白兔吞了下去。

從此，貪饞的老虎便再不願吃青草而一心想吃肉了。只是牠還不敢公開捕殺同類，只是暗暗地守在那些生了小鹿、小羊、小牛的窠穴邊。一等大鹿牠們出去找食去，便把那些沒有抵抗能力的小東西偷吃了。那些鹿媽媽、羊媽媽常常一轉身就不見了牠們的小寶貝，傷心得什麼似的，可是她們不知道是同類中的老虎吃掉的，還疑神疑鬼地以為樹林裡出了什麼妖怪。

那天有隻母馬，把小馬哄睡了，就走出去吃草，可是她走了一半路，忽然記起「妖怪」的事，連忙又不放心的轉回去看看，小馬是不是安全。當到達窠邊時，卻見一隻老虎伏在那裡，小馬已經不見了，她慌忙問老虎有沒有看見牠的小馬，老虎只是搖搖頭。她看著老虎的樣子有點古怪，不聲也不響，而且鬍子上還沾著紅稀稀的什麼……她心裡一跳連忙大聲同老虎說：

「請你開口答應我一句話好不？」

老虎還是搖搖頭，她忍不住將前腳去捫老虎的嘴，不想老虎張開血盆大嘴就來咬牠的腳，幸好牠縮得快，只咬到二個腳趾。牠還來不及喚痛，老虎已猛的竄起來，露出藏在肚子底下的半隻小馬，向牠撲去，母馬也顧不得疼痛，轉身就逃，老虎怕牠把牠吃肉的祕密洩漏出去，也連忙追上去。但老虎究竟沒有馬跑得快，而且又吃得太飽了，跑過了三個山巔便伏在地上跑不動了。

母馬聽到後面沒有追的聲音。便在一座樹林裡歇下來，牠想到小馬給老虎吃了，忍不住傷心地大哭起來，住在樹林裡的人聽到了哭聲，就跑來問牠，牠就把老虎吃小馬的事告訴了人，並且懇求人幫助牠報仇，人想了一想說：

「好吧，可是我走不快，你得駝著我。」馬也答允了。人怕馬去踢老虎時又給他咬了腳，於是磨了四塊鐵給她釘上。自己又紮了一張弓，削了幾支箭和一根長矛，便跳上馬背出發去找老虎。

老虎正起勁地在啃一隻小牛，看見馬帶了人來，馬上放下小牛便來抓馬，人不等牠跑近，颼的一聲一支箭射了過去，正好射中牠的左眼，老虎只痛得在地上打滾。人又走近去用長矛在牠腹上戳了二下，老虎再掙扎了幾下便不動了。

母馬見人代牠報了仇，十分感激，向人謝過了，便請人從牠背上下來。可是人卻搖搖頭說：

「噢！這下我可不能離開你了，我替你殺了老虎，從此老虎便和我結了仇，要是我遇到牠逃又逃不快，豈不讓牠吃掉？再說你要沒有我，見了老虎又怎樣對付呢？」

馬說：「那我不是要一輩子駝著你？」

人說：「是一輩子跟著，譬喻說平時你就幫我做事，一有老虎來我便騎到你背上去同牠打仗。同時我還給你吃，給你住，保護你的孩子。」

母馬一想到這條件還不錯，於是便允承了，高高興興地負著人回去，便在人那裡待下來。

這時樹林裡的野獸都已知道老虎要吃肉，會偷偷地襲殺牠們，大家都很恐慌。牛、羊、豬、狗、貓原是住在馬附近的，聽說馬不但有人保護牠，還供給吃的。大家便商量著一齊投奔人去。

人說：「歡迎，歡迎，只是我們的糧食辛苦得來很不容易，你們用什麼來交換呢？」

牛說：「我雖然沒有馬跑得快，我的力氣卻比牠大。」

人說：「那麼你就幫我耕田吧。」

羊說：「我雖然不會做什麼，但我願意把我輕軟的毛送你禦寒。」

那時人穿的都是樹葉，自然高興有一件皮衣禦寒，也把羊留下了。

狗說：「我最機警，我的嗅覺很靈，我還有一個好嗓子。」

人說：「那麼你擔任警衛吧！」

貓一時想不出自己能做什麼，正好一隻老鼠偷了穀從穀倉裡出來，就說：「我給你守著穀倉，不讓老鼠來偷。」

人點點頭，最後輪到豬了，豬說：「我有一個很大的大肚子，我最愛睡覺，我喜歡在泥窪裡打滾，我……」豬想來想去想不出自己還有什麼能耐。人就說：

「我用不著你，你請走吧！」

豬聞著了人拌給馬吃的糠食，早便饞得直嚥口涎，這下聽說人叫牠出去，只急得兩隻大耳朵亂晃，哀求地說：

「請留下我吧，我寧可吃飽了由你們宰我吃我，不願意餓著肚子給老虎充飢。」

人見牠這麼一說，也就把牠留下了。

人特意為牠們築起堅固的柵欄，讓牠們住下，牠們也安心地住著一代一代繁殖起來，成為人類最親密的朋友。

魔笛

方明原來是一個很幸福的孩子，當他爸爸媽媽還在世上的時候，他在學校裡的功課很好，他有很多朋友，最好的朋友是王村長的女兒小英。他最喜歡的東西是一支竹笛，全村子就沒有一個人吹得有他那麼好。爸爸媽媽疼愛他，認識他的人誇讚他，可是現在，他卻是全村子最可憐的孩子，不管天冷天熱，他總是穿了一件破短衫出去放牛。回來吞兩碗沒有菜的冷飯，有時還要餓肚子。雖然小英有時候仍舊偷偷地同他玩，她的爸爸王村長卻三番四次的告誡她不准她同方明在一起，不然敲斷她的腿，可憐的方明，除了兩隻不會說話的牛和一支笛子，再沒有人同他親近！

方明還記得那永遠忘不了的一年，親愛的媽媽病死了，爸爸也悲痛成病，當他病的沉重的時候，他便喚來了方明的叔叔——他的親弟弟。

「我一死，可憐的明兒在世上就只有孤零零一個人了，弟弟，如今我把他交託給你，千萬看在兄弟的情分上，好好的照顧他。所有的田地財產也交給你保管，等明兒十八歲時再交回給他。」方明的父親拉著他弟弟的手，上氣不接下氣地囑咐著。他弟弟連忙懇切地湊到哥哥耳邊去說：「哥哥你放心，你的孩子也就是我的孩子，我自會好好的照顧他。」

父親點點頭嚥氣了。方明便落到他叔叔手裡，叔叔和嬸嬸把他看待成牛馬還不如，五六年來方明便在吃不飽穿不暖的奴隸生活中過去了。如今他已過了十八歲的生日，他記起了父親的遺言，向叔叔去要回田產。

「叔叔，我滿了十八歲已經可以自立了，請把父親的產業交回我。」

「你瘋了！」叔叔聽了他的話，像給黃蜂螫了一口似地咆吼著。「我白養了你這些年，不向你算飯帳，你還找我要，你倒說說看，你那個窮老子交給我什麼來著？」

「這死鬼真沒有良心，你說你父親有產業交下來，你倒拿出憑據來看看！哼，餵隻豬也賺個千兒，白養了你這些年，還反咬一口。八百哩！」嬸嬸也尖起嗓子在一旁助威。

方明吵不過他們，受了一肚子的委屈，只得在牛棚裡嗚嗚地吹起笛子來，吹出自己說不盡的怨憤……不想他叔叔餘怒未消，跑來「拍啦」一聲，把笛子打斷了。

方明實在傷心透了，牛也不管，低著頭便一個人跑出去，跑過一座山，又跨過一條溪，最後，他走得一絲力氣都沒有了，跌倒在一座茂密的竹林裡。他想著死去的爸爸媽媽，熱淚湧上了眼眶，小溪般流到草地上……突然淚眼模糊間，他瞥見了一枝奇異的竹子在他身旁搖曳著，那竹子比別的竹子都生得直，翠綠的身桿上灑著一朵朵褐色的斑紋，非常美麗。方明想這也許可以製一支笛子吧！於是立刻用小刀把竹子鋸了下來，細心地雕著刻著。一半天笛子製成了，當他放在唇畔吹出第一個節拍時，他立刻為那奇妙的聲音高興得跳起來，接著他便沉住氣吹下去，忽然一隻膽怯的松鼠聽著樂聲在他旁邊跳起舞來。接著從樹上又飛下兩隻黃雀，草裡又鑽出一隻野雉，一會兒只聽得林中悉悉索索響，獅子同著大蟒，猴子同著山豹，還有狼、兔子、老虎……一起都手舞足蹈的圍著方明跳起舞來。方明看著心裡害怕，但知道牠們一定是著了笛子的魔，他越加一口氣不敢歇地用力吹著吹著，牠們也拚命地跳著、跳著，直到一個個跳得筋疲力竭，呼嚕呼嚕地喘著氣，方明才把笛子一停，牠們統統癱倒在地上，像死了一樣的躺著。於是他帶著笛子悄悄的離開牠們。

回到村子裡，他一走進叔叔家裡就吹起笛子來，立刻他的叔叔舉起煙袋，嬸嬸拿著鐮刀，還有堂弟堂妹一起瘋狂地跳起舞來。跳著、跳著，他們實在跳不動了。一起向方明求饒：「停了吧！再跳下去要斷氣了。」

方明不聽，還是一股勁的吹著。他們又苦苦地求他：「停了吧！只要你不吹，你要什麼都給你。」

方明說：「別的我什麼都不要，只要把我父親的產業還我。」

他叔叔嬸嬸一口答應了，並且發誓不食言。於是方明把笛子一停，他們一個個死了似地癱瘓在地上。

方明有了自己的房子，自己的田地，而且也不再受人奴役了，他預備挺起腰桿好好地做一番事情。可是每天工作完畢後，他卻感到了寂寞。他想起了跟他最要好的小英。於是他帶了笛子上王村長家去，他告訴王村長，他想跟他的女兒結婚。

「滾出去！」王村長叱責道：「我的女兒會嫁給你這個無賴，做夢！」但方明沒有滾，他只拿起笛子放在嘴上一吹，立刻王村長便瘋狂似地跳起舞來，跳到後來實在跳不動了。只得氣喘喘的向方明告饒，答應把小英嫁給他。

方明帶著小英回到自己家裡，兩人很高興地談論著今後的計畫：他們要建造一個美麗的農莊，除了稻、蔬菜和果子，還要種許多許多花。農人們住的白色小屋子便圍在花叢裡，還要養許多許多牛、馬、羊、雞、鴨。還要造一個兒童樂園……講著，講著，小英便枕著方明的手臂，兩人一同甜蜜的睡熟了。當他們正在做夢時，方明突然從夢中驚醒過來，卻見房裡亮亮的，他嬸嬸舉著火把，叔叔拿著刀，王村長拿著叉，正走到他牀前預備殺死他，就在這一剎那間，他連忙抽出枕頭底下的笛子擱在唇畔吹起來……直到他們一個個都跳得死了似地癱倒在地上。於是，方明給嬸嬸手裡拿過火把，向小英說：「走吧，讓我們離開這些貪婪、自私而殘忍的人，離開這個村莊，到很遠很遠的地方去開闢我們的新天地！」

他們兩人手挽著手走出大門，帶著那支魔笛走到很遠很遠的地方去了。小朋友，當你們發現一個美麗的農莊時，不要忘記問一聲他們的主人是不是方明和小英。

神仙山

春天了，太陽暖烘烘的，和風輕輕地吹著，樹木穿著翠綠的新裝，花兒吐著陣陣的芬芳。這樣的天氣，誰都想玩玩耍耍，蹦蹦跳跳，何大海跟一條街上住的張華、王雅明他們便舉行了一個放風箏比賽。何大海花了三天功夫，紮了一隻大鷂鷹，足足有小桌面那麼大，兩個翅膀會上下鼓動，頸上還繫了個風哨。到了比賽的那天，何大海帶著他的鷂鷹去場上集合時，已有不少小朋友在那裡圍著。王雅明紮的是一隻大蝴蝶，張華紮的是一隻大蜻蜓，還有紮的蜈蚣和蜂的，都很好看，但大家一看見何大海的大鷂鷹，立刻就一窩蜂到他身邊來，「嘖嘖嘖」地誇他的鷂鷹神氣，一定是第一。可是光紮的好還不算數，還要看誰的飛得最高最遠。於是大家就一起到郊外的小土山上去放，起初，何大海的鷂鷹因為太大了，半天都不能起飛，急得何大海臉都漲紅了，跑得氣咻咻地直喘氣，眼看別人的風箏一只只都上了天，正當他覺得絕望時，那隻鷂鷹忽然一抖翅膀，像活的似的，那麼輕捷的離開山脊，飛箭似地向天空射去，很快就超過了所有的紙鷂，他忙不迭的放著線，一大圈細麻線一下就剩下了一截，繫住在自己手腕上，但那股勁還在往上竄，往上竄，他覺得自己的力量已拉不住紙鷂了。

「哎呀！鷂子要把我帶到天上去了，你們快拉住我！」何大海驚恐地大叫起來，可是話話剛說完，身子已輕飄飄地往上升起來，先還聽見小朋友的聲音在底下叫喚著，越飛越高，聲音也越來越遠，最後只聽見呼呼的風響，他嚇得閉上了眼睛，只是緊握住繩子，飛著，飛著，也不知飛了多久，突然身子在重重地往下一墜，鷂子線斷了。他張開眼睛往下一看，嚇！好一座嵯峨嶙峋的大山！何大海又連忙閉上眼睛，心裡想這下跌下去一定是粉身碎骨了，就在這麼想時，身體猛然一震，就像我們撐竿跳時跌在沙坑裡一樣，原來他正落在一個很深很深，人跡不到的山谷裡。地下堆積的枯樹葉足有二三尺厚，軟軟的，倒像只棕棚牀。他發覺自己沒有受傷，十分高興，稍微定了定神，便站起來去找出路，這山谷宛如一只大水桶，四面全是陡峭的絕壁，休想爬得上去。何大海兜著走了半天，連一線生路都沒有。最後，找得筋疲力盡的，他一不留神被地上纏蔓的藤蘿絆倒了。當他爬起來時，卻發現山麓一大簇七纏八結的藤蘿叢中，似乎有隱約的亮光，他連忙用身邊帶來的小刀，割斷了幾枝鑽進去探看。啊！藤蘿後面原來掩蓋著一個山洞，有一個人那麼大小，那點微弱的亮光便是從這洞裡射出來的。何大海喜出望外，也不管裡面有沒有野獸，一步一步小心的往裡走，大概走了二百多步，一拐彎，再轉出一座石屏，「啊！」他驚喜地喚了一聲，站在洞口怔怔地呆住了。

莫非是來了神仙世界嗎！人間哪有這樣美麗的地方！觸目都是開得燦爛如錦的花，果實纍纍的樹，那些花，有很多都是何大海從未看見過的，紅的紅得紅緞子似地發亮，黃的黃得像天鵝絨，還有許許多多顏色，看得眼睛都花了。成群美麗的大蝴蝶翩翩的在花間飛翔。各色各樣大大小小的鳥雀，從這枝樹跳到那枝樹，唱著好聽的歌曲。就在花叢果樹間，嵌著一條清潔的，白石砌的道路和一幢玲瓏可愛的，白石砌的屋子，路和屋子都白淨得就同才經過雨的洗沐，在陽光下閃閃發亮。屋子後面遠遠的是一片片的稻田，田裡長著碧綠的稻禾，田徑上也開滿了花，成群的羊牛雞鴨在綠氈似的草坪上悠悠地啃草。一支清澈的小溪，環繞著樹林、花叢、白屋、田野，活潑地歡唱著，躍進著，空氣裡瀰漫著濃郁的花香……何大海正看得出神，忽然覺得頭上被什麼擊了一下，接著一只紅熟的蘋果滾到他腳畔，他抬頭一看，只見一隻猴子蹲在樹梢上，正向他扮著鬼臉哩！

就在這時，他聽見一縷輕快的音樂，彷彿一支泉水從天空奔瀉下來，跟著這樂聲，不少的人從屋子裡，田野中，樹林內，一起擁到白石砌的路上，年輕的攙扶著年老的，孩子們牽起了手，唱著，跳著，向一座很大很大的白屋子走去。這時，有一個健康、整潔的，年紀跟何大海差不多大的男孩子走了過來，很驚奇地向何大海打量了一眼，然後，有禮貌地向他彎彎腰問道：

「請問，你是從『那個世界』裡來的吧！」

「噢，我不曉得『那個世界』，我是給紙鷂帶來，迷了路的，這裡又是什麼地方？」何大海看看自己破爛齷齪的一身，慚愧地說。

「這裡叫連心國，我聽見我祖父說過：很久很久以前，有一個那個世界的人來過這裡，我們一直都想看看那個世界的人是什麼樣子的，如今你來了，我要去告訴他們，噢，快同我來吧！」那孩子立刻熱情地牽住他的手，拉著他朝大房子跑去，穿過一間很大很大的大廳，他們到了一座美麗的大花園裡，草地上安排著一列一列花崗石的長桌子，大家正團團圍坐著，愉快地說著話，那個孩子把掛在門口的鐘繩一拉，鐘聲響了，立刻一切聲音都停止了，大家都向門口望著，孩子把手一舉，大聲說：

「報告大家，這裡我帶來了一位貴賓──『那個世界』裡的人！」

「歡迎！」「歡迎！」所有的人一齊歡呼著，像一股浪潮般向他湧過來，立刻就把他們淹沒了，最後，有一個樣子很魁梧的老人，拉著何大海的手，慈祥地問他：

「小客人，你是怎樣來的？告訴我們那個世界是什麼樣子。」

「世界大得很哩，我登的那個地方，只是世界的一個角落。」何大海迷惑地說，又把紙鷂的故事講了一遍，大家又是一陣鼓掌歡呼。

「我猜你一定餓了，阿平，」老人喚那個帶何大海的孩子，「你帶這位小客人去洗個澡，到一號倉庫拿套衣服讓他換了再來吃飯。」

何大海換上跟阿平一樣的衣服，也是跟大家差不多的衣服，覺得自己也變得整潔而漂亮了。阿平帶他在一列石桌面前坐下，一個穿白圍裙的人，推著食物車子，送到他們面前，阿平替他端了一缽米飯，二個蛋，二份蔬菜，還有三樣水果。何大海覺得那米飯特別香甜，蔬菜也比家裡的好吃得多，吃完飯何大海也學著阿平的樣，把盆子疊在左邊的人盆上，左邊的人又這樣疊過去，疊到桌子頭上，已疊成高高的一疊，推車子的又來收了去。

「大人每一個人有三天輪值做這樣的事。」阿平指著推車子的人告訴何大海，「還有煮飯、弄菜、洗碗碟的。小孩子就幫著摘果子，我最喜歡摘果子了。」

「那麼你們上不上學？」

「為什麼不上，我們從六歲到二十一歲都是讀書的時候，二十一歲以後，就可以隨自己的高興去做事了，到過了七十歲，便憩在家裡，一方面照料那些花木。」阿平說。

「你們大起來做些什麼事呢？」

「嗬，做的事可多著呢！」阿平眨了眨眼睛扳起手指來數，「願意種田的就種田，願意織布的就織布，還有教員、工程師、醫生，什麼的多得很。我們這裡一共有衣食住行四個大部門，譬如衣部，就統計全國有多少人，每月大概要用多少布，又有多少人會紡織的。每個人每天要工作多少小時，都分配好了的。織布的就光管織布，造房子的就光管造房子，要什麼國家都分配好了，不用操心。」

「那不做事的也可以照樣有吃的穿的住的？」

「那個——我還沒有聽說過有誰不做事的，我只曉得我們都高興做事，如若誰不做，我相信他良心要受責備的。」

「也有貧富的分別？」

「貧富？我不曉得這兩個字怎麼解？我只曉得我們都生活得一樣的快樂，如果有誰發明了一樣新的東西，一定是大家都有得享用的。」

「噢，你們這裡太好了！」何大海羨慕地說，好像聽了一則神話。「那麼管這些事的是誰呢？」

「國王。」阿平用敬愛的語氣說：「就是剛才同你說話的老人。」

「是他？」何大海心目中的國王總是高高在上，十分威嚴的，但他看不出這國王與別人有什麼不同。「他不是跟你們完全一樣的？」

「當然一樣的。就是因為他能幹，我們才選他做國王。」

這時，大家在草坪上休息了一會，娛樂開始了，有人奏起樂器，年輕人同著年輕人，孩子拉著孩子，一起跟著音樂跳起舞來，老年人則在旁邊笑著打拍子，跳呀跳的，何大海忽然看見阿平打了個寒顫，接著國王兩手一擺，說：

「我覺得很冷！」立刻那些跳舞的人，也異口同音的說：「冷！」「冷！」可是何大海一點也不覺得冷。

「一定是有人遭遇了意外，去海邊找一找。」一批青年停止跳舞，很快地出發去找。半晌，攙扶了兩個渾身透濕的人回來，原來是打漁翻了船。國王首先把自己的外衣脫給一個人，另外幾個也照著做了。並且叫他們趕快去暖一暖，大家這才暖過來。何大海看了不懂，問阿平：

「你們怎麼曉得有人掉進海去？怎麼一下又喚起冷來？」

「我們的心是連著的，有人受冷，大家就會感到冷，有人挨餓，大家也會感到餓，有人悲傷，大家一起感到悲傷。因為我們快樂，所以大家都快樂。我們不會讓一個人單獨去忍受苦難的。」

一會，音樂停了，大家又回到自己工作崗位上去。國王向何大海招招手要他過去，親切的問他：

「小客人，你是不是願意留在這裡，進我們的學校，做他們一樣的工作？」

「願意，當然願意！」何大海連忙點著頭，簡直有點喜出望外。

「那麼，你就住在阿平家裡好了。」國王一說，阿平深怕失去了何大海似的，緊緊地握住了他的手。

何大海住進阿平家那玲瓏整潔的白石屋去了。阿平的家人對他都同對阿平一樣好。他同阿平進了一個學校，學校一點不像他從前上的那樣拘束，也沒有那麼多枯燥的，硬性規定的功課，擠得他喘不過氣來，大哥哥似的老師，常常提出一個問題讓同學們自己研究，討論。同學們都很親愛。何大海覺得一切都十分新鮮、有趣，可是，他心裡卻一直打著個結——想爸媽。他想要是把爸媽接來這裡住多美！

他把這念頭告訴了阿平，阿平想了一想，告訴他說：他們這裡一向與外面隔絕，除了很久很久以前有二個人要到那個世界去看看，結果去了以後便永遠沒有回來，出去了是不能回來的。但何大海一定要這樣做，阿平只得同他去見國王。國王見他一定要回去，只得找了一個叫「萬事通」的老人和一個壯漢送他出洞，大家送了他不少水果點心，還有玉石，到了洞外山谷中，壯漢便拿一圈很長的藤向山頂上一拋，正好攀住了一棵大樹，他將一頭繫住何大海，一頭便拿在手裡慢慢扯著，等他上了山崖，二人便馬上收拾藤索，一晃就鑽進洞裡不見了。

何大海仔細辨明了方向，便用小刀斬下些樹枝，一路插著做標記。他下了山走了三天才回到家裡，他的父母正以為他死了而傷心地病在牀上，見他回來高興得病也好了，摟著他又哭又笑，何大海結結巴巴把自己去的地方告訴了雙親，他們都半信半疑，他又拿出沒有吃完的山果和晶瑩的白玉作證，他們才信了，於是答允同他到連心國去。可是到了山上，那些標記卻不見了，再也不能找到山谷。大家只得悻悻下山，問問住在山腳的人都說不知道有這樣的事，只聽說這山上有神仙住著，有時上去伐柴的人，可以聽到很好聽的仙樂，也不知從哪裡來的，但從未見過一個人。

沙漠船

葆葆過五歲生日的那天收到了不少禮物，其中她最喜歡的是三叔送的一隻駱駝，駱駝有一身軟軟的，咖啡色的絨毛，兩顆紅色的圓眼睛，耳朵小小的貼在頭上，長頸下懸著銀鈴，一動它便叮噹叮噹響個不停。在它的鼻端和駝峰間還繫了一根翠綠的絲帶。葆葆跟它取了個名字叫——羅羅。

葆葆真疼她的羅羅，騎小腳踏車時她把它放在車上，擺姑姑筵時她請它上坐，就是在門口同小朋友作遊戲時，懷裡也總抱著羅羅。天天早晨，葆葆的媽媽替葆葆梳頭髮時，葆葆也拿把刷子刷著羅羅的絨毛。有時候葆葆還把摘來的紅燈籠花，編成美麗的花環替羅羅戴在胸前。

可是，有一天早晨，葆葆睡覺起來照例要抱起羅羅來親一個嘴問聲早安時，忽然發現羅羅身上那根漂亮的綠絲帶斷了，一截一截散在桌上。「哎呀！誰把羅羅的絲帶弄斷了？」葆葆急得大叫起來，把正在廚下忙早飯的媽媽叫得跑了進來，「一定是妳吃了糖的手弄了絲帶，晚上讓老鼠齧斷了。」媽媽說，一面安慰著急得想哭的葆葆：「不要緊，回頭媽給妳找根帶子繫上。」

可是媽媽找不到絲帶，媽媽只有繩子。

「繩子繫得痛死了，又不漂亮。」葆葆不願意她心愛的羅羅繫上根難看的繩子，把小嘴翹得高高的。媽媽說：

「今天下雨，明天去買菜給妳買一根好了。」明天，明天不還得過一天一晚！羅羅沒有帶子繫著不會逃走嗎？她記得隔壁小穉家養的一條狗，不是因為鍊子斷了就走不見了。葆葆越想越不放心，這一天她不管吃飯，上茅廁，做什麼都帶著羅羅。到晚上要睡覺了，葆葆只怕羅羅在她睡熟時偷偷地跑走，把它藏在自己的被窩裡。可是她剛一闔上眼，就聽見鈴聲叮噹叮噹的，她連忙一摸被裡，羅羅已經不在了，月光從窗裡照進來，看見羅羅正悄悄地向外跑哩。「羅羅！」葆葆大聲叫它，它好像沒有聽見。葆葆又叫了兩聲，它還是頭也不回地向門口走去，走到門口時門自己開了，羅羅便走了出去。葆葆急得連鞋子也來不及穿，從牀上跳下來就追，追到門外，她抬起頭來一看，不由得一下子怔住了——月光下走著的竟是同電影裡看到的那樣大的駱駝，她的小羅羅卻不見了。葆葆走近去，頭只到牠腹部那麼高，而高高隆起的肉峰就像兩座小山。可是葆葆依舊認得出這是她的羅羅，她鼻子底下那一截斷了的綠絲帶還在哩。

「羅羅，我這麼喜歡你，你就捨得走嗎？你要到哪裡去呢？好羅羅，跟我回去吧。」葆葆牽不到那根絲帶，只得拉住羅羅頸下的長毛，一面跟著牠走一面小聲小氣的懇求。心裡又想，要是羅羅真的回去，怎麼走得進大門！

羅羅俯下毛毿毿的臉來，望著葆葆磨動著嘴巴。

「我不會逃掉的，我只是想回家去看看罷咧。」

「羅羅，原來你會說我們的話喲！」葆葆忽然又高興得拍著手叫起來。「快告訴我，你的家在哪裡？」

「在蒙古，從這裡往北走就是。」羅羅說，「妳是不是願意去玩玩呢！我相信我家裡的人一定很歡迎妳的。」

葆葆猶疑著，她實在想看羅羅家裡和羅羅家裡人是什麼樣子，同時心想跟著羅羅一起走，羅羅就是想逃也逃不掉。可是葆葆長這麼大，從來就沒有離開家裡人單獨出去過。

「快點說嘔，我還得趕路啦。」羅羅催促著，葆葆連忙點點頭，羅羅就把前腳向裡一彎跪坐在地上說：「那麼，請上去吧。」葆葆用力爬到羅羅背上，就在二個肉峰中間的凹凹裡坐下來。噢，軟軟的，可比什麼椅子都還舒服。羅羅緩緩地站起來，邁開腳步，便開始出發了。

羅羅走了不遠，便在一條河邊停下來，半天半天地呷著水，呷得坐在背上的葆葆也不耐煩起來，她大聲警告著：

「羅羅，喝那麼多水，當心肚子脹破了呀！」

羅羅又呷了半天水，這才噴一口氣，悠舒地抬起頭來對葆葆說：「你們人只有一個胃，我們卻有三個胃咧。有一個胃是專門蓄水的，渴了時就放出來喝，還有我們的肉峰裡面也藏著不少脂肪，餓了時它就跑進胃裡去。要不這樣，我們又哪裡能走過那沒有水也沒有食的沙漠！」

「啊！你為什麼不早告訴我哪裡沒有水也沒有食物？」葆葆慌張地說，「你有水有脂肪吃，那我吃什麼呢？」

「我倒忘記了，」羅羅抱歉地說：「這裡有椰子，妳就摘一些帶去吧。」於是葆葆就爬到樹上去，摘了不少椰子，用藤繫著掛在羅羅背上。

走著走著天慢慢地亮了，路上的房屋和樹木也越來越稀少了。當朝陽上升時，他們已走到了沙漠邊沿，只見黃慘慘一片無垠無涯的沙土，周圍沒有一株樹，一莖草。羅羅的腳踩下去一直淹沒了腳脛。風吹上來都是熱烘烘的。忽然一陣風吹過，悉立索落的沙撲到葆葆臉上，連眼睛都睜不開來，葆葆連忙雙手按住臉，伏在駝峰上，只聽見風的聲音越來越大。忽然又聽見羅羅驚惶地說：「快點，快下來伏在地上。」葆葆抬起頭來一看，啊！太陽不見了。前面一片黑壓壓的就像暴風雨前的烏雲般直奔過來，大把的沙土打得臉上發痛。這時羅羅已伏了下來，葆葆也趕緊一骨碌跳下來俯伏在沙裡，只聽見風怒吼著，天彷彿要坍下來的樣子，沙礫就同密雨似的撒在她背上。她一動也不敢動的伏了半天，這才聽見風慢慢地小了。羅羅在她旁邊說：「好了，起來吧。」

葆葆好容易抖去背上壓得重甸甸的沙土，站起來前後一看，太陽依舊黃澄澄地照著，只是在他們身後不遠卻添了座山。

「我們來的時候可沒有爬山啊？」葆葆指著山問羅羅，羅羅說：「來的時候本來就沒有山，這就是剛才風颳起來的沙丘，如果我們走慢一點，現在就壓死在底下了。」

「好危險呀！」葆葆伸伸舌頭，撣去身上的沙土，重新爬到羅羅背上。走著，走著，忽然看見遠遠的有一些黑影子移動著，慢慢地走近來了，風裡送來一陣很好聽的鈴聲，原來也是一隊駱駝，背上大包小裹的負著不少東西，由幾個頭上纏著布的人牽著走，只是那些駱駝背上都只有一個肉峰。

「我們這一族都是生長在中國北部的，而牠們是生長在印度和非洲的。就像你們東方人都是黑髮黑眼而西方人卻是黃髮碧眼一樣。」羅羅向葆葆解釋駱駝為什麼有雙峰和單峰。

「你們常常這麼背著不少東西在沙漠裡跑來跑去嗎？」

「嗯。」羅羅點點頭說：「因為我們的氣力大，腳底厚，身上又藏著水和糧食，可以三四天不吃，沙漠裡只有我們才能來往，所以人們替我們題個綽號叫『沙漠船』。」

「沙漠船，這名字真好聽！我以後就這樣叫你好不？」葆葆疼愛地拍拍羅羅的頭，羅羅抖一抖頭毛，銀鈴便叮噹叮噹響在寂寥的沙漠裡。

走著，走著，葆葆的椰子已吃光了。猛烈的太陽無遮無蓋的曬著，曬著葆葆口渴得喉嚨發痛，不住地嚷著：「水呀，我要水。」羅羅安慰她說：「忍耐著吧，快到了哩。」可是葆葆實在又餓又渴，一點力氣都沒有了，只是閉上眼軟弱地伏在肉峰上。忽然羅羅大叫起來，「看！前面不有些樹嗎？有樹的地方就有水了。」葆葆打起精神朝前面一望，可不真有幾棵椰子樹似的樹畢直的站在藍天下，樹下有一個水塘還浮著青青的水草。一到那裡，她便來不及等羅羅停下來，跳下來就從沙灘下滾了過去，連頭帶臉一起浸在水裡，她從來就沒有覺得水竟有這般可愛？葆葆又喝又洗的泡夠了水，這才看到遠遠的前面有一大片青青的草原，草原上零零落落地紮著些大饅頭似的帳篷。

「那是蒙古包。」羅羅告訴葆葆，「蒙古人就住在哪裡面，他們常常搬家，哪裡的草長得茂盛，他們就趕著他們的牛羊，帶著蒙古包住到哪裡。走吧，馬上就到我家啦。」

羅羅的家在一個山坳裡，四周是密密的樹和高高的草。羅羅在喉嚨裡哼了幾聲，立刻跑出一大一小兩隻駱駝來，牠們一見羅羅，又是親鼻子，又是擦身體，羅羅把葆葆介紹給牠的媽媽和妹妹，葆葆學著電影上的樣子，拉著裙子蹲了蹲腿。牠們卻用毛毵毵的臉摩著葆葆的臉，葆葆差一點想打噴嚏。牠們都很親切招待葆葆，羅羅的媽媽每餐都為她預備了新鮮的果子，羅羅的妹妹帶著她各處去逛，葆葆看到了很多新奇的東西。可是她卻一天比一天不愉快，一到晚上睡覺的時候，心裡更像有許多小蟲在齧著。一天她忍不住對羅羅說：「我們回去吧，羅羅。」

「羅羅是不去妳家了。」羅羅的媽媽說：「牠爸爸、哥哥都替你們人去服務了，家裡剩下我們一老一小，寂寞得很，我要留牠陪我哩。」

「羅羅，你真的不回去了嗎？」羅羅低著頭不響，葆葆急了。「羅羅，就是你不回去也得送我回去呀！」

羅羅還是不開口，羅羅的妹妹卻岔出來說：「要是送妳回去了，你們還不是會把牠留下來的，妳要回去，最好還是一個人回去吧。」

「我一個人怎麼會走那怕死人的沙漠？羅羅，好羅羅送我回去吧，媽媽不見了我一定急壞了。我要媽媽，我要媽媽呀！」葆葆拉著羅羅急得哭起來了……

「葆葆，媽媽在這裡呢？」一個熟悉的聲音在葆葆耳邊溫柔地說。葆葆猛地睜開眼睛，卻見電燈亮亮的，媽媽正彎著腰看她哩。她勾著媽媽的頸子，半天說不出話來，忽然又想到了什麼連忙在被子裡一摸，羅羅當真不在！

「啊！我的沙漠船真的回去了。」葆葆慌張地坐起來，想跨下牀去，媽媽一手抱住了她。

「什麼蛤蟆蟾？」

「就是羅羅嘛。」葆葆還是掙扎著要下來，媽媽一彎腰，在牀面前撿起了駱駝，笑著說：「這不是妳的羅羅嗎？自己把它踢到牀底下去了，還在說夢話。」

葆葆見了羅羅，這才放下心來，連忙緊緊地抱著它，又鑽到被窩裡去了。

杜鵑花和杜鵑鳥

親愛的小朋友：我猜你們都一定見過杜鵑花來，每當春夏兩季，那些紅得十分鮮豔，有點像喇叭的花朵，開滿在山坡上，小溪畔，把大自然裝點得非常美麗。但還有一種鳥也叫杜鵑，也許，你們都還未曾見過，這兩個有著相同的名字的植物和動物之間，據說有一段很淒婉的故事，自然，那已是很老很老的傳說了，如果你已把功課做完，那麼，先將書包收拾好，慢慢地聽我講給你聽。

杜鵑鳥比鷹小一點，有一身灰黑色的翎毛，長長的尾巴，紅色的嘴，頭上還頂著一頂肉冠。牠們是一種多情的鳥，很愛自己的家屬，只是生來卻笨得很，連一個自己住的巢都造不起來。因此，牠們平時總是在別的鳥巢裡借宿，甚至生下蛋來也放在別個的巢裡，等蛋孵出小鳥，小鳥長大了再遷走，那些做為房東的鳥差不多都是跟杜鵑很親善的，牠們之間也就少有衝突。

有一次，有一對新婚的杜鵑，牠們盡情的在天空翱翔著，在林間追逐著，正玩得十分高興，忽然雌的杜鵑按著肚子叫起痛來，她知道自己是要產卵了，可是在附近的樹上卻找不著一只巢。最後，牠痛的實在飛不動了，在一株禿禿的枯樹上發現一個很大的鳥巢，牠們從未見過這樣大的鳥巢，心裡雖然疑惑，迫切間卻也顧不得怕了。雌杜鵑一蹲在巢裡就叮囑雄杜鵑：「快去找點食物來，預備給寶寶生下來吃！」於是，雄杜鵑拍拍翅膀，很快的飛走了。

可是，等雄杜鵑高高興興的啣了一條小青蟲回來時，卻見鳥巢是空的，只在巢裡剩著一根破殘羽毛，牠認識那正是牠親愛的伴侶尾巴上的羽毛。

可憐的雄杜鵑不見了牠的伴侶，傷心得什麼似的。但牠還有一線希望，希望她是因為去找牠而迷失了路，牠抖開嗓子，拉長了聲音在樹林附近呼喚著：「不如歸！」、「不如歸！」回答牠的只是風穿過樹葉簌簌地響。

杜鵑不食不飲，不憩不睡，只是瘋狂了似的，飛來飛去呼喚著，悲啼著，牠那光澤發亮的羽毛黯淡了，牠那美麗的肉冠垂倒了，牠的聲音啞了，喉嚨破了，每叫一聲便有一滴鮮血從牠嘴裡滴下來。但牠還是不停地啼，不停地喚。一個晚上，牠已是疲倦不堪，縮在一角樹枝下聲嘶力竭地啼著，一滴一滴從牠嘴裡滴出來的鮮血，正好滴在樹下一叢小白花上。

這是一叢瘦小卑微，從來不為人注意的小白花，平常總是開放一半天便悄悄的萎落了，可是，當杜鵑啼出的血滴落在它身上後，一晚間卻變得茁壯茂盛，繁榮的枝葉間開滿了一朵朵鮮豔紅嫣，小喇叭似的花朵，這花現在便叫作杜鵑花。

自然，杜鵑花開的時候，也是杜鵑啼的時候，如果你到山林裡去靜靜的聆聽一回，也許可以聽到牠那「不如歸」、「不如歸」的啼聲——牠們永遠這樣悲悲切切地啼著——這便是杜鵑鳥和杜鵑花的一段故事，但故事不一定是事實。親愛的小朋友，這些日子杜鵑花正開得滿山滿谷哩，揀一個星期日可以去郊外看看，你們還記得那支杜鵑花的歌嗎？一開頭不就是……淡淡的三月天，杜鵑花開在山坡上，杜鵑花開在小溪畔……

鐵幕裡的孩子

彭大為有一種絕技，就是吹口哨。他不但會吹奏各種好聽的歌曲，還會模仿各種的鳥叫。如像黃鶯兒、雲雀、杜鵑、畫眉等等。他學得那麼像，那麼好，當別人只聽見他的口哨，而沒有發現他的姿容時，總不由得抬起頭來看看，空中是不是有那種鳥飛過。

可是現在彭大為已有很久很久沒有吹口哨了。自從街上多了些戴紅星帽，穿列寧裝的人，而自美麗的青天白日滿地紅的國旗，換上了可怖的五星旗，自從偉大，慈藹的總理和蔣總統的肖像，換上了那些大鼻子，長髮頭的醜像以後，彭大為再沒有吹口哨的心情。

彭大為的家裡是做豆腐生意的。在沒有「解放」以前，他父親和他的哥哥彭大有兩個人做豆腐，還僱了個打雜的夥計幫手，彭大為在小學念書，他母親便在家裡料理家務。生意做得順手，生活過得安安樂樂。眼看那年彭大有要娶媳婦了，老夫婦正計畫著怎樣從正屋旁邊，搭出了一間小屋子來做新房。忽然消息傳來，說是換了朝代，是「人民共和國」，是共匪的天下了。

「不管它是什麼政府，什麼朝代，我們做生意的還不是照樣做生意嗎？」彭大為的爸爸這樣說。可是事實上卻不是那麼一回事。共匪來了不到兩個月，生意越來越難做了，各種各樣的「捐」、「稅」一重重加到頭上來。他們負擔不起，只得把做了五六年的夥計解僱。但隔不了好久，彭大為的哥哥又給共匪強迫去參軍。彭大為的媽媽一氣一急，得了個心痛病，終日躺在牀上，哼哼唧唧地呻吟，推磨做豆腐的工作，便完全落在彭大為父子的肩上。

彭大為的爸爸究竟是上了年紀，加上近來家庭的變化，心裡的擔憂，身體慢慢衰弱了。他推不了幾下磨，就累得又喘又咳，而彭大為比那座笨重的石磨，只不過高出一個頭，必須在腳下填上磚頭，才能勉強推動，父子倆就這麼更番輪替著推磨，包製豆腐，而彭大為每天還得把一板一板豆腐，頂在頭上，到街上去叫賣。可是儘管這麼辛苦，掙來的錢，除了「支前」納稅以外，剩下還不夠吃飽肚子。

有一天下午，彭大為賣完了豆腐，便揹一只篾簍出去撿引火柴。可是在附近的郊野尋了半天，還撿不到柴枝。他一邊尋一邊走，不知不覺來到一座山腳下。那座山叫作迴屏山。很高，也很陡險。他曾聽人家說有游擊隊匿藏在山坳裡。共匪一向是離得遠遠的不敢走近去，老百姓為避嫌疑，也很少上山。彭大為在學校讀書時為了蒐集植物標本，曾去過那座山上。他知道有一條荒僻的小徑。那裡有許多枯乾的樹枝。於是他毫不猶豫的就尋路上去。

山上很靜，茂密的松林，把陽光篩成滿地錦繡，涼爽的山風，把彭大為心裡的煩悶吹散了。彭大為不由得抬起頭來，仰望著藍天，撮起嘴唇，做了兩聲長嘯——就在這時候，在彭大為後面的叢林裡，輕悄悄地走出一個比他大些的少年。他的手裡握著一枝槍，態度很機警。

「同志，你是？……」那少年遲疑地問，一面做出警戒的姿勢。彭大為吃了一驚，想要轉過身跑開，可是那個少年喊道：

「啊，彭大為！」

「史紹華，原來是你！」

兩人迎上一步，緊握著手，一時高興地說不出話來。

史紹華是和彭大為最好的一個同學。因為他有一個哥哥在台灣當空軍，共匪便給他家裡加上一個「國特之家」的罪名。他的父親活活給「鬥爭」死了。他跟他的母親被「掃地出門」——就是趕他們出門，討飯過日子。可是共幹禁止這一區的人施飯給他們，結果他的母親餓死在一個破廟裡。隔了一天，史紹華也不見了。

「我以為你也給那些狗子害了。你怎麼會來這裡呢？那麼你是不是……是不是游擊隊？」彭大為躊躇半天，才掙出這一句話來，又用驚訝的眼光打量著史紹華。

「是的。」史紹華點點頭，一手撫著槍柄，沉痛地說：「我永遠忘不了這一筆血帳。我發誓要親手殺死那些魔鬼。」

「你學會了打槍？」彭大為忍不住伸出手去摸那擦得發亮的槍。

「當然的。」史紹華的眼睛閃著光。「上次射擊比賽時，我還得到滿分的成績哩！」

「你們每天練習打靶嗎？」

「嗯，可是也得念書、耕作，還要放步哨。」

「那多好！」彭大為羡慕道：「那麼能不能請求你們的大隊長收留我？」

「那個……」史紹華躊躇地望著他。

「你知道我有足夠的勇氣。」彭大為懇求著。

「我不是說那個事情，我是說你不比我，若是你一下失蹤了，那些狗子們一定會到你的家裡去找麻煩的。」

彭大為像當頭給人澆了一盆冷水般，沮喪地低下頭不做聲。

「其實你不一定要到山上來打游擊。」史紹華安慰他道：「你可以在山下做情報工作。就是打聽狗子的消息來告訴我們。」

「喔，這個工作我可以試試看。」彭大為又重新振作勇氣來。

「好吧，你不能在這裡耽擱太久了。」史紹華端一端槍，儼然用大人的口氣說：「我們應該說再見了。」

「且慢走！要是有什麼消息要來報告，怎樣招呼你們呢？」

「像剛才一樣，吹兩聲口哨——這是我們的暗號。」

彭大為沒有話說，他跟史紹華握了手，說聲：「再見」就下山了。當他走了幾步再回過頭去看時，史紹華的影子已沒有了，只有風吹著樹葉簌簌地響著。

●

每天，彭家是這一條街上起得最早的。當彭大為到河邊去挑水時，星星還沒有下去哩。有一天他照例在河裡舀滿了兩桶水，然後用手掬起冰冷的水來洗臉。一抬頭，卻見河的對面一幢屋子裡，亮著燈光，還有搬運重物的聲音。他知道那屋子是中蘇貿易公司的倉庫。可是在這深夜裡，鬼鬼祟祟地搬東西，總有點蹺蹊。於是彭大為便揀了一處水淺的地方，悄悄地走過去，躲在蘆葦叢後偷窺著。只見倉庫的門大開，門口停歇著兩輛大卡車。幾個戴紅星帽的人，正從車上搬下好多黑沉沉的東西進屋子裡去。彭大為在黑暗中，睁大眼睛仔細看了半天，才知道搬進去的全是槍枝和子彈——共匪掠奪了人民的糧食，而向大鼻子換來的軍火。

彭大為默默地吞下一口唾沫，眼睛在黑暗中炯炯發亮。

●

那是一個漆黑漆黑的夜裡，淡淡的上弦月正落下西山去，黑壓壓的迴屏山下忽然響起了一支柔和的、夜鶯的歌曲。接著，一串黑影，彷彿一條巨蟒悄悄的從山上滑溜下來，跟著盪漾在空中的歌聲，蜿蜒地游過曠野，游過曲折的街巷……突然，那柔和的歌聲停止了。接著是兩聲淒厲的貓頭鷹啼聲，含有警告的意味。

「站住！」跟著粗暴的叱喝，一支手電筒的光，照亮在黑暗裡，光圈照出彭大為的影子。「你幹什麼的？」

「我……我媽媽生病，要我去請醫生。」

「你嘴裡哼呀哼呀的叫什麼？」

「因為在黑地裡走著害怕。」

「拍！」彭大為臉上重重的挨了一巴掌。

他感到一陣昏黑，幾乎要倒下去。「胡說！看你的樣子分明是個小國特。把他抓起來！」

一隻粗糙的手緊緊的抓住彭大為的領口，像老鷹抓小雞般提著走。忽然間「拍」的一聲，那個人像一棵被鋸斷的樹般倒下去。那個黑影放下地下的人問彭大為：「怎樣了？」

「嗯。」彭大為用鼻音答應著，把嘴裡一口腥黏的血連同一只被打落的牙齒，用力吐在地下的人身上，用手背擦一擦嘴，又跑上幾步，走在隊伍前面。

那條巨蟒般的行列，走到倉庫附近，看彭大為做了個暗號，便化整為零，採取了包圍的攻勢。四個守衛共匪被繳了械，大部分槍械和子彈都給扛上迴屏山去。剩下搬不走的，放了一把火，燒掉了。

第二天彭大為的家沒有做豆腐，街上戒了嚴，不准通行，共匪按家檢查戶口。

彭大為雖然掉了一個牙齒，說話漏風，他卻一股勁地在吹口哨。

一星期過去了，彭大為又揹著箴簍上迴屏山去，這一次，他們把他當小英雄似地迎進了深林裡。那個魁梧、樸實的大隊長，伸出手來，熱烈地握住了彭大為的小手。

「我們的小英雄，這一次得到你的幫助，給我們增添了不少實力，為著表揚你的功績，我們正在想應該贈你一件紀念品。」

「國旗。」彭大為毫不遲疑的說：「送給我一面青天白日滿地紅的國旗。」

「啊！」大隊長出乎意料之外，感動的拍著他的肩膀，「可是，你要知道，這是很危險的……」

「我會好好收藏起來。」彭大為說的很堅決。「等到國軍反攻回來的時候，我要第一個把國旗高高掛起來，要它飄揚在天空。」

下山的時候，他的身體似乎也比上山時胖了一點。

當晚，彭大為吃過了晚飯，就裝出很疲倦的樣子，睡到牀上去。等著他母親的呻吟停止了，他父親發出沉濁的鼾聲時，他又悄悄地下牀，點著油燈，把身上的短衫解開脫下，緊裹在他身上的，卻是一面鮮豔奪目的國旗！

彭大為解下國旗把它掛在牆上，恭恭敬敬地行了三個鞠躬禮，然後取下來。小心翼翼地摺好，用一張油紙包上，再掏出一把小刀，在牆磚上挖著。慢慢地把泥土挖掉了，彭大為就把一塊磚拿下來，牆上露出一個黑洞。他就把包好的國旗放了進去，重新又把磚泥塞進去。當他這麼做時，不知不覺撮起漏風的嘴唇，吹奏起三民主義，吾黨所宗……

這一晚上，彭大為做了一個夢，夢見國軍從台灣反攻回來。

蔣總統洋溢著慈祥的笑容坐在一匹白馬上，後面是漫長的，整齊而莊嚴的國軍隊伍，彭大為高擎著國旗，旋風似地衝出去加入歡迎的群眾，歡呼聲潮浪似地洶湧著，鮮花像陣雨般落下來。

森林裡的祕密

一

一個星期日下午，初秋的驕陽，普照著大地，江聲同著丁治華又去釣魚了。

江聲今年十二歲，丁治華十一歲。兩人都在大同國民學校念五年級。他們在暑假學會了釣魚，成了一對釣魚迷。只要逢上放假，便一人一根釣竿，消磨一天半天。

那天，他們照例先在園裡陰濕處掘到一些蚯蚓，做成魚餌。放在一只空香煙罐頭裡。另外還帶了一只小竹簍，預備裝魚用的。一切裝備妥當，於是兩人興高采烈地掮著釣魚竿，跨著正步，一吹一唱地合唱著「反攻，反攻，反攻大陸去……」向郊外出發。

他們第一次找著可以垂釣的地方，是一口小小的池塘。池裡飄浮著一點一點的浮萍，池畔有棵大榕樹正好遮蔭。可是正當他們剛好放下釣竿時，塘對面走出一個鄉下人，向他們揮著手，大聲阻喝著。他說：「那池裡的魚，是我養的，誰也不准釣。」他們只得匆匆的收拾起魚具，重新再找地方。

這一次他們找著的是一條澗溪，水很淺，也很清，連魚在水裡游過也看得見。

「這裡的魚總沒有誰養著吧！」丁治華停下來，站在溪邊喃喃的說。

「誰說沒有？這是上帝養的，不過上帝准許我們釣牠罷了。」江聲詼諧地說。一面捲起褲腳來，看準溪流裡一塊頂大的岩石，輕輕向上一躍，接著丁治華也跟著跳上去，石頭很滑，兩人一撞，差一點跌下水去。但馬上彼此挽抱著站住了。他們發出愉快的歡笑，與淙淙的溪流合奏著。

他們坐穩後，便放下釣竿，屏住氣息的望住水面的浮標，不敢哼一聲。可是，溪裡的水究竟流得太急了，眼看小魚三三兩兩順著水流游去，老半天都沒有一條上鉤的。江聲覺得有點不耐煩，雙手抱著膝蓋，望了一眼水流下來的方向，只見太陽已偏西了一點。

「哎，今天運氣不好！」他索性撿起小石頭，丟在水裡。

「水流得太急，沒有辦法。」丁治華也搖搖頭，失望的眼光，正落在太陽遍照下，田野盡頭一座黑鬱鬱的林子上。他忽然眨了眨眼睛，想起了什麼似的說：「那林子裡倒有一口很好的池塘。」

「你怎麼知道？」江聲追問道。

「去年我跟爸爸打獵時，進去過一次。」

「那好！我們乾脆去裡面釣好了。」江聲邊說邊站起來，丁治華卻又猶豫起來。

「可是那林子很深哩！」

「不管它深不深，我們只要找到池塘就好了。又不是進裡面去尋寶藏！」江聲說著，逕自朝著岸上走，丁治華也就跟了上去。

二

那林子果然很深，一眼望進去，陰森森的看不到底。越往裡走，越是陰冷，跟外面大日頭底下，竟是兩個季節。地下的落葉鋪得厚厚的，走上去像踏在彈簧墊上。江聲同丁治華走了半天，才遠遠地發現從枝葉間漏下來的斑爛陽光，閃耀著隱約的水光。兩人不由得同時發出了歡呼，三跳兩蹦地從樹隙裡穿繞過去，一片靜靜的，暗綠色的水，展現在他們面前，但那不是池塘，而是一個古老的潭。

他們立刻在潭畔滿披青苔的石上坐下，放下釣竿，不一會江聲的浮標就在水面動了一動，忽然沉下去，他趕緊往上一扯，竟是一尾七八寸長的黑鯉魚，在釣鉤上一扭一曲，鱗片在陽光下閃閃發光。他高興得直叫丁治華看，就在這時，丁治華也釣起了一條背脊上嵌紅線的鯉魚。

「丁治華，你這個功勞可比哥倫布發現新大陸還偉大。」江聲把魚放進篾簍裡，誇獎起丁治華來。丁治華也眉開眼笑地說：

「我爸爸最喜歡吃魚。這下晚餐可夠他吃紅燒魚啦！」

於是，他們說說笑笑，釣了又釣。收穫著實不少，卻忘了時間悄悄地從他們身旁溜走。等他們驀地驚覺，夕陽已逗留在樹巔上，向林裡瞥了最後一眼，沉落到樹林背後去了。林子裡罩著一片灰暗的濃霧，等不到他們走出林外，那僅剩的一點光線也被黑暗吞沒了。在慌亂間，他們迷失了路。摸索著前進時，不是被荊棘撕破了褲腿，絆跌了跤，便是被椏叉和樹枝觸痛了臉，勾住了頭髮。黑地裡那些奇形怪狀的樹木，彷彿是一個個猙獰可怖的巨人，正伸出無數彎曲的手臂，要抓住他們。膽小一點的丁治華怕得幾乎要哭出來了。——他們摸索著走了半天，結果竟又回到了潭邊。他兩又餓又累，又嚇又怕，覺得一點力氣都沒有了，只是絕望的倒在地上喘氣。

「我怕今天晚上走不出去了。」江聲有氣沒力地說。

「那怎麼辦？我怕——」丁治華瑟縮著向江聲靠近一點。

「都是我不好，要你來這裡。」江聲摸著丁治華的手，握緊著抱歉地說。

「是我不好，我先提議的——啊，江聲，你看那是什麼？」丁治華坐起來，要江聲看。江聲也看見了，在遠遠的地方，亮著一點燈光，雖然很小，很微弱，還不及螢火蟲光亮，但就這一線光明，卻帶給他們新的希望。

「有燈的地方應該有人家，說不定是看林人住的——走，我們過去看看。」江聲拉著丁治華站起來。

這一點鼓舞，立刻又使他們產生了新的勇氣。兩人一路從深草荊棘中慢慢走過去，連眼睛都不敢多眨一下，生怕那燈光逃走了。

當他們快走近光時，忽然聽到一種很奇怪的聲音，在這沉寂的森林裡，特別顯得清晰。

……底達底，底達底，底達底達，底底達達……

江聲捏了一下丁治華的手，要他放輕腳步，兩人躡手躡腳，像一對貓似的向前潛行——矗立在他們面前的，是一間歪斜而老朽的小屋子，周圍叢生著蔓草，彷彿早被人棄置了。那一點光，就從板牆上的破洞裡洩漏出來。

三

江聲把眼睛湊到那個洞上去，丁治華也在底下的板壁上找到另外一個小洞。

小屋裡搖曳著一片昏黃的燭光，照出屋角荒涼的蛛網塵灰，地下凌亂的草梗、枯葉，還有一些橫七豎八堆置著的樹枝，更把小屋擠塞得蕪亂污穢，就在這蕪亂中，卻有一個人蹲著，聚精會神在對付一件事。

那個人的樣子可真駭人！一頭雜亂的長髮，長鬍鬚，眼睛深深地陷下去，瘦削的長臉白得似蠟製的。一身污穢不堪，長長的頭髮上，還壓著一副電話局裡用的耳機。兩隻手熟練地按著一個放在木凳上的方盒子，「底達底達」的聲音，便從那盒子發出來的。只見他按了一歇，又停下來在一張紙上寫著什麼。弄了半天，於是他迅速的把盒子收拾了，拿著蠟燭站起來。那燭光映著他的臉，更是猙惡可怖。丁治華生怕他會走出來，但他卻向左邊的角隅走去，——原來那裡是一個地洞，看他一步一步走下去，好像還有階梯。等全個身體隱沒在洞裡時，那神祕的人，便伸出手來拉幾根樹枝架在洞口，又扯些草梗枯葉蓋在上面。等他掩蓋完畢，周圍便完全浸入黑暗中。

在外面窺看的江聲和丁治華，這時才敢深深地透了口氣，揑得緊緊的拳頭，擠出了黏濕的冷汗。

「這個人一定不是好人。」江聲輕輕地說。

「恐怕是匪諜。明天向警察局檢舉——」丁治華正說到這裡，忽然遠遠傳來一長聲尖銳慘厲的叫聲，——那是餓狼在嚎叫。丁治華嚇得兩條腿哆嗦，江聲從牙齒縫裡迸出聲音說：

「我們進屋裡去……」

「那個人……」丁治華怕狼，也怕那神祕的人。

「不管怎樣，對付一個人，總比對付一隻餓狼容易些。而且他又躲在地洞裡。」

於是他們繞著板壁摸到那扇門，幸好門是向外搭著的，他們很小心很小心的把門推開一條縫隙，脫下鞋子，像狗一般伏著慢慢爬進去，便在一個角隅裡，偎倚著躺下來，誰也不敢開口。這時，他兩清晰地聽見兩個心在胸腔裡「畢卜畢卜」地跳。也不敢閉上眼睛，大家睜大了眼，瞪著黑暗裡那個有地洞的方向。——就這樣提心吊膽的過了一夜。等到板壁縫裡透進來朦朧的曙光，他們趕緊走出那魔窟，走進林子裡，繼續尋找出路。

「我們一晚上沒有回去，爸爸媽媽不知急成什麼樣了。」丁治華憂愁地說，兩人都吮著大樹葉上的露珠解渴。

「白天裡找路，要好一點，嘿！這棵樹我們來的時候好像看見過。」江聲指著一棵挺高挺粗，從中間分裂成兩株的松樹說。丁治華卻記不大清楚，望著那棵樹盡皺眉頭。

……悉索悉索……兩人彷彿驚弓之鳥，一聽見這聲音，又恐慌起來。江聲趕緊拖著丁治華躲在一叢灌木後面，偷偷地向外窺看。……悉索悉索的聲音，越來越近了，原來是一個樵夫打扮的人，手裡拿著斧頭，肩上的扁擔上，還挑著一個包袱。一本正經的向前走去，似乎對林裡很熟悉。丁治華正想走出去向他問路，江聲卻示意他不要動，一面附在他耳朵上悄悄地說：

「砍柴的人，那有這種急急忙忙的神氣！這森林裡古怪多，要當心！」

「我猜他也許是替那個長頭髮的人送飯的。」丁治華若有所悟地說。

「跟著他！」江聲說。

不出他們所料，那個樵夫，果然是到小屋子裡去的。他進去了好一會才出來，扁擔上那個包袱卻不見了；卻在屋裡拖出些柴枝來捆上，又挑著往來時的路上匆匆走去。

「跟著他！你左我右。」江聲說。於是兩個人分開來，一左一右躲躲閃閃的、遠遠地跟蹤著樵夫。不一會就走出林子了。到了鄉下，他們不能再躲起來，又裝作像釣魚的孩子，走一會，又在池旁釣一會，眼睛卻始終沒有放鬆前面的人。進城後，他們看見那樵夫往一條小巷子裡一鑽，跟過去一看，原來卻是一間茶館。

四

兩人一口氣便跑到警察局，正碰到一個高大的巡官走出來，瞪著眼從頭到腳的打量他們，——他們這時的模樣可真狼狽極了，衣服上不但滿是泥污，臉上、手和腳都有劃破的血痕。

「你們兩個是不是叫作江聲和丁治華？在大同國民學校念書？」巡官瞪著眼先問他們。

「是的。」兩個人同時答應，怔住了。

「好傢伙！昨晚上你們家人到處找你們。這下可別跑了，等我打電話去通知。」巡官說著便去撥電話。兩人這才記起來這裡的目的，急忙阻止他。

「不，請慢一點打電話，我們有更要緊的事報告你。」

「嚇！」巡官看到他們一臉正經，聳了聳肩膀說：「小傢伙，名堂真多！」但他還是帶他們去局長室見局長。

兩人在局長那裡，便源源本本把經過說出來，由江聲主講，丁治華在旁補充。

「這都是你們親眼看到的嗎？」局長臉色慎重地問他們。巡官也一臉緊張，緊盯住他兩。

「是的。」

「如果要你們帶路，你們還認得嗎？」

「認得。只是要在太陽沒有下山之前。」

局長站起來，在屋裡從這邊踱到那邊，沉思著。江聲跟丁治華把話說了，責任也卸了，覺得飢餓疲累，肚子打雷似地鳴叫著，眼皮沉重得抬都抬不起來。

「我猜你們一定餓了累了。」局長發覺了兩人的困頓，歉疚而慈藹地望著他們說：「張巡佐，你先帶他們去好好地吃一頓，洗洗乾淨，睡一覺。下午去說不一定要一路去一趟——噯，為了保持祕密，你們家裡只好緩一步通知了。」局長對站在旁邊的巡佐說。

兩人睡了一個香甜的覺。醒來卻見張巡佐笑嘻嘻地站在牀邊，他們幾乎認不得他了，因為他換上了便裝。

「快起來，是行動的時候了。」

「只你一個人同我們去嗎？」丁治華疑惑地問他。

「放心，我們早就預備妥當了。你們兩個仍舊裝作去釣魚好了。在路上看見我也只當不認識的。你們走到那間茶館店門口時，要記得蹲下來繫繫鞋帶，然後一直走到林子裡去，有人會暗暗跟著你們的。目標弄清之後，你們最好避開一點，免得追捕人時被流彈中傷。」張巡佐小心地叮囑了他們一番，帶他們到後園的小門出去。江聲背起箴簍來時，才發覺裡面一簍子魚全腐臭了。兩人大呼可惜。

他們遵照張巡佐的囑咐行動。到林子裡找到那幢小木屋時，太陽已下山了。兩人便在屋子後面一個墳墓似的土墩旁坐下來。天色慢慢地黑下去，但他們今天卻不像昨晚那樣驚怕，因為曉得周圍有人埋伏著。

快盡半夜時，小屋裡的燈果然又亮了，接著響起了「底達底達」的聲音。隔了一會，驀地燈光消失了，接著有嘈雜的人聲。

「糟糕！蠟燭吹熄了。」

「看他們正打手電筒搜索哩，不是給跑了吧？」正當兩人在猜疑間，忽然江聲一把拉住丁治華，兩人一下子嚇得毛髮全豎了起來，心都停止了跳動——原來他們腳下的草，忽然自已動起來，接著那塊墓碑也左右移動著，陡地推倒了。從裡面鑽出一個人頭來，頭髮亂蓬蓬的，正是小屋裡那傢伙。江聲一認出他來，一身熱血都湧上了心頭，用勁大喚一聲：「在這裡！」便勇敢地撲過去抱住那人的右腿。丁治華跟著去抱左腿，就在這一瞬間，那人狠狠地罵了一聲，順手就給江聲一槍，揮了丁治華一拳，拔腿就逃……

五

「這次一網打盡，一個也沒漏掉！」巡官興高采烈地坐在病房裡講給江聲跟丁治華聽——他們兩人一個給子彈擦破了右腿，一個給打腫了左眼。房裡除了巡官，還有他們的父母、老師，以及新聞記者，桌上堆滿了鮮花、糖果和故事書，兩人出神地半張著嘴，聽巡官講：

「那茶館是匪諜的窩巢，這次他們可是全巢覆沒了。樵夫是在小房子門口縛住的。設電台的那個長頭髮傢伙原來是主要的匪諜，算他最狡猾，他一看見我們就吹熄了蠟燭，我們用手電筒照時，他已經不見了。我們知道他有地道，緊跟著追尋下去，那曉得他把地道中間一根柱推倒，泥土立刻崩坍下來，把地道塞斷了，這時幸好你們那邊一叫，又是槍響，我們就圍上去把那狡賊捉住了。你們這一次不但釣到大魚，還釣了不少哩！」巡官詼諧地跟他兩說笑道。房裡許多人的眼光也都集中在兩臉上，把兩人的臉都看紅了。接著巡官又說局長正預備把他兩人的英勇事蹟，報到上面去請獎，而局裡的人也要送他們名貴的紀念品，記者又盡在一旁不斷的向兩人發問……後來他們的父母說讓孩子們休息休息吧，大家才告辭。

當房裡只剩下他們兩個人時，江聲忽坐起來，動著那隻沒有裹紗布的腿，向丁治華說：

「噯！前天釣到那麼多的魚，真有意思！下個星期日我想再到森林裡去，你去不去？」

「當然去！」丁治華眨著那隻沒有受傷的眼睛，豪爽地說。兩人面對面望著，大笑起來，笑得連屋頂都震動了。

童話・童年・童心（後記）

生命中最可愛的是童年，純潔、天真、感情真摯、朝氣蓬勃、具有最旺盛的求知欲，對一切都感到新奇。有最豐富的同情心，對任何事物都發生興趣。

所有文學作品中最美麗的是童話；以豐富的想像，融貫了仁慈、勇敢、忠誠、謙遜、勤懇、忍耐，以及愛和同情，這些人類的美德，創造出動人的故事。啟發並滿足那些渴望著認識一切的小心靈。

記得我曾在一篇文章中描述過一幅圖畫；畫的是一個年輕的母親正坐在一張藤椅中，一面編織毛衣，一面和藹地向孩子們在講述什麼。圍在她面對的兩個孩子，小的一個女孩抱了一個洋娃娃，偎依在大沙發裡。大的一個男孩兩腳交叉翹起，雙手支撐著下巴，俯伏在地上。兩人都一樣地聚精會神，睜大眼睛凝望著他們的母親，顯然是在聽一個美麗的故事，整個小心靈全被動人的情節吸住了、融貫了。而畫得最傳神的還是那兩雙眼睛，湖水般澄清，明亮，又朦朧地閃爍著夢幻似的光彩。那凝神一注，歡欣嚮往的神情，彷彿使人看到那幼小的心靈，正似向陽的花瓣般欣然啟開，而那些美麗的字句被吸入心瓣，又似露水滴入花蕊，無聲的融解、潤澤……

實際上，我並未在任何畫展中看到過這幅畫，而這幅生動的圖畫，卻展開在每一個有孩子的家庭中。

沒有一個孩子不喜歡聽故事的，沒有一個童年，不被多采多姿的童話渲染得更美好，更可愛，更值得回憶！

在我小時候，我也曾不斷地要求大人給我講故事。

當我長大成人，我的孩子又不住纏著我給她講故事。

收集在這裡的一些故事，有大半便由於孩子的要求，我講給她聽了，又把它寫下來寄給那時正向我索取兒童讀物的幾家報刊。如今，當年講故事哄她入睡的孩子已馬上要投考高中了，在閱讀能力上來說，也可以欣賞文學作品，但是，也許幼小的心靈特別易於感染，童年的回憶特別溫馨親切，她總不忘記這些小故事，常常問我：「妳印了那些本集子，為什麼不印一本童話呢？」

是的，為什麼不呢？這裡也有著我樸實的感情、童年的憧憬、美麗的想像，以及當時與孩子分享的那份純真的愉悅。於是，我選了其中的一部分，印成這本小書。

一位童話故事的批評家說：「從童話發展到文學，逐漸把原始的純樸奇蹟和快樂，歸於遺忘。時至今日，只有孩童和大智慧的人，才知道童話引領我們再回到純樸智慧的境界。使不朽不滅的人性，再見發揚。」我無意自命為大智慧的人，唯願翻開此書時，能在自己的作品中覓得一份赤子之心，更希望所有的小讀者們，在那純樸智慧的境界中永遠保持天真純潔的童心！

於岡山・民國五十一年七月

艾雯全集8【小說卷・三】

作　　者　艾雯
編輯顧問　張瑞芬　陳芳明　應鳳凰（依姓氏筆劃排序）
主　　編　封德屏
執行編輯　王為萱
美術設計　不倒翁視覺創意

編輯製作　文訊雜誌社
10048台北市中山南路11號6樓
02-2343-3142
出　　版　朱恬恬
11147台北市忠誠路二段50巷8號
02-2832-1330

排　　版　浩瀚電腦排版股份有限公司
印　　刷　松霖彩色印刷事業有限公司
初　　版　民國101年（2012）8月
定　　價　全10冊（不分售）平裝新台幣4,600元整
ISBN　978-957-41-9326-4（第8冊平裝）
978-957-41-9318-9（全套平裝）

◎財團法人國家文化藝術基金會贊助
台北市文化局 Cultural Affairs Bureau of Taipei 贊助

國家圖書館出版品預行編目資料

艾雯全集 / 艾雯作. -- 初版. -- 臺北市 : 朱恬恬, 民
101.08
冊 ;　公分

ISBN 978-957-41-9318-9(全套 : 平裝). --
ISBN 978-957-41-9319-6(第1冊 : 平裝). --
ISBN 978-957-41-9320-2(第2冊 : 平裝). --
ISBN 978-957-41-9321-9(第3冊 : 平裝). --
ISBN 978-957-41-9322-6(第4冊 : 平裝). --
ISBN 978-957-41-9323-3(第5冊 : 平裝). --
ISBN 978-957-41-9324-0(第6冊 : 平裝). --
ISBN 978-957-41-9325-7(第7冊 : 平裝). --
ISBN 978-957-41-9326-4(第8冊 : 平裝). --
ISBN 978-957-41-9327-1(第9冊 : 平裝). --
ISBN 978-957-41-9328-8(第10冊 : 平裝)

848.6　　　　101013788

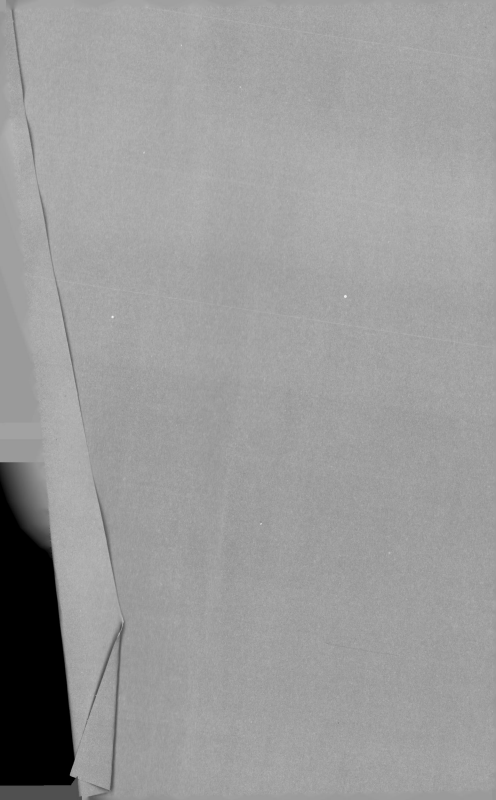